정년이

정년이

대본집

최효비

차례

일러두기

- 이 책은 최효비 작가의 드라마 대본 집필 형식을 존중하여 최대한 원본에 따라 편집하였습니다.

- 대사는 글말이 아닌 입말임을 감안하여, 한글맞춤법과 다른 부분이 있더라도 작가가 의도한 것이라면 고치지 않고 그대로 두었습니다.
  특히 사투리는 최대한 유지하였으며, '오디션'을 '오디숀'으로 표기하는 등 극 중 시대상을 고려하여 외래어표기법과 다르더라도 그대로 둔 부분이 있습니다.

- 이 책에는 작가의 최종 대본을 실었습니다. 방영되지 않은 부분이 포함되어 있을 수 있고, 실제 방영된 장면과 일부 다를 수 있습니다.

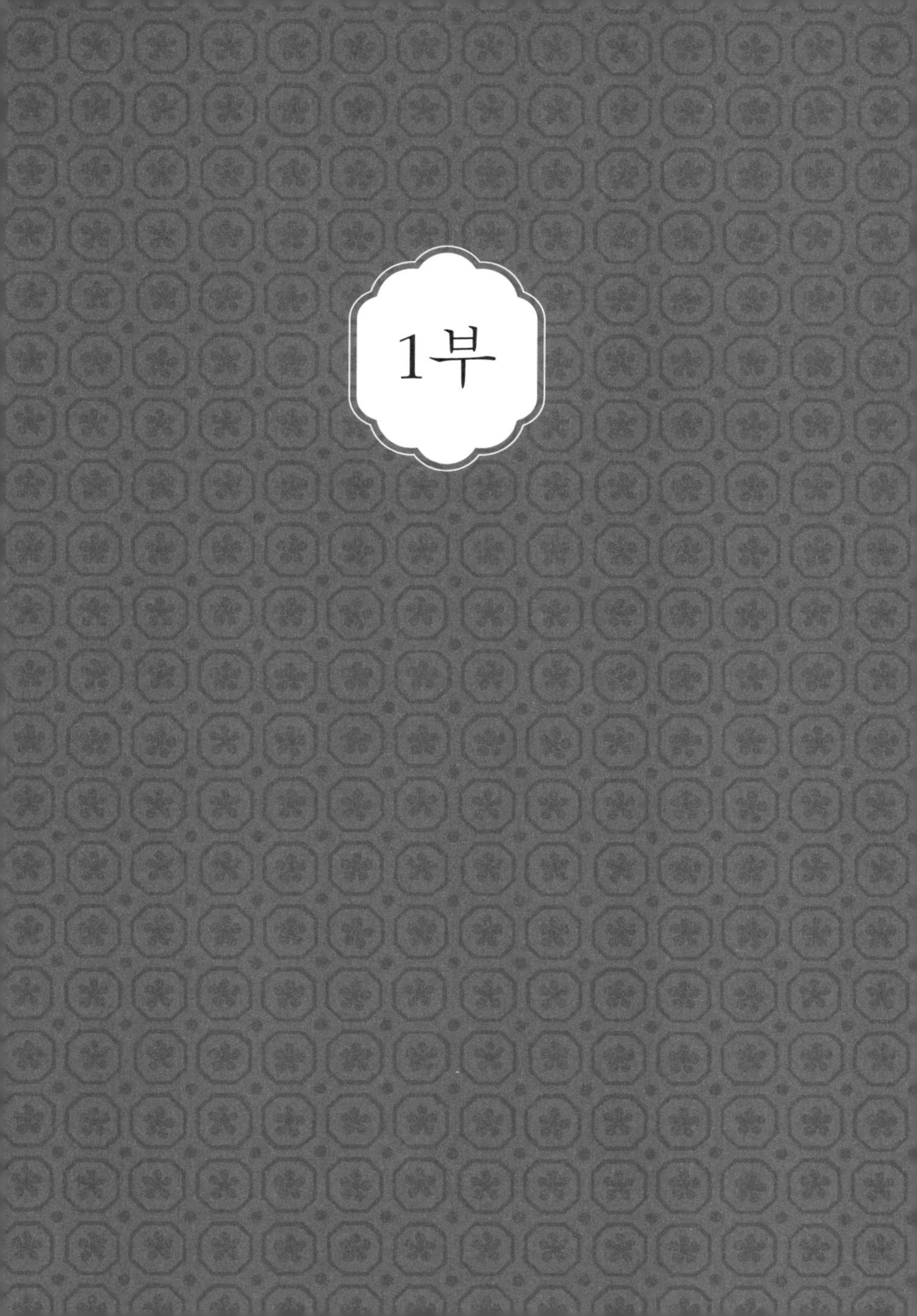

1부

(정년) (눈이 충혈돼서 정자 보는) 나 꼭 성공해갖고
돌아올게.

(정자) 성공 못 해도 자꾸 집 생각나고
서러운 생각 들면 돌아와.
내가 밤에도 문 안 잠글랑게.

#1 인트로 〔내레이션 또는 자막〕

여성국극. 창극의 한 갈래로서 1950년대 한국전쟁을 전후로 큰 대중적 인기를 모았다. 춘향이부터 향단이까지, 그리고 방자부터 이몽룡까지 모든 배역은 전원 여자가 맡는다. 노래, 춤, 연기, 모든 면에서 재주를 갖춘 배우들만이 국극 무대에 오를 자격을 얻는다. 그중에서도 남역 주연을 맡은 배우는 당시 최고의 인기를 구가했다.

#2 임진 자택 마당. 밤 〔눈〕

프롤로그 시작.

자막 '1931년'.

눈이 쏟아지는 마당 안.

북을 짊어진 초라한 입성의 공선 부(60대 후반)와 공선(18세)이 마당 구석에 오도카니 서 있다. 공선 부, 신발 대신 천으로 발을 둘둘 싸서 감싸놓은. 공선, 추워서 오들오들 떨며 발을 구르고 공선 부, 그런 딸이 안타까워 자기가 두른 목도리를 벗어 공선에게 둘러주는. 40대 초반의 단정하게 옷을 입은 여자가 부녀 쪽으로 오는.

여자 선생님께서 어서 들어오라고 하십니다.

여자를 따라 마당을 가로질러 가는 공선 부와 공선. 부녀가 지나가는 자리마다 눈 위에 찍히는 두 쌍의 발자국.

#3 임진 자택 안방. 밤 〔눈〕

임진(50대 중반) 앞에 앉은 공선 부와 공선. 임진 옆에는 비단옷을 입고 앉아 있는 소복(18세). 예쁜 옷을 입고 그린 듯 앉아 있는 소복, 눈앞의 공선을 호기심에 차서 본다. 공선, 그런 소복의 시선을 맞받아치듯 똑바로 보는.

임진 (반가움 담아) 이게 도대체 얼마 만인가. 그동안 어떻게 지냈어.

공선 부 여기저기 동가식 서가숙하며 지냈어라. (씁쓸하게 웃는) 한평생 소리판 따라다니며 장단 맞추고 사니라 모아놓은 돈도 없고…… 저 혼자 몸이라면 어떻게든 살겠지만 (공선 보며) 늘그막에 얻은 이 딸내미까지 이 엄동설한에 더 고생시킬 수가 없어서 말이어라. (어렵게) 그래서 말인디…… 어떻게 문간방 하나만 내주시면…….

임진 당연히 그래야지. (애정 담은 타박) 진작 날 찾아올 일이지, 사람이 왜 그리 미련해.

공선 부 (감격스러워서 고개 조아리는) 고맙구만이라.

임진, 공선 부 옆에 앉아 있는 공선에게 눈이 멎는다. 공선, 두려워하는 기색 없이 임진을 당돌하게 똑바로 빤히 보는.

임진 (웃는) 눈빛이 보통이 아니구나. 이름이 무엇이냐.

공선 채공선이라고 하는구만이라.

임진 앞으로 너는 이 집에서 뭘 하며 지내면 좋을꼬? 학교를 보내주랴? 요새는 너 같은 여자아이들도 학교를 다닐 수가 있는데.

공선 여기서 소리를 가르친다고 들었습니다. 지도 소리를 배우고 싶은디요.

공선 부, 깜짝 놀라 딸을 보는.

소복, 공선을 가만히 보는.

임진　(흥미롭게 보며) 소리를 배우고 싶다?

공선 부　(당황해서) 아니구만이라, 이 애가 아직 철이 없어서,

공선　(당돌하게) 저도 선생님처럼 한세상 휘어잡는 소리꾼이 될라요.

공선 부　(기함하는) 야가 뭐라는 거여.

임진　(엄한 눈빛으로) 어째서 소리꾼이 되고 싶으냐. 고운 비단옷 입고 한평생 노래나 부르면서 사니 그게 좋아 보였느냐.

공선　소리를 허면 속이 뚫리는 것 같아 좋습니다.

임진　속이 뚫린다?

공선　네.

임진　(허, 웃는) 아직 어린 것이 어쩌다 그런 느낌을 벌써 알게 됐을꼬.

공선　가슴에 뭐가 얹힌 것처럼 답답하고 외로울 때마다 소리를 하다 보니 그리 되었구만이라.

임진　예인이 되는 길에는 영광만 있는 것이 아니다. 더구나 소리꾼이 되려면 목에 피가 맺혔다 풀렸다, 이 과정을 수백 번, 수천 번도 더 반복해야 하는데 이 길을 가겠다고.

공선　네.

당찬 눈빛의 공선. 임진, 가만히 공선을 탐색하듯 보는. 공선 부, 숫제 좌불안석. 소복은 임진이 뭐라 반응할까 궁금해하며 보는.

임진　좋다, 그럼 네가 얼마나 소리를 하는지 한번 들어보자꾸나. 들어보고 나서 결정하자. (소복 향해) 소복아, 저기 있는 북을 가져오너라.

소복, 북을 가져오면 임진, 북채를 잡는. 공선, 일어나는.

임진 뭘 부르겠느냐.

공선 남원산성 불러보겠습니다.

임진, 북으로 장단 맞춰주기 시작한다.

공선 *남원산성 올라가*
이화문전 바라보니 수진이
날진이 해동청 보라매 떴다
봐라 저 종달새—

거침없이 부르는 공선. 구성지고 시원시원한 목소리에 소복, 눈이 커지고 임진도 순간 표정이 묘해지는.

공선 *석양은 늘어져 갈매기*
울고, 능수버들 가지 휘늘어진데
꾀꼬리는 짝을 지어 이산으로
가면, 꾀꼬리 수리루—

임진, 입가에 미소가 떠오르는. 공선 부, 거리낌 없이 재주를 펼쳐 보이는 딸을 그저 당혹스럽게 본다. 소복, 공선에게 압도당해서 표정 굳어버리는. 소복, 무릎 위에 올려놓은 손이 바들바들 떨리기 시작한다. 공선의 실력에 경이를 넘어 공포를 느낀 소복, 아예 온몸이 바들바들 떨리는.

#4 임진 자택 뒤뜰 정자&뒤뜰 일각. 낮

정자 안에서 임진, 공선과 독대해서 수업을 하는.

임진 탁하고 거친 소리가 좋다고 해서, 그럼 목쉰 소리가 나오면 무조건 좋은 것이냐, 그게 절대 아니란 말이다. 거칠고 탁하기만 한 목소리는 떡목이라고 해서 가치가 없는 소리로 친다. 조급한 마음에 소리를 수련하겠다고 무리하게 목을 쓰는 소리꾼들 중에 떡목이 돼버리는 경우가 있는데 너는 절대 그래서는 안 된다.

공선 네.

멀리서 그 모습을 지켜보는 소복과 소복 또래 여자아이들.

제자1 (질투) 갠 뭔데 선생님이 따로 가르쳐주는 거야?
제자2 지 아버지랑 문간방에 얹혀사는 앤데, 소리를 아주 기가 막히게 잘한대. 어디서 정식으로 배운 적도 없다던데 타고났나 봐.
제자3 기가 막힌 수리성을 가졌다던데? 이러다 소복이 너 수제자 자리에서 밀려나는 거 아니야?

소복, 표정 굳어서 공선 쪽을 보다가 쌩 가버리는. 여자아이들, 자기들끼리 수군거리는.

#5 임진 자택 연습실 안. 낮

제자들이 지켜보는 가운데 소복, 춘향가 동헌경사 중 한 대목을 부른다. 임진이 북으로 장단을 맞춰주는.

소복 *춘향이가 어사또를 물끄러미 바라보더니 마오 마오 그리마오 서울양반 독합디다—*

소복의 목소리가 유연하게 뽑아져 나온다. 제자들, 감탄하고 임진, 북을 치며 날카로운 눈빛으로 소복의 소리를 듣는.

소복 *기처불식이란 말이 사기에는 있지마는 내게조차 그러시오 어제저녁 문밖에 오셨을제 날 보고만 말씀을 하였으면 마음 놓고 잠을 자지—*
임진 (만족스러운 듯 고개 끄덕이며 북 치던 손을 멈추는) 됐다. 다음.
제자1 역시 소복이다.
제자2 그렇게 깐깐한 선생님도

아무 말씀 안 하시잖아.

공선, 일어나서 앞으로 나온다. 소복, 긴장한 얼굴로 자리에 돌아가면서 공선을 보는. 둘의 시선, 잠시 강하게 부딪히는.

임진 넌 뭘 부르겠느냐.
공선 저도 소복이가 부른 동헌경사를 부르겠습니다.

소복, 긴장해서 공선을 보는. 아이들, 수군거리는.

제자3 아주 대놓고 겨루겠다는 거네.
제자1 어차피 선생님은 한 명만 판소리 대회에 내보내실 거야. 아예 여기서 기를 꺾겠다는 거지.

임진, 북을 치기 시작한다.

공선 *사정이 옥쇠를 모도아 들고 덜렁거리고 나간다. 삼묵 밖으 잠긴 옥문을 쨍그렁청 열떠리고—*

아이들, 입이 딱 벌어진다. 소복, 졌다는 것을 직감하고 새파랗게 질리는.

공선 *춘향아, 나오너라! 나오너라!*

목청 좋게 뻗어나가는 공선의 소리. 임진 얼굴에 환한 미소가 번진다. 공선에 대한 흐뭇함을 감출 수 없는 임진의 표정. 소복, 눈물까지 고여 잔뜩 질투에 찬 표정으로 공선을 노려보는.

#6 임진 자택 문간방 앞 툇마루. 밤 (비)

공선, 툇마루에 혼자 앉아 주룩주룩 비가 떨어지는 처마를 보다가 멈칫한다. 저만치서

비를 맞고 온통 젖은 채 서 있는 소복. 소복, 공선 쪽으로 오는. 빗속에서 울고 있던 소복, 어깨가 들썩거린다. 하지만 아직은 지고 싶지 않다는 듯 맹렬히 불타는 소복의 눈빛.

소복　난 네가 미워.
공선　…….
소복　넌 지금까지 내가 쌓아온 실력을 초라하게 만들어.
공선　…….
소복　판소리 대회에서 꼭 이겨.
공선　(놀라서 소복 보는)
소복　나까지 이겨놓고 나가서 1등을 못 하면 평생 널 저주할 거야.

공선, 가만히 소복을 보다가 고개 끄덕이는. 소복, 돌아서서 가버린다. 공선, 그런 소복 뒷모습을 멍하니 보는.

#7 행궁 마당. 낮

한쪽에 〈조선 팔도 명창 대회〉라고 쓰여 있고, 마당 안에는 구경하러 온 사람들로 왁자지껄하다. 한쪽 단상에는 심사위원들이 앉아 있다. 무대에 공선이 올라온다. 구경꾼들 사이에 소복, 공선을 쏘아보는. 공선, 많이 모인 사람들을 보자 놀라고 긴장한 듯한. 공선, 손이 바들바들 떨린다. 소복, 그런 공선을 보고 멈칫하는.

소복　떨고 있잖아…….
구경꾼1　누구야, 처음 보는 얼굴인데?
구경꾼2　어려 보이는데?
구경꾼1　이 대회도 슬슬 어중이떠중이들이 다 모이는구만. 어디서 듣도 보도 못한 어린애까지 나오다니.

구경꾼들 사이에 조롱과 야유가 터져 나오는.

소복　(발끈하는) 나이가 무슨

상관이에요? 나올 만하니까 나온 거지.

구경꾼1 (눈 부라리는) 어린놈이 따박따박,

소복 (전혀 기죽지 않고 쏘아보다가 공선을 걱정스럽게 보는)

공선, 그때 소복과 눈이 마주치는. 소복, 공선에게 고개 끄덕여준다. 공선, 알았다는 듯 마주 고개 끄덕이는. 공선, 마음 다잡고 고수에게 고개 끄덕여서 신호 보낸다. 고수, 북으로 장단 맞추기 시작하는.

공선 *추월은 만정허여 산호주렴 비춰들 제,*

구경꾼들, 순식간에 조용해진다. 소복, 간절하게 공선을 보는.

공선 *청천의 외기러기는 월하에 높이 떠서 뚜루루루루 낄룩, 울음을 울고 가니, 심황후 반기 듣고, 기러기 불러 말을 한다.*

공선의 목소리가 멀리멀리 퍼지기 시작하고, 구경꾼들 충격받아서 할 말을 잃은 채 공선을 본다. 공선, 이제 완전히 집중해서 추월만정을 부르고, 구경꾼들 애절한 공선의 소리를 듣다가 눈물을 글썽이는. 공선, 아버지와의 추억을 생각한다.

#8 공선 부&어린 공선 몽타주

(회상)

공선 부, 새 신발을 공선의 발에 신겨준다. 새 신을 신고 좋아하는 공선, 흐뭇하게 딸을 보는 공선 부. 공선의 시선, 천으로만 둘둘 감싸놓은 아버지의 발에 멎고는 표정 어두워지는.

공선 부 (딸의 시선 눈치채고

안심시키듯) 괜찮애, 아부진 신발 신으면 답답해서 일부러 안 신은 거여. 가자.

다정하게 나란히 걸어가는 부녀.

#9 행궁 마당. 낮 〔현재〕

아버지와의 지난날을 생각하며 추월만정을 더할 나위 없이 애절하게 부르는 공선. 구경꾼들, 공선의 소리를 들으며 하염없이 눈물을 흘린다. 공선의 얼굴만을 뚫어지게 보던 소복, 공선의 소리가 가슴을 파고드는 것 같다. 소복의 뺨 위로 눈물이 흘러내린다. 그렇게 청중을 휘어잡고 자신의 재주를 유감없이 펼쳐 보이는 공선과 그런 공선을 하염없이 눈물 흘리며 보는 소복, 두 소녀의 모습에서 프롤로그 엔딩.

#10 바닷가 뻘밭. 낮

자막 '25년 뒤, 1956년'.
정년(19세), 호미로 열심히 뻘밭에서 바지락을 캐고 있다. 옆에서 같이 바지락 캐는 용례와 용례 또래 아낙네들. 여수댁, 한참 캐다가 허리 펴는.

여수댁 아이고메, 허리 끊어지게 생겼네.
진안댁 소리라도 한 자락 함서 합시다. 그래야 일이 더 손에 붙제.
여수댁 그럴까? (선창) *아하하 에요 아하하 하아아 하아 기와자 좋네—*
아낙네들 (후창) *아하하 에요 아하하 하아아 하아 기와자 좋네—*

아낙네들 빠짐없이 따라 부르지만 용례만은 입 꾹 다물고 바지락 캐는 데만 몰두해 있다. 정년, 소리 들으면서 표정이 밝아지며 어깨가 들썩들썩하기 시작하는.

여수댁 (선창) *저 건너 묵은*
밭에 쟁기 없어서 묵었능가
임자가 없어서 묵었능가—
아낙네들 (후창) *저 건너 묵은*
밭에 쟁기 없어서 묵었능가
임자가 없어서 묵었능가—

따라 부르는 정년. 그러다 용례와 눈이 마주친다. 용례, 날카롭게 정년을 보고 정년, 찔끔해서 입 다무는.

용례 (일어서며) 가자.
정년 아직 물 들어올라면 멀었는디…….
용례 빨리 가자니께!

용례, 바지락 든 양동이 두 개 들고 앞장서서 자리 뜨고 정년, 어쩔 수 없이 일어서는.

여수댁 정년이 벌써 가냐.
정년 야.
진안댁 나가 너 아까 어깨 들썩들썩할 때부터 니 엄니 화낼 줄 알았다. 언능 쫓아가.
정년 (웃으며) 나 내일 또 올란께 나 캘 것은 쪼까 남겨주쑈!

정년, 용례를 쫓아간다. 정년, 용례 눈치 보다가 용례가 양손에 든 양동이 중에서 하나를 빼앗아 드는. 용례, 못마땅하게 정년 보는.

정년 아, 알았어. 안 할게. 소리 안 하면 될 것 아니여. 아, 싸게 갑시다이, 언니 목 빠지게 기다리겄네.

붙임성 좋게 웃으며 용례에게 달라붙는 정년. 용례, 못 이기는 척 가는.

#11 바닷가 길&옥경 차 안. 낮

기사가 운전하는 차 뒷좌석에 앉아 있는 옥경과 혜랑. 옥경,

머리 기대고 창밖을 멍하니 보고 있고 혜랑, 잡지 보는. 매란국극단 특집 기사, '연일 매진 행렬을 이끌어내고 있는 매란국극단의 폭발적인 인기' '20배 높은 가격에도 암표가 팔려' '갈수록 무르익는 서혜랑의 연기' '인기의 핵심은 여성국극의 황태자로 군림하고 있는 문옥경'.

혜랑 (흡족한) 이 기사 봤어? 우리 매란국극단에 대해서 굉장히 호평을 했어. 거기다 너보고 여성국극의 황태자래.

옥경, 반응 없이 창밖만 보는.
혜랑, 그런 옥경을 보는.

혜랑 왜 기운이 없어?
옥경 재미가 없어.
혜랑 뭐가?
옥경 그냥 모든 게 다…… 연기도 예전만큼 재밌지가 않아.
혜랑 순회공연 하고 너무 힘들어서 그런 거 아니야? 좀 쉬면 나아질 거야. 이 근처에 시장 있다던데, 시장 구경이나 좀 하자. (기사 향해) 그쪽으로 좀 가주세요.
기사 네.
옥경 (의욕 없이 창밖만 보는)

#12 시장 안. 낮

왁자지껄한 시장 안. 정자, 생선을 팔고 있다. 정자, 생선 손질하느라 정신없는데 정년과 용례, 정자 쪽으로 양동이 갖고 온다.

정년 (양동이 내려놓으며) 아이고메, 무거워라.
정자 (양동이 보고) 많이도 캐갖고 왔네.
정년 많이 팔아야 돈을 많이 벌제.
용례 엄닌 밭일 있어서 먼저 간다. (정년 향해 을러대는) 너 또 사람 끌어모은다고 소리하면 어떻게 되는지 알제?

정년 (생선 정리하며 못 들은 척 대꾸 안 하는)

용례 (채근하는) 아, 알아들었냐고!

정년 (마지못해) 아, 알아들었소.

용례 (자리 뜨는)

정년 아따 참말로…… 소리 한번 하면 금세 다 팔아불 것인디 갑갑하네잉…….

정자 (웃는) 참말로 우리 정년이 돈 욕심은 알아줘야 한당게.

갑자기 요란하게 집기 걷어차는 소리와 욕설 소리가 섞여 들리는. 깜짝 놀라 소리 나는 쪽을 보는 사람들. 상인1, 뭐라고 통사정을 하고 이삼십 대의 건달 셋, 위협적인 태도로 집기를 걷어차는.

구경꾼1 (나직하게) 육시럴 놈들, 또 시작이네.

익숙한 일인 듯, 놀라지도 않고 표정 어두워져서 그쪽을 보는 정자. 정년, 증오가 가득한 눈으로 그쪽을 노려보는. 건달들, 정년네 자리 쪽으로 오는.

창호 (빈정대듯) 동생 델꼬 장사하니라고 욕 많이 본다잉? 그러게 보호비를 좀 더 내놨으면 이런 구석진 데 말고 더 목 좋은 디서 장사를 할 것인디…… 느그 집도 참 깝깝허다.

부하 건달들, 괜히 생선 이것저것 건드리고 정년, 손대지 말라고 손 쳐내며 노려보는. 부하 건달들, 어이없어서 웃는. 정자, 군소리 없이 전대에서 돈 꺼내서 세는데 창호, 기다리지 않고 돈을 가로채서 자기가 세는. 정년, 창호를 노려본다.

창호 (돈 세고는) 돈이

부족한디?

정자 (당황하는) 그 정도면 오히려 남을 것인디요.

창호 (뻔뻔) 아, 이번 달부터는 두 배로 올랐어.

정년 (욱해서 도끼눈 뜨는) 지금까지 뜯어 간 것도 한두 푼이 아닌디, 여기서 두 배로 올려불면 우린 굶어죽으라, 그 말이요?

창호 아, 이 가시나 눈 땡그랗게 뜨고 달려드는 거 보소? 그건 느그 집 사정이고! 정 돈이 없으면 대폿집에서 술을 따라서라도 돈을 만들어 오든가! (정년을 아래위로 훑어보며 기분 나쁘게 웃는) 글고 봉께 너도 인자 다 컸는디? 어떻게, 일할 만한 데 좀 소개시켜줘?

건달들, 자기들끼리 킬킬거리며 웃는다. 정년, 표정 굳을 대로 굳고 주먹 부들부들 떨리는. 정자, 듣다못해 폭발하는.

정자 (잔뜩 열받아서) 시집도 안 간 처녀한테 할 말이 따로 있제,

정년 *남원산성 올라가*
이화문전 바라보니 수진이
날진이 해동청 보라매 떴다
봐라 저 종달새—

남원산성을 목이 터져라 부르는 정년. 깜짝 놀라서 정년을 보는 사람들. 정자도 놀라서 정년 보는. 건달들, 어리둥절해지는. 시장에 들어서는 옥경과 혜랑. 혜랑, 옷에 생선 비린내 밸까 짜증 난 표정. 옥경, 생선들 구경하다가 정년 쪽을 흥미롭게 보는.

정년 *석양은 늘어져 갈매기*
울고,

삼삼오오 정년 주변으로 몰려드는 사람들. 좋다! 추임새 넣으며 흥겨워하는 사람들. 건달들,

당황하는. 옥경, 유심히 정년 쪽을 본다.

혜랑　(가려다가 옥경이 움직이지 않자 보며) 안 가?

옥경　(그저 소리 나는 쪽만 보는)

정년　*사랑 거짓말 옛날 사랑도 거짓말 꿈에 와서 보였다는 것도 그것 또한 거짓말 어야 뒤여— 어허 둥가 허허 둥가 둥가 내 사랑이로구나—*

점점 몰려드는 사람들, 정년이 소리를 마치자 박수 치는 사람들. 창호 제외한 나머지 두 명도 자기도 모르게 박수 치는. 창호는 부하들한테 눈 부라리면서도 예상 못 한 분위기에 난감해지는.

정년　(창호 보며) 소리값 내씨요.

창호　뭐?

정년　공짜로 한 거 아닌께 소리 들은 값 내란 말이여. 술이라도 팔아서 돈 맹글어 오라 안 했소? 방금 그 짝한테 내 소리 팔았응께 그 값 내씨요.

창호　(어이없어서) 아니, 대그빡에 피도 안 마른 가시나가 지금 장난하나,

정년　(구경꾼들 둘러보며 크게) 어쩌요, 으째 내 말이 틀렸소?

구경꾼1　맞제, 소리를 들었으면 소리값을 내야제!

구경꾼2　암만, 정년이 소리가 보통 소리가 아닌디 들었으면 돈을 내야제! 입을 딱 씻어버릴라고?

구경꾼들 "맞제, 돈을 내야제!" 하면서 정년의 편을 드는. 정년, 의기양양해서 창호를 보는. 창호, 수세에 몰리자 분해서 어쩔 줄 몰라 하면서도 어쩔 수 없이 부하들을 데리고 자리를 슬그머니 뜬다. 건달들 자리 뜨자 사람들, "속이 다 시원하네!" "정년아, 잘했다!" 좋아하는. 정년도 좋아서

씩 웃는다. 옥경, 이 소동을 흥미진진하게 보고 제법이네? 싶어서 정년을 보고 웃는.

정자 (안도하는) 워메, 죽다 살았네. (정년 등 찰싹 때리는) 이놈 가시나야! 엄니가 그렇게 소리하지 말라고 신신당부혔는디 또 소리를 해!

정년 저 건달 놈들이 깽판을 쳐쌓는디 아, 그럼 어째. 언니는 그냥 이 자리에 없었던 걸로 해.

구경꾼1 아, 남원산성만 부르고 말래? 한 곡조 더 불러봐라.

정자 (질겁하는) 아이고, 정년이 소리하면 나중에 엄니한티 죽소.

정년 (정자 향해) 아, 뭔 소리여. 죽을 땐 죽더라도 돈은 벌어야제. (구경꾼 향해) 근디 맛보기는 공짜로 들려드릴 수 있제만, 계속 듣고 싶으시면 소리값을 내셔야제라. 생선 좀 팔아주쑈.

옥경 [소리] 내가 다 팔아줄게.

정년, 소리 난 쪽을 보는. 사람들 사이 헤치고 옥경이 앞으로 나온다. 옥경, 정년을 보는 얼굴에 장난기 있는 웃음 머물고 있는. 큰 키, 수려한 얼굴, 잘 갖춰 입은 고급 셔츠와 정장 바지, 미청년 같아 보이는 옥경의 모습. 원피스를 세련되게 차려입은 혜랑, 화려한 양산을 받쳐 들고 좀 뒤에 떨어져서 무표정한 얼굴로 정년 쪽 보고 있는. 사람들, 옥경과 혜랑을 보고 “누구여?” “뭐여, 남자여, 여자여?” 웅성거리는. 정년, 혜랑을 흘끔 보고 그다음 빤히 옥경을 본다.

정년 (믿기지 않아 경계하듯) 이걸 다 말이어라?

옥경 대신 남원산성 말고 다른 곡을 들어보고 싶은데.

정년 어떤 거 말이어라?

정자 (불안해서 그만하라고)

정년아,

정년 (아랑곳 않고) 뭐가 듣고 싶은지 말씀해주씨요.

옥경 그냥 네가 자신 있는 거 아무거나.

정년 (잠시 생각에 잠겼다가) 그람 춘향가에서 한 대목 불러드리겄소. (목 가다듬고) *갈까부다 갈까부네 님 따라서 갈까부다 바람도 수여 넘고 구름도 수여 넘는 수진이 날진이 해동청 보라매 다 수여 넘는 동설령 고개라도 님 따라서 갈까부다.*

사람들, 일순간에 조용해지는. 남원산성 때는 추임새를 넣고 즐기던 사람들, 속을 후벼파는 듯 애절한 정년의 노래에 충격받아서 정년을 보고만 있는. 옥경도 얼굴에 미소가 싹 사라져서 정년을 보는. 혜랑도 놀라서 표정 굳는.

정년 *뉘 년의 꼬염을 듣고 영영 이별이 되랴는가. 어쩔거나 어쩔거나 아이고 이 일을 어쩔거나 아무도 모르게 설리운다—*

정년의 목소리가 멀리 울려 퍼지고 사람들, 꼼짝도 못 하고 정년을 보기만 하는. 노래를 마치는 정년. 뭔가에 홀린 듯 멍청히 정년만 보고 있던 사람들, 한 명이 박수 치기 시작하자 다 같이 열렬하게 박수를 치며 환호하고, 정년, 옥경을 본다. 옥경은 박수 치지 않고 골똘히 생각에 잠긴 채 정년을 보는. 정년, 그런 옥경을 빤히 보는. 혜랑, 그런 옥경과 정년 보면서 심기 불편해지는.

#13 시장 일각. 저녁

차 쪽으로 가는 옥경과 혜랑.

혜랑 이런 촌구석에서 제법이네.

옥경 (곰곰이 생각에 잠겼다 걸음 멈추는, 눈 반짝이는) 그 앤 타고났어……. (돌아서서 뛰어가는)

혜랑 (당황하는) 옥경아, 어디 가!

#14 시장 일각(#13과 다른 적당한 곳). 저녁

해가 뉘엿뉘엿 지는 저녁. 정년, 종이에 싼 고기와 빈 양동이 들고 가고 정자, 그 옆에서 자그마한 쌀이 든 포대 들고 걸어가는.

정년 (쌀이 든 포대 든든하게 보며 흐뭇해서) 쌀도 사고 괴기도 사고 으메, 오져 죽겄네잉. (우쭐한) 봤제? 소리 한번 한께 그 생선들 싹 다 팔아분 거? 소리가 돈이 된당께.

정자 (웃다가 심란해지는) 다 팔아서 좋긴 한디 엄니한티 들킬까 봐 심란스러 죽겄다. 엄니가 오늘 일을 알면 기함을 할 것인디…….

정년 아, 언니랑 나만 입 딱 다물면 엄니가 어떻게 알것는가.

옥경 [소리] 남원산성!

정년, 돌아보는. 옥경이 정년 쪽으로 걸어오는.

정년 (경계하는) 설마 생선 산 거 무르겄다, 그런 말 할라고라? 아따, 끄내지도 마쇼.

옥경 누구 밑에서 소리를 배운 거야?

정년 먹고살기 바쁜디 그를 새가 있겄소? 걍 귀동냥으로 듣고 소리 나오는 대로 부르는 거제라.

옥경 그런데 천구성이 자유자재로 나온다고? (헛웃음 나오는) 말도 안 돼.

정년 천구성이 뭔디요?

옥경 천구성이 뭔지도 몰라?

정년 첨 들어봤는디.

옥경 (잠시 정년을 보다가) 너 국극이라고 알아?

정년 들어는 봤제라. 배우들이 역할 나눠갖고 춤추고, 노래하고, 연기한다고 그라던디.

옥경 (티켓 두 장 건네는) 내일 저녁 공연이야. 보러 와.

정년 (얼떨결에 받는)

옥경 꼭 와. (가려다가) 아, 남원산성, 너 이름이 뭐야?

정년 윤정년인디요.

옥경 (씩 웃는) 윤정년, 그럼 나중에 또 보자. (자리 뜨는)

정년 (티켓 요리조리 돌려보는, 아쉬워서) 기왕이 줄 거면 돈으로 줄 것이제. 먼 종이떼기만…….

정자 (갸웃하며 옥경 뒷모습 보는) 분명히 어디서 봤는디…….

정년 저 서울 양반?

정자 어디서 봤을까…… 저런 야릇한 얼굴을 쉽게 잊어버릴 리가 없는디…… (정년이 받은 티켓 보는) 매란국극단? (생각난 듯 눈 커지는) 아, 그 사람이네! 문옥경!

정년 누구?

정자 매란국극단 문옥경이란 말이여! 최고 인기 배우라는 문옥경!

정년 매란국극단?

정자 아, 요새 공연한다고 온 동네에 포스타 붙은 거 못 봤냐? 근디 눈빛이 저렇게 요상시런께 같은 여자도 다 홀리고 다니는가배.

정년 (놀라는) 그럼 저 서울 양반이 여자여?

정자 그럼. 매란국극단은 여자들만 들어갈 수 있는 국극단이여.

정년 (신기해하며 옥경 간 쪽을 보는)

#15 정년 집 마당. 밤

용례, 장독대에서 김치 꺼내는데

그릇 든 무주댁 다가온다.

무주댁 나 김치 한 포기만 쪼까 주소. 우리 집 김치가 어중간하게 익어서 맛이 안 들었네.
용례 당연히 드려야제라. (무주댁 그릇 받아서 김치 몇 포기 담아주는)
무주댁 정자랑 정년이는 아직 안 왔어?
용례 시장서 아직 안 돌아왔어라.
무주댁 이 집 딸들은 참 착해. 장사도 잘 도와주고, 엄니 말도 잘 듣고.
용례 정자는 그란디, 정년이 요것은 즈그 언니 안 같고 솔찬히 사고를 치고 댕겨서요. 자꾸 하지 말란 짓만 하고…….
무주댁 그래도 정년이도 착하제. 아 아까 시장서 들어봉께 소리도 기가 막히게 잘하등마. 사람들이 듣고 다 놀래부렀당게?
용례 (멈칫해서 표정 확 굳는) 정년이가 시장서 소리를 혔어라?

무주댁, 아차 싶은데 그때, 정년과 정자가 신바람이 나서 마당으로 들어오는. 용례, 날카로운 눈매로 정년을 보는데.

무주댁 (눈치 보며) 그럼 난 빨리 가서 밥을 혀야제. (김치 그릇 갖고 걸음 재촉해서 부엌 쪽으로 가는)
정년, 정자 (어리둥절해서 용례 보는데)
용례 (살벌한) 너 사람들 앞에서 또 소리혔냐?
정년 (눈 질끈 감으며 죽었다 싶은)

#16 정년 집 방 안. 밤

용례, 정년 종아리를 사정없이

회초리로 치는.

정년 아홉.

용례 (또 한 번 종아리를 회초리로 치는)

정년 (아파서 이 악물고 참는)

용례 (가차 없는) 숫자 세야제!

정년 ……열.

용례 (회초리 거칠게 내려놓으며) 독한 년, 신음 소리 한 번을 안 내네.

정년 …….

용례 도대체 어떻게 말을 해야 알아들을 거여! 소리하지 말라고 했제! 네가 소리꾼이여, 기생이여? 어째서 자꾸 사람들 앞에서 소리를 하는 거여!

정년 (잔뜩 불만에 차서) 아, 건달 놈들이 그 패악질을 해쌓는디 어떻게, 그람!

용례 그래서! 소리해서 쫓아 보내면 그놈들이 다음에 안 온다든?

정년 (오기에 차서) 엄니처럼 가만히 앉아서 뜯기는 것보다는 백번 낫제! 왜 내가 가진 재주 팔아갖고 돈 벌겄다는디 매번 못 하게 막는 거여? 보리쌀도 포도시 사 먹는 처지에 소리 쪼까 파는 것이 뭐가 어때서!

용례 그래도! 안 되겄어. 너 이년, 아예 바리깡으로 머리를 박박 깎아서 밖에를 못 나다니게 해야제. (일어나서 정년 손 잡아끄는) 가자.

정년 (용례 서슬에 겁먹고) 어, 어딜.

용례 이발소 가잔 말이여! 머리털 다 밀어버리게! (버티는 정년 손 잡아서 밖으로 나가는)

#17 정년 집 마당. 밤

용례, 정년 손잡아 끌고 나가는.

정년 (바닥에 앉아 버티며) 안 가! 안 갈라네! 안 갈 거여!

용례 언능 안 일어나!

무주댁, 시끄러운 소리에 빼꼼히 방문 열고 내다보고는 용례의 험악한 분위기에 놀라서 얼른 방문을 다시 닫는다. 정자, 부엌에서 저녁상 갖고 나오다가 화들짝 놀라서 상 마루에 내려놓고 정년 쪽으로 달려오는. 정년, 잘됐다 싶어 얼른 용례 손 뿌리치고 정자 뒤로 숨는.

용례 너 일로 안 와?

정자 (사정조로) 엄니, 정년이도 이만하면 알아들었을 것이요.

용례 알아듣는데 하지 말란 짓만 골라서 허냐? 너도 문제여! 둘이 밤낮없이 붙어 다님서 넌 니 동생 노래 부를 때 뭐 한 거여!

정년 (발끈해서 버럭) 언니 없을 때 노래 부른 거여! 괜히 애먼 사람 잡지 좀 마쑈!!

용례 (같이 열받아서 버럭) 아따! 장하다! 대—단한 우애 났다! 뭘 잘했다고 성질내고 지랄이여!

정자 (대들지 말라고 정년을 슬쩍 꼬집으며) 엄니 말이 맞소. 지가 앞으로는 정년이한테서 눈 안 떼고 감시할란께 오늘은 이만 용서해주소. 아, 정년이도 다 컸는디 머리를 밀어불면 동네 창피해서 어떻게 얼굴을 들고 다니겄소.

용례 (한숨 푹 쉬는)

정자 (용례 눈치 보며) 아, 얼른 엄니한티 잘못했다고 안 허냐!

정년 (마지못해) 잘못했어라…….

용례 그리고 또!

정년 ……두 번 다시 노래도 안 부르께라…….

용례, 그래도 화 안 풀린 표정으로 정년 보다가 어쩔 수 없다는 듯 한숨 쉬고 방으로 들어가는.

정자 바로 잘못했다고 빌

일이제, 꼭 따박따박 말대꾸를 혀. 얼른 상 갖고 들어가.
(정년에게 상 건네는)

정년, 상 들고 부어터진 얼굴로 입 풀썩거리며 방으로 들어가는.

#18 빨래터. 낮

빨래하는 정년과 정자, 정년 또래의 소녀들. 수다꽃을 피우는 소녀들.

미자　정년이 너 어제 시장에서 잘생긴 남자랑 있었다면서, 누구여? (짓궂게) 애인이여?
인숙　아나, 정년이가 애인 만날 때까지만 살어라. 맨날 바지락 갖다 파는 일에 정신이 팔렸는디 무슨 연애?
미자　아 그것은 몰르는 일이여, 정년이도 인자 이팔청춘인디.
경희　이팔청춘이고 뭐고 입만 열면 돈, 돈 해쌓는디 어떻게 남자가 붙어.

소녀들, 까르르 웃고 정자 약 오르는. 정년, 피식 웃으면서 빨래만 하는. 정자, 동생이 무시당한단 생각에 기분 나빠지는.

정자　(발끈해서) 어제 우리 정년이헌티 말 붙인 그 잘생긴 남자가 누군지 알어? 문옥경이여, 문옥경.
인숙　뭐시여? 매란국극단 그 문옥경?
경희　언니 뜬금없는 소리 허네. 문옥경이 왜 시장통에 와서 정년이한테 말을 붙여야.
정자　(흥분) 맞다니께? 문옥경이가 어제 정년이헌티 자기네 공연 보러 오라고 표까지 줬어.
소녀들　(시선 일제히 정년이에게 쏠리는)
정년　응.
경희　(말도 안 된다는 듯) 표는

뭔 표를 줬다고,

하는데 정년 품에서 공연 티켓을 꺼내서 보여주는. 소녀들, 꺅 소리 지르는.

인숙 참말인갑네? 참말로 문옥경이를 만났대? 만나서 뭐라고 혔는디?
정년 걍 뭐 공연 보러 오라고.
미자 그럼 보러 갈 거여?
인숙 당연히 가야제, 문옥경이 손수 줬다는디. 정년아, 나, 나도 데꼬 가라.
정년 문옥경이가 그라고 대단한 사람이여?
미자 아, 당대 최고의 인기 배우 아니시냐. 요새 최고의 인기 국극단은 매란국극단, 그 매란국극단의 공주님은 서혜랑, 왕자님이 바로 문옥경인디.
정년 그럼 돈도 많이 번대?
인숙 말이라고? 집에, 차에, 별거 별거 다 샀을 것인디…….
정년 (솔깃하는) 그란단 말이제?
정자 (이게 아닌데, 불안하게 정년 보는) 너 설마 보러 갈 생각 아니제?

#19 목포극장 공연장 안. 낮

무대 위에서 한창 리허설 진행 중. 단원들이 음악에 맞춰 군무를 춘다. 관객석 쪽에서 팔짱을 끼고 지켜보는 소복. 연구생들 중 한 명이 박자가 느려서 춤을 틀린다. 소복, 미간을 찌푸리는.

소복 그만! (음악이 뚝 멈추고 동시에 연구생들 춤을 멈추자) 왼쪽에서 세 번째!

춤을 틀린 연구생, 겁을 먹고 소복을 본다.

소복 나가. 넌 앞으로 정기공연 춧대로도 들어오지 않는다.

연구생, 울먹거리며 무대에서 나간다. 소복, 고개를 끄덕인다. 음악이 다시 울리고 연구생들, 군무를 추는.

도앵, 신문을 들고 소복에게 다가온다.

도앵 단장님, 저 이거…….

소복 (기사 받아서 보다가 표정 굳는) 언제 나온 거야.

도앵 오늘 아침에 실린 기사라고 합니다.

소복 …….

도앵 옥경 선배한테 얘기를 해야 할까요.

소복 곧 공연 시작이다. 우선 공연에만 집중하게 해.

도앵 네, 알겠습니다. (자리 뜨는)

소복, 표정 굳어서 골똘히 생각에 잠기는.

#20 목포극장 앞. 밤

정년, 정자, 극장 앞에 서 있는. 극장 간판에 크게 〈자명고〉 포스터가 그려져 있는. 공연 보러 온 사람들과 각종 주전부리를 팔러 온 상인들, 암표상까지 뒤섞여서 혼잡한 극장 앞. 팬들은 벌써 옥경의 사진과 '문옥경' '서혜랑' 이름을 크게 써넣은 플래카드를 여기저기서 흔들며 흥분해 있다. 정년, 여기저기 호기심에 차서 둘러보고.

정자 이거 보면 안 될 거 같은디. 엄니한티 들키면 또 혼날 거 같단 말이여.

정년 엄니가 소리허지 말라고 했제, 극극 보지 말라고 한 적은 없는디? 거기다 오늘 해야 댈 일도 싹 다 해불고 왔는디 뭣이 문제대.

정자 그래도…….

정년 아, 엄니 어차피 옆 마을에 환갑잔치 도우러 가서 집에 안 계신께 우리는 다 보고 엄니 돌아오기 전에 사알짝 들어가기만 하면 되제.

정년, 당당하게 앞장서서 들어가는. 정자, 주위를 둘러보고 경계하며 정년을 따라 들어가는.

#21 목포극장 공연장 안. 밤

객석에 앉아서 공연이 시작하기를 기다리는 사람들. 정년과 정자, 나란히 앉아 있는.

정자 너 국극배우가 돈 잘 번다고 한께 보러 온 거제.
정년 언니는 궁금하도 안 해? 우리는 손꾸락 닳아불게 허리 부러지게 바지락을 캐다 팔아도 그날 보리쌀 살 돈밖에 못 번디…… 국극이란 게 뭣인디 돈을 그라고 잘 버는지 내 눈으로 똑똑이 봐야 쓰겄어.

정년, 눈을 빛내며 무대를 보는.

객석을 비추는 불이 어두워지더니 무대가 환해진다. 조연배우들이 등장해 군무를 추기 시작한다. 아름다운 군무에 정년, 감탄하는.

[시간 경과]

고미걸로 분한 도앵, 다른 조연 배우와 칼싸움을 벌인다. 칼을 능수능란하게 잘 다루는 도앵. 상대 조연배우, 칼을 떨군다.

도앵 (노래 부르는) *대장부 한번 나서 말을 달려 활을 쏘으니, 막을 자가 그 누군가,*
정자 (인상 구겨지는) 칼싸움은 날아다닐 것처럼 잘허는디…… 노래 실력은 영 아닌디.
정년 그랑께. 칼쌈이랑 연기는 기가 맥히게 잘한디이!

웅성웅성하는 사람들.

정년 (둘러보는) 뭐여? 어째

그란데?

정자 문옥경이 나올 차례라서 그런대.

무대 위에 옥경이 등장한다. 순간 흥분하며 소리 지르고 환호하는 사람들.

정자 나왔다! 문옥경이야.

숙영 아이들이 노래를 부르는구나. 참으로 흥겹도다, 이것이 다 우리 전하의 은덕 덕분 아닌가.

옥경 …….

숙영 아니, 왜 그러십니까, 왕자님.

옥경 정녕 태평성대인가? 위에서는 한나라가 들이쳐오고 동에서는 낙랑국 견제해오니 내 나라 신세 가련타.

지켜보던 여자들 "역시 왕자님……" "목소리까지 좋아" 황홀해하는. 정년, 눈 떼지 않고 순식간에 몰입하는.

정자 워메, 심장 떨린거. 참말로 문옥경은 왕자님이네. (정년 향해) 안 그러냐?

정년 (미동도 않고 옥경의 연기에만 집중하는)

[시간 경과]

무대 위에서 옥경과 혜랑의 멜로 연기가 한참이다.

옥경 천하의 모든 인연 하늘의 뜻이련만,

눈물 흘리는 사람들, 옥경의 몸짓 하나, 대사 하나에 한숨 쉬고 눈물 흘리며 난리도 아닌. 정년은 숨죽이고 그저 넋 놓고 무대 위 옥경만을 보는. 어느새, 그 극장에 다른 사람들은 다 사라지고 무대 위의 옥경과 혜랑, 관객석의 정년만이 극장 안에 남아 있는.

옥경 우리는 어찌하여 적으로 만났는고,

혜랑, 옥경을 애절하게 보다가 옥경이 혜랑의 손을 잡아당기자 옥경의 품속으로 안긴다.

옥경 사랑을 알았지만 내 것이 아니로구나.

정년, 입을 벌리고 옥경의 노래와 연기에 취해 무대에 빨려들어 갈 듯 쳐다보는. 옥경, 혜랑에게 입을 맞춘다. 흡사 실제 연인인 듯 자연스러운 두 사람의 연기. 정년, 문화적 충격과 옥경의 무대 장악력에 그저 멍한……. 막이 끝나자 사람들이 환호성을 지르며 우레와 같이 박수를 치고 정년, 그제서야 현실로 돌아오며 주변 사람들이 보이는.
감동받아서 우는 사람들, 가슴을 부여잡고 어쩔 줄 몰라 하는 사람들, 무대 밑에서 바짝 붙어 무대 위 옥경에게 손을 뻗는 사람들. 무대 위로 사람들이 쉴 새 없이 꽃을 던진다. 정자도 눈물 흘리며 정신없이 박수 치는데 정년, 박수 치는 것도 잊고 그저 멍하니 옥경만 보는.

#22 목포극장 분장실 밖 복도. 밤

옥경, 걸어가는데 복도는 여성 팬들과 기자들로 미어터지는. 아우성치는 팬들에게 사인해주고 꽃을 받아주는 옥경. 여기저기서 터지는 카메라 플래시.

기자1 문옥경 씨, 오늘 마지막 공연까지 매란국극단의 전국순회공연을 다 매진시켰는데 소감을 좀 말씀해주시죠.
옥경 팬분들이 있기에 저희 국극단이 있을 수 있다고 생각합니다. 팬분들에게 늘 최고의 공연을 보여드리기 위해서 저도, 매란국극단 단원들도 모두 최선을 다하겠습니다.

혜랑, 좀 떨어져서 옥경의 인터뷰 지켜보는. 혜랑의 표정 굳어 있는. 옥경, 그런 혜랑을 흘끔 보는.

기자2 문옥경 씨, 인기 가수 백수미 씨가 문옥경 씨와 함께 듀엣을 하고 싶다고 공개적으로 말씀하셨는데요, 어떻게 생각하십니까?
옥경 기회가 된다면 저도 해보고 싶습니다.
기자3 문옥경 씨, 영화배우 김모 씨와 난 열애설은 어떻게 된 겁니까. 실제로 몇 번 만난 적이 있다고 하던데요.
옥경 (웃으며) 몇 번 만난 걸로 사귄다고 한다면, 지금 전 사귀는 사람이 백 명도 넘을 겁니다.

기자들 웃는. 혜랑, 옥경에게 눈짓하는. 옥경, 재빨리 눈치채는.

옥경 그럼 오늘은 여기까지 하겠습니다.

옥경, 자리 뜨면 기자들, "문옥경 씨" 하면서 아우성치는.

#23 목포극장 분장실 안. 밤

꽃을 한 아름 안은 옥경이 들어가자 소복과 혜랑, 심각한 표정으로 옥경을 기다리고 있는. 옥경, 분위기 눈치채는.

옥경 (꽃을 내려놓는) 뭔데요? 무슨 일이 있어요?
혜랑 (옥경에게 기사 건네는)

옥경, 기사 읽는. '유명국극단의 인기 배우, 수년간의 아편 투약 의혹'. 옥경, 표정 굳는. 혜랑, 그런 옥경을 불안하게 보는. 소복, 옥경 보지 않은 채 앉아 있는.

혜랑 기사에서는 누구라고 딱 집어서 나오진 않았지만 알 만한 사람들은 이미 다 눈치를 챘을 거야.

옥경 (신문 내려놓는, 표정 담담한) 내가 대놓고 항의를 할 수 없게 일부러 그렇게 쓴 거겠지.

혜랑 기사에 보면 서울 모처의 K화가의 집이라고 돼 있어. 너 요새 그 집에서 예술한다는 친구들이랑 자주 어울리지 않아? 너 설마 아직도, (애써 다잡는) 아냐, 내가 무슨 말을 하는 거야. 이거 그냥 막 던지는 기사지?

옥경 …….

혜랑 (불안이 치솟는) 말을 해봐, 좀! 어떻게 된 건지 알아야 우리가 대처를 할 수 있어!

옥경 (기분 상하는) 이미 했다고 의심하면서 무슨 애기를 하자는 거야. (소복을 보는) 단장님도 제가 했다고 의심하세요?

소복, 그제서야 옥경을 보는. 소복, 감정 드러내지 않고 차분한.

소복 네가 뭐라고 대답하든 난 대외적으로 안 했다고 주장할 거다. 그래야 우리 매란국극단이 살 수 있으니까.

옥경 (소복을 빤히 보는)

소복 하지만 이번 한 번으로 끝날 문제가 아니라면, 그때 일이 다시 반복되는 거라면, 나도 마음의 준비를 해야겠다.

옥경 저 아니에요. 기자가 넘겨짚어서 쓴 겁니다. 제 친구들도, 저도, 떳떳해요.

소복 …….

옥경 국극단 들어오면서 분명히 약속드렸었죠. 저, 한 입으로 두말하지 않아요.

흔들림 없이 똑바로 자신을 보며 이야기하는 옥경의 표정에 소복, 고개 끄덕이는.

소복　그래, 아니라면 됐다. 이건 내가 알아서 수습하마.
혜랑　(안도의 한숨 내쉬는) 이 기사 쓴 기자 누구인지 알아요. 그 기자 불러서 해명하는 자리를 마련하겠어요. 옥경이도 그 자리에 참석해서,
소복　아니, 이 상황 정리될 때까지 옥경이는 서울에 없는 게 좋겠다.
혜랑　(놀라서 소복 보는) 네?
소복　이 기자뿐만이 아니라 요즘 옥경이 일거수일투족으로 특종을 잡으려는 기자들이 너무 많아. 이런 때는 남의 눈에 띄지 말아야 돼. 그리고 그 친구들하고는 앞으로 거리를 둬.
옥경　(반감) 단장님, 그 친구들은,
소복　(날카롭게 보며) 두 번 말하게 할 거니?
옥경　(불만이지만 꾹 참고) ……알겠습니다.
소복　(나가는)

남겨진 옥경, 화나는 것 꾹 참고 혜랑, 그런 옥경을 불안하게 보는.

#24 목포극장 분장실 밖 복도. 밤

소복, 차갑고 단호한 얼굴로 걸어가는.

#25 정년 집 방 안. 밤

새끼 꼬는 정년과 정자. 잠이 잔뜩 와서 눈꺼풀이 무거운 정자와 잠이고 뭐고 공연을 본 여운으로 잔뜩 신나고 흥분한 정년.

정년　문옥경이보고 왜 최고 인기 배우라고 하는지 알겄어. 뭐라고 해야쓰까……

요상시럽게 사람 마음을 들었다 놨다 하는 뭔가가 있는디이…… 가만히 서 있을 때도 딱 눈길이 가드란 말이여. 언니는 어땠어?

정자 (눈 껌벅이는) 글쎄…… 난 그렇게 세세히는 기억이 안 나서. (건성) 아, 멋있으니께 그라겄제.

정년 아니여, 아니여. 걍 멋있는 척을 한다고 그런 분위기가 나오는 것이 아니여. 문옥경이는 사람 마음을 딱 휘어잡는 머시기가 있당께. 그란께 돈도 그라고 잘 벌겄제.

정자 (어리둥절해서 비몽사몽) 뭔 소린지……. (입 찢어지게 하품하며 일감을 내려놓고 이불 속으로 들어가 눕는)

정년 (실망하는) 아따, 나랑 얘기 좀 더 해애.

정자 (이미 절반 잠든) 오는 내내 떠들어쌓더니 또 뭔 얘기…….

정년 (답답한) 언니는 그것을 보고도 잠이 오냐? 난 심장이 뻘떡거려 죽겄는디. 나랑 얘기 좀 하자고오. (정자 팔 잡아당기며 괴롭히는)

용례 (들어오며) 뭔 얘기를 하자고 그래쌓냐.

정년 (당황하는) 아, 아니여.

용례 늦었다. 언능 자.

정년, 마지못해 이불 속으로 들어가 눕는.

[시간 경과]

정자와 용례, 곤히 잠들어 있고 정년, 쉽게 잠들지 못하고 뒤척이는. 아까 공연을 본 흥분과 감격으로 잠을 이룰 수 없는 정년. 정년, 결국 벌떡 일어나서 살그머니 방을 나가는.

#26 정년 집 앞. 밤

정년, 마루에 앉아 옥경의 연기를

되새기는.

[플래시백 - 1부 #21]

옥경이 등장하는 모습.

정년, 벌떡 일어나서 마당으로 내려가 옥경을 따라 하듯 걷는다.

[플래시백 - 1부 #21]

옥경 정녕 태평성대인가?

정년 (옥경을 따라 하는) 정녕 태평성대인가? (어느새 자신의 연기에 잔뜩 집중한) 위에서는 한나라가 들이쳐오고 동에서는 낙랑국 견제해오니 내 나라 신세 가련타. (고개 갸웃하는) 아냐, 이것이 아닌디…… 뭔가 빠졌어…… (생각하는) 그 머시기가 모까…… 그래, 좀 더 기품이 있었어. 그라제! 기품, 세련! (목 가다듬는)

#27 목포극장 무대 위. 밤 〔상상〕

다음 순간, 무대 위에 있는 정년. 옥경처럼 호동왕자 의상을 입고 분장을 한 정년, 무대 위에서 혼자 스포트라이트 조명을 받으며 연기를 하는.

정년 정녕 태평성대인가? 위에서는 한나라가 들이쳐오고, 동에서는 낙랑국 견제해오니 내 나라 신세 가련타.

마치 그 무대 위의 주인이 된 것처럼 몰두해서 연기를 하는 정년.

#28 정년 집 앞. 밤 〔현실〕

정자 니 잠 안 자고 뭐 하냐.

정년, 움찔 놀라서 본다. 정자, 졸린 눈으로 방문을 열고 정년을 보고 있는.

정년 가슴이 자꾸 뛰어서 잠이

안 와.

정자　워째 아까부터 자꾸 가슴이 뛴대. (걱정스러운) 어디 아픈 거여?

정년　아니, 걍 심장이 자꾸 벌렁거려.

정자　(알았다는 듯 피식 웃는) 너 서울서 온 배우들 돈 많이 번다고 한께 괜히 마음이 심란스러워서 그라제?

정년　(갸웃하는) 그란가?

정자　그 사람들은 별천지에서 온 사람들이여, 잊어부러.

정년　(혼잣말하는) 별천지…… (눈이 빛나는) 맞어, 오늘 내가 보고 온 것은 별천지였제…….

설레서 눈이 빛나는 정년. 그런 정년을 눈을 껌벅껌벅하며 보는 정자.

#29 한성여관 앞. 아침

정년, 정신없이 한성여관 앞으로 뛰어오는. 대문이 활짝 열려 있고 주인, 대문 앞을 빗자루로 쓸고 있는.

정년　저기, 매란국극단 배우들 숙소가 여기가 맞제라?

주인　그 사람들 좀 전에 떠났는디.

정년　(실망하는) 벌써 가부렀다요?

주인　쪼까 일찍 오제.

주인, 자리 뜨고 정년, 실망해서 멍히 서 있다가 돌아서는데 옥경, 눈앞에 서 있다.

정년　워메, 깜짝이여.

옥경　나 찾아왔구나?

정년　(당황하는) 아니, 그…… 왜 같이 안 가고,

옥경　사정이 생겨서 난 당분간 목포에 있기로 했어.

정년　(좋아하는) 참말이어라?

옥경　나 찾아온 이유가 뭐야?

정년 아, 그…… 저, 거시기, 거 머시냐……. (선뜻 말이 안 나오는)

옥경 (잠시 보다가) 잠깐 따라와 봐. (앞장서서 들어가는)

정년 (얼떨결에 따라 들어가는)

#30 한성여관 별채 마루. 낮

옥경, 정년에게 대본을 펼쳐서 건넨다. 정년, 어리둥절해서 옥경을 보면,

옥경 〈춘향전〉 대본이야. 내가 펼친 데 읽어봐.

정년 (망설이는)

옥경 그냥 마음 가는 대로 읽어봐.

정년 (뻣뻣하게 줄줄 읽는) 저 기왓골엔 풀들이냐? 나는 광한루, 광한루 하기에 아주 굉장하려니 했는데, 고작 이것을 두고 그리하였단 말이냐.

옥경 역시…… 연기는 해본 적이 없어서 안 되는구나. 나무토막 저리 가라네.

정년 (억울한) 아니, 뜬금없이 하라 한께, 한 번도 본 적도 없는 거를 어떻게 잘하겠소.

옥경 그럼 한번 본 건 잘할 수 있어?

정년 두말하면 입 아프제라. (목 가다듬고) 정녕 태평성대인가? 위에서는 한나라가 들이쳐오고 동에서는 낙랑국이 견제해오니 내 나라 신세 가련타. 낙랑의 보물 자명고를 부술 수만 있다면…….

옥경 (놀라서 정년 보는) 그걸 다 외웠어?

정년 예.

옥경 (믿기지 않는) 어제 처음 본 걸, 한 번 보고 다 외웠단 말이야?

정년 그랬당게라. 외워불겄다 작정 안 해도 지절로 머릿속에

딱 배기던디요.

옥경 (헛웃음 나오는) 대사 잘 외운단 얘기 듣는 나도 한 번 보고는 다 못 외우는데…….

정년 (은근 기대하는) 워쩌요, 연기가 먼저 것보단 쫌 더 볼 만하제라?

옥경 (가차 없는) 아니, 여전히 뻣뻣하기 짝이 없어.

정년 (실망하는) 근디 이거를 뭣 할라고 시킨다요.

옥경 네가 국극단 배우가 될 수 있을지 알고 싶어서.

정년 (놀라서 옥경 보는)

옥경 너도 그게 궁금해서 나 찾아온 거 아니야?

정년 (당황) 예? (순순히 수긍하는) 예…… (뚱하게) 아니 근디 방금 나보고 연기 못한다고 했잖애라.

옥경 국극단 배우라면 세 가지를 할 줄 알아야 돼. 노래, 춤, 연기. 방금 시켜보니 연기는 못하지만 연습하면 지금보다는 나아질 거고, 춤은 보나마나 못 출 거고,

정년 (기죽는) ……예.

옥경 하지만 너한테는 소리가 있지.

정년 소리요……?

옥경 넌 천구성을 타고났어. 선천적으로 맑고 고운 데다 깊은 슬픔이 밴 애원성까지 밴 소리, 그걸 하늘에서 내린 소리라고 해서 천구성이라고 해.

정년 (얼떨떨) 하늘에서 내린 소리……요? 지가요?

옥경 그래. 거기다 상하청도 자유자재로 넘나들면서 구사할 수 있고.

정년 상하청은 또 먼디요.

옥경 상하청은 높은음과 낮은음. 보통 상청을 잘 내면 하청에는 약하고, 하청을 잘 내면 상청에는 약한데, 넌 음역대가 넓어. 한마디로 넌 타고난 소리꾼이야.

정년 (얼떨떨한, 너무 좋아서 표정 관리 안 되는) 와따메, 이게 다 뭔 일이대. 이걸 우리 엄니가 꼭 들어야 하는디…….

옥경 물론 그걸로 국극단 배우가 꼭 될 수 있단 보장은 없어. 단장님 눈은 워낙 깐깐하니까.

정년 그래도 나한테 가능성이 있단 말이제라?

옥경 내가 보기엔 그래.

정년 (고민에 빠지는)

옥경 (기다려주는)

정년 쪼까…… 더 고민할 시간을 주쑈. 생각 좀 더 해보고 말씀드리께라.

옥경 그래.

정년 (가려다가 돌아보는) 근디 목포서 뭐 할라고 남으셨소? 여는 낚시 말고 뭐 할 것도 없는디,

옥경 정년이 너 배우 만들려고.

정년 (얼떨떨해서 보다가) 먼 농담을 꼭 참말처럼 하시네요잉. (자리 뜨는)

옥경, 히죽 웃고 돌아서는.

#31 시장 안. 낮

정년과 정자, 생선을 손질하고 진열하는. 정년, 골똘히 생각에 잠겨서 시선이 멍해지며 점점 더 생선을 손질하는 손이 느려지는.

정자 (흘끔 보는) 야야, 그러다 손 비겄다.

정년 응? 응. (다시 생선 손질하다가) 언니, 만약에 어떤 일을 하는디 말이여, 그 일을 하지 말아야 될 이유는 너무 분명한디 그래도 하고 잡으면 어쩔 거여?

정자 하지 말아야 될 일…… 뭐, 경찰에 잽혀 가고 그런 일이여?

정년 그런 건 아니여.

정자 (계속 생선 손질하며) 글쎄…… 답은 이미 정해진 거

같은디.

정년　어떻게?

정자　하지 말아야 될 이유는 분명한디 그짝에 끌린담서. 그럼 결국 하게 되지 않겄냐. 사람 마음이란 게 요상혀서 안 된다, 안 된다 하면 더 그짝으로 쏠리는 법이여.

정년, 멍하니 정자 보는. 그때 남자가 악, 하는 비명 소리 들리는. 정년과 정자, 놀라서 소리 나는 쪽을 본다. 건달들, 가게 주인을 마구 두들겨 패는. 창호, 쓰러진 가게 주인이 안 된다고 바짓가랑이를 붙잡고 매달리는데도 기어이 돈을 뺏어서 가버리는. 정년, 그 광경을 보고 뭔가 부글부글 끓어오르는 듯 눈매가 매서워지는.

정자　(화가 나서 나직이) 저 쳐 죽일 놈들, 왜 하늘서 안 잡아가나 몰라.

정년　(화를 꾹꾹 참으며) 천벌 떨어지는 거 기다리느니 우리가 이 목포 바닥 뜨는 것이 더 빨라. (결심한 듯 눈빛이 단호해지는) 나는 하늘만 쳐다봄서 살지는 않을 거여.

#32 정년 집 방 안. 밤

정년, 정자, 용례, 다 같이 모여서 이불을 바느질한다.

정년　(잠시 용례 보다가) 엄니, 엄니는 밤마다 이라고 바느질하는 거 안 징하요?

용례　(피식 웃는) 새끼들 데꼬 살라고 하는 일인디 징할 것이 뭐 있냐. 일이 있으면 고마운 일이제.

정년　엄니, 나가 돈 마이 벌어갖고 나중에 호강시켜줄게. 엄니 남은 평생 손에 물 안 묻히고 살게 해줄라네.

용례　어이구, 말만이라도

기특허다.

정자 (웃는) 정년이가 인자 다 컸는갑소.

용례 다 컸제, 그럼. 그래, 우리 둘째 딸 덕 볼 때까지 엄니가 건강하게 살아야 쓰겄다.

흐뭇하게 웃는 용례. 그런 용례를 짠하게 보는 정년.

[시간 경과]

정자, 이불 덮고 자고 있고 정년, 일하다 한쪽에 쓰러져 잠든. 용례, 그런 딸에게 이불을 덮어주고 안쓰럽게 보다가 머리를 쓸어주는. 용례, 바느질 가위 꺼내려다가 반짇고리 안에 있는 사진 한 장을 꺼내서 본다. 소복(18세)과 공선(18세)의 사진. (사진관에서 둘이 함께 찍은 사진.) 용례, 사진 보다가 정년을 본다. 용례, 어두운 표정으로 정년을 보다가 한숨을 삼키는.

#33 한성여관 별채 마루. 낮

옥경, 축음기로 음악을 들으며 책을 얼굴에 덮고 마루에 누워 있는데 정년, 다가와서 낯설게 축음기를 이리저리 보다가 에라 모르겠다, 바늘을 확 들어버린다. 뚝 멈추는 음악. 옥경, 책을 치우고 정년을 보는.

정년 결정했소.

옥경 (일어나 앉는)

정년 우리 엄니랑 소리를 두 번 다시 안 하겄다고 약속을 했어라. 만약에 내가 국극배우가 되겄다고 연습하는 걸 들키면 엄니는 내 대그빡을 다 밀어불 것이요.

옥경 …….

정년 그래도 할라요. 지한테 가능성이 있다고 했지라? 엄니 손에 죽을 때 죽더라도 그 재주로 큰돈 한번 벌어볼라요. 이 목포 바닥 벗어나갖꼬 서울로 갈라면 내가 뭐를 해야 쓰겄는지 갈쳐주쑈.

옥경 (미소가 떠오르는)

#34 정자. 낮

경치 좋은 곳에 자리한 정자 안.

옥경 얼마 후에 매란국극단에서 연구생들을 새로 뽑을 거야. 너도 그 오디숀을 보도록 해.

정년 (생경한 단어에) 오디, 뭐라고라?

옥경 (또박또박) 오디숀, 입단 시험 말이야.

정년 오디숀에서 뭘 본디요?

옥경 세 가지야. 노래, 연기, 춤. 각 분야 전문가분들이 들어와서 심사를 할 건데 그중에 가장 발언권이 센 사람은 단장님이야. 다른 심사위원들이 좋은 점수를 줘도 단장님이 자격 미달이라고 생각하면 그 응시자는 떨어지는 거야. 그래서 어떤 해는 단장님 눈에 안 차면 단 한 명도 안 뽑을 때도 있어.

정년 (놀라는) 한 명도요?

옥경 우린 시간이 많지 않으니까 노래보다 연기랑 춤을 중점적으로 연습하자. 우선 춤.

정년 근디 저는 태어나서 춤이라고는 춰본 적이 없는디…….

옥경 기본부터 배우면 돼. 한국무용의 기본은 서 있는 기본자세부터 시작해. (시범을 보여주는) 뒤꿈치를 붙인 상태로, 발끝은 살짝 벌려줘. 엉덩이와 어깨는 일직선을 유지해주고, 그리고 팔은 살짝 허벅지 쪽으로 내려줘. 이 자세에서 시작하는 거야.

정년 (열심히 따라 하지만 영 어설픈)

옥경 (보다가 한숨) 안 되겠다, 시간 없으니까 우선 춤은 뒤로 미루고 연기부터 해보자.

[시간 경과]

정년, 대본을 읽는다.

정년 (뻣뻣하게 줄줄 읽는) 저 기왓골엔 풀들이냐? 나는 광한루, 광한루 하기에 아주 굉장하려니 하였는데, 고작 이것을 두고 그리하였단 말이냐.

옥경 잠깐. 지금 가장 큰 문제는 띄어 읽기부터 안 된다는 거야. 그렇게 쉬지도 않고 줄줄 읽으면 관객들은 네가 무슨 말 하는지 하나도 못 알아들어.

정년 어디서 띄어 읽어줘야 쓰까라?

옥경 우선 대사의 의미를 생각하고 어디서 강조하고 싶은지를 생각해야지. 이건 연기자의 해석마다 다 달라질 수 있고 정답은 없어. 여기까지 질문.

정년 (손 드는) 질문. 이몽룡 같은 주인공을 맡으면 돈은 을마나 분다요?

옥경 (어이없는) 뭐?

정년 (눈 반짝반짝) 친구들 말이 국극배우 해갖고 성공하면 집도 사고 차도 살 수 있다던디, 그것이 참말이어라?

옥경 돈 벌고 싶으면 빨리 연습부터 해. 자, 이번엔 대본을 보지 말고 나를 보고 말해봐.

정년 저 기왓골엔 풀들이냐? 나는 광한루, 광한루 하기에 아주 굉장하려니 하였는데, 고작 이것을 두고 그리하였단 말이냐.

옥경 몸이 너무 굳어 있고, 시선 처리가 어색해. 연기를 할 때 몸이 경직되면 좋은 연기를 할 수가 없어. 어깨의 힘을 빼고, 그리고 시선은 같이 얘기하는 상대를 향하고 있어야 돼. 자, 나부터 시작할게. (목소리 가다듬고)

자! 도련님, 이것이 제가 아까 말씀드린 그 삼남에서 제일가는 광한루올시다. 어떻소? 미상불 자알 지었지요?

정년 (표정과 몸짓이 도도하게 기품 있어지며) 저 기왓골엔 풀들이냐? 나는 광한루, 광한루 하기에 아주 굉장하려니 하였는데, 고작 이것을 두고 그리하였단 말이냐.

옥경 (순간 깜짝 놀라 정년을 보는)

정년 (불안한) 뭐가 또 이상했소?

옥경 아니, 네 분위기랑 말투가 순간 확 달라졌어. (갸웃하는) 계속해봐.

정년 (다시 줄줄 읽는) 아니, 그란디 저자는 누구냐?

옥경 또 도로 줄줄 읽고 있잖아. 다시!

정년 (죽을 맛인)

#35 옥경&정년 연습 몽타주

- 다른 날, 춤을 추는 정년. 옥경, 정년의 춤을 지켜보다 팔동작을 고쳐주는.
- 정년, 마당에서 빨래 널며 옥경이 가르쳐준 춤을 연습하는.
- 다른 날, 소리를 연습하는 정년. 옥경, 북을 치면서 장단을 맞춰주는.

#36 정년 집 방 안. 밤

정년, 벽지를 들춰내고 그 안의 빈 공간에 대본들을 숨겨놓는다. 다시 벽지로 가리는데 갑자기 문 열리고 용례 들어오는. 정년, 당황해서 얼른 벽에서 떨어지며 딴청.

용례 (수상하게 보는) 벽에 딱 붙어 앉아서 뭐 하는 거여?

정년 아니, 벽에 벌레가 붙었길래 잡느라고. (하품하는 척) 아이고메, 하루 종일 바지락 캤더니 대다! 대! (이불로

들어가는)

용례 (미심쩍게 정년 보는)

#37 정년 집 부엌 안. 밤

부뚜막 앞에 앉아 불 때는 정자. 찜찜한 표정으로 들어오는 용례.

용례 아무래도 수상한디. 정년이 요 가시나 요새 뭐 달라진 거 같지 않냐?

정자 (어리둥절) 정년이 뭐 말이어라? 평소랑 그냥 똑같던디요?

용례 (아무래도 석연치 않아서 표정 찜찜한)

#38 정자. 낮

옥경, 장구로 장단을 맞추고 정년, 그에 맞춰 춤을 추는. 옥경, 유심히 정년의 춤을 지켜보는. 이젠 제법 몸놀림이 자연스럽고 틀이 잡힌 정년의 춤.

옥경 좋아, 여기까지.

정년 (힘들어서 주저앉는)

옥경 이 정도면 그래도 봐줄 만한 정도는 됐어.

정년 와메, 겨우 봐줄 만한 정도밖에 안 되어라?

옥경 처음엔 눈 뜨고 못 봐줄 정도였잖아.

정년 쪼까 희망적인 소리도 좀 해주쑈.

옥경 이제 봐줄 만은 하다니까.

정년 (투덜대는) 아직 택도 없단 소리구마.

옥경 (히죽 웃는)

정년 근디 어쩐다고 나를 이라고 도와주요. 나가 수업료를 내는 것도 아인디.

옥경 심심하지 않으니까.

정년 예?

옥경 너 만나고 오랜만에 심심하지가 않아. 요새 뭘 해도 재밌지가 않았거든.

정년 (어리둥절한) 공연하느라 밤낮없이 바쁨서 뭐가 그라고 심심한디요.

옥경 (씩 웃는) 암튼 난 네가 우리 국극단에 들어와서 계속 날 재밌게 해줬으면 좋겠어. 그러니까 날 위해서 꼭 오디숀 붙어라.

정년 (여전히 어리둥절) 당최 뭔 소리를 하는 건지…… (부루퉁해지며) 암튼 순전히 나를 위해갖고 도와준 건 아니네에.

옥경 뭐, 상부상조한다고 보면 되지. 아, 바람 좋다. (드러눕는)

정년과 옥경, 말없이 평화로운 순간 즐기는.

#39 정년 집 마당. 저녁

정년, 신나서 콧노래 흥얼거리며 마당 안으로 들어서는데 장승처럼 서 있는 용례와 딱 마주치는. 용례 손에 책이 들려 있다.

용례 너 요새 뭘 하다 밤마다 늦게 들어오냐.

정년 (당황) 인숙이네서 놀다가,

용례 그 집서는 너 온 적 없다고 하든디. 요새 니 코빼기도 본 적 없디야.

정년 (당황) 긍께…….

용례 너 이것들이 다 뭐여. (손에 든 대본을 바닥에 내동댕이치는)

정년이 벽 속에 숨겨놨던 대본들. 정년, 표정 굳는.

용례 너 밤낮없이 싸돌아다니는 게 이거랑 상관 있제.

정년 (결심한 듯 각오한 표정으로 용례를 똑바로 보는)

#40 정년 집 방 안. 밤

험악한 분위기. 정자, 눈치 보는.

정년 ……그래서 국극단에 들으갈라고 혼자 연습 중이었소.

용례 (꼼짝도 않고 정년 얘기만 듣고 있는)

정년 엄니가 나 소리하는 거 싫어하는 거 알고 있제만…… 이번만 참아주쑈. 국극단 들어가면 넘들보다 몇 배로 열심히 해갖고 언능 성공해불랑께요. 그래서 엄니 고생 그만시키고 호강시켜 줄라요.

방 안에 무거운 침묵이 흐르는. 용례, 현기증 느낀 듯 휘청하며 바닥을 손으로 짚는다. 정년과 정자, 놀라서 용례 부축하는.

정년, 정자 엄니!

용례 (중얼거리는) 안 뒤야…… 그것만은 안 뒤야……

정년 언니, 물, 물!

정자 (정신없이 뛰어나가는)

용례 (반쯤 정신 나가서) 그 길로 가면 안 된단 말이여……

정년 엄니, 으째 그라요, 응? 엄니 정신 좀 채려봐. 어째야 쓸까, 엄니.

정자, 물 갖고 들어오는. 물 마시는 용례, 숨 돌리고 눈빛 또렷해지는.

용례 (정년 날카롭게 보며) 국극단이라니…… 국극단이라니! 엄니가 분명히 소리하지 말라고 당부, 또 당부 했잖여!

정년 나도 엄니랑 약속한 것 땜시 안 할라고 했었어. 근디 말이여…… 나한테 재주가 있단 말이여. (흥분해서) 이게 나 혼자만의 생각이 아니여. 문옥, (하다가 아차 싶어 멈칫하는) 암튼, 그 재주 살리면 우리 집 팔자가 다 바뀔 수 있단 말이여!

용례 재주? 소리할 때마다

사람들이 쪼까 좋아해준께 너한테 엄청난 재주가 있는 줄 알어? 정신 차려, 이놈의 가시나야! 시장 바닥서 빌어먹는 한이 있더라도 소리는 안 뒤야!!

정년　(울화가 치솟아서 터지는) 아, 빌어먹기 싫다고! 여기서 건달들한티 돈이나 뜯김서 구질구질하게만 살란 말이여? 서울 가서 호강하는 법이 있당께?!

용례　(눈 부릅뜨고 정년 보는. 벌겋게 충혈된 눈) 너 똑바로 말해봐. 진짜 너 돈 때문에 이러는 거여? 너 돈은 핑계고, 사실은 소리하고 싶어서 이러는 거 아니여?

정년　(자기도 몰랐던 속마음을 들킨. 순간 말문이 막혀 멈칫하는)

용례, 그런 정년을 보고 가슴이 철렁 내려앉는다.

용례　내가 이럴 줄 알았어…… 넌 그냥 소리가 하고 싶은 거여. (절규하는) 안 뒤야! 죽어도 안 뒤야!

정년　어째 안 된다고만 하는 거여!

용례　(피를 토하듯) 그 길은 사람 망치는 길이니께!!

정년　(흥분한 와중에도 순간 의아한) 엄니가 그걸 어떻게 알아?

용례　(울컥) 그야 내가, (순간 정년 얼굴 보고 말문 막히는)

정년　(의아해서 용례 보면)

용례　(차마 말할 수 없는 얘기를 삼켜버리고 강하게) 여러 말 필요없어. 소리는 죽어도 안 뒤야. 나중에 후회하지 말고 엄니 말 들어.

정년　후회 안 해. 난 뭔 일이 있어도 성공할 거니께.

정년의 결연한 눈빛. 용례, 가슴 덜컥 내려앉는. 용례, 정년 손 잡아

일으키는.

용례 가자.
정자 (심상찮은 걸 눈치채고)
엄니, 이 밤에 어, 어딜…….

#41 정년 집 창고 안. 밤

용례, 정년을 창고 안에 밀어넣고 문 닫아버리는. 정년, 문 꽝꽝 두드린다.

정년 엄니! 엄니!

#42 정년 집 창고 앞. 밤

용례, 문을 자물쇠로 잠가버리는. 정자, 옆에서 안절부절못하는.

정자 엄니, 이래불면 어쩌요.
용례 앞으로 내가 열어주라고 하기 전엔 절대 열어주지 말어. 나 몰래 밥 줬다간 어떻게 되는지 알제?

정자 아니, 밥도 안 주면 정년이는 어쩌라고 이러는 것이요.
용례 (정년 쪽 향해 소리치는) 두 번 다시 국극이고, 소리고, 쳐다도 안 보겠다고 하기 전까진 이 문은 안 열린께 그런 줄 알어!

용례, 자리를 뜬다. 정자, 어찌할 바를 모르고 창고를 보는.

용례 언능 일로 안 와?!
정자 (어쩔 수 없이 용례 쪽으로 가는)

#43 정년 집 창고 안. 밤

정년, 문 마구 두들기다가 안 되겠다 싶어서 문을 부수려고 온몸으로 문에 몇 번 부딪히는. 하지만 그러다 어깨를 다치는. 정년, 어깨 통증 때문에 자리에 주저앉는다. 정년, 어떡해야 하지,

심란해지는.

#44 한성여관 안. 낮

통화하는 옥경.

옥경　알았어. 그래, 고마워. (사이) 뭐? 내일 아침에? (잠시 생각하는) 아냐, 들어가. (전화 끊고 생각에 잠기는)

#45 정년 집 창고 안. 낮

정년, 문의 이음새를 살펴보고 어떻게든 열려고 여기저기 두드려보지만 소용없는. 정년, 어깨 통증이 느껴져서 얼굴을 찡그리는. 정년, 다친 어깨를 보는.

정년　(혼잣말) 암만 해도 삔 거 같은디…… (한숨) 오늘도 문옥경이가 날 기다리고 있을 것인디 어째야 쓰까. (미치겠는)

#46 정자. 낮

옥경, 정년을 기다리지만 정년은 오지 않는다.

[시간 경과]

해가 기울어 노을이 지기 시작하고 손목시계를 보던 옥경, 안 되겠다 싶어 자리에서 일어서는.

#47 빨래터. 낮

정자와 소녀 셋, 빨래하는. 정자, 일이 영 손에 잡히지 않는다. 정자, 한숨 쉬는.

미자　땅 꺼지겄소. 워째 그러요?

정자　아니여.

인숙　느그들 그 말 들었냐? 문옥경이 요새 우리 동네 있다든디.

미자　나도 그 얘기 들었어.

저기 한성여관에 계속 머문다고 그러던디.

경희 여기서 뭘 하는디?

인숙 글쎄, 한성여관 주인 말로는 뭐가 그렇게 바쁜지 새벽같이 나갔다 밤늦게 들어온디야.

미자 (질투) 연애하느라 바쁜 거 아니여?

인숙 하이고, 천하의 문옥경이가 목포 촌것하고 연애를 해야?

정자 (소녀들 수다 관심 없이 빨래만 하는데)

경희 뭐여, 저 사람, 문옥경 아니여?

정자와 소녀들 고개 들어 보면 옥경이 이쪽으로 걸어오는. 소녀들, 난리 나는.

미자 참말로 문옥경이네!

경희 나 좀 꼬집어봐, 이게 꿈인지, 아닌지.

인숙 (입 멍하니 벌리고 옥경만 쳐다보는)

옥경, 정자 앞에 서는. 정자, 어리둥절해서 옥경 올려다보는.

옥경 정년이 언니 맞지? 우리 저번에 한 번 봤는데.

정자 (일어서서 옥경 보는)

#48 골목길. 해 질 녘

정자, 빨래 바구니 들고 고민스러운 얼굴로 걸어가는.

#49 빨래터. 낮 (회상)

옥경과 정자, 소녀들에게서 떨어져 이야기하는. 소녀들, 서로 좋아 어쩔 줄 모르며 옥경을 보겠다고 난리인.

옥경 정년이한테 오늘 중으로 떠나야 한다고 전해줘.

정자 네? 그게 무슨,

옥경 내일 아침에 국극단 입단 시험이 있을 거야. 그러니까 오늘 중으로 떠나야 돼. 한성여관 앞으로 오라고 꼭 전해줘.

정자 아니…….

옥경 부탁할게.

#50 정년 집 마당. 해 질 녘

〔현재〕

빨래 바구니 들고 마당 안으로 들어서는 정자, 창고 쪽을 보는. 정자, 바구니 내려놓고 창고 쪽으로 향하는.

정자 (목소리 낮춰) 정년아.

#51 정년 집 창고 안&앞. 해 질 녘

정년, 멀쩡한 쪽 팔로 썩은 나무 합판을 뜯어내려고 낑낑대다가 정자 소리가 들리자 얼른 문에 달라붙는.

정년 언니!

정자 배 많이 고프제? 목은 안 마르냐?

정년 나 괜찮해.

정자 정년아, 빨리 국극 안 하겠다고 엄니한티 말을 혀. 그래야 네가 살어.

정년 …….

정자 정년아.

정년 그럴 수가 없어, 언니…….

정자 (가슴 덜컥 내려앉는)

정년 여기서 주저앉아불면 난 평생 한으로 남아서 살 거여. 그러긴 싫어야.

정자 (심란해지는)

용례 거기서 뭐 하냐!

정자, 놀라서 돌아보면 용례가 부엌 문간에 화난 표정으로 서 있는. 정자, 얼른 일어나서 부엌 쪽으로 향하는.

#52 정년 집 부엌 안. 밤

심란한 표정으로 부엌에 들어서는 정자.

용례 (앞치마 벗는) 엄니 수자네 잠깐 갔다 올랑께 너 먼저 밥 챙겨 먹어.

정자 네.

용례 괜히 마음 약해져서 정년이헌티 밥 주지 마라.

정자 ……네.

용례 (부엌 나서려다가 한쪽 구석에 있던 정년 대본들 본다. 울컥 화가 솟구치는) 이놈의 것들 싹 다 불 싸질러버려야제!

용례, 대본들을 아궁이에 쑤셔 박는다. 놀라지만 차마 말리지도 못하고 쩔쩔매며 보는 정자. 용례, 부엌을 나가버리고 정자, "워메, 어째야 쓰까!" 어쩔 줄을 몰라 하다가 부지깽이로 대본들을 다 끄집어낸다. 대본 가장자리에 붙은 불을 다급히 끄는 정자. 가장자리가 탄 대본들을 보면서 죽겠는 정자, 고민하다가 결심하고 벌떡 일어서는.

#53 정년 집 창고 앞&안. 밤

정자, 돌을 하나 집어서 자물쇠 있는 문고리를 내려치는. 정년, 창고 안에서 나무 합판을 떼어내다가 깜짝 놀라 문 쪽을 보는. 정자, 문고리째 떼어내 버리고 문을 연다. 정년, 놀라서 정자를 보면 정자, 결연한 표정으로 정년을 보는.

정자 언능 나와.

#54 골목길. 밤

정자와 정년, 정신없이 뛰어나오다가 멈칫한다. 용례가 저만치서 오는. 정자와 정년, 얼른 몸을 숨긴다. 용례, 아무것도 눈치채지 못하고 지나간다. 용례 뒷모습을 보는 정년, 미안함과 죄책감에 눈물 고이는. 그런 정년을 짠하게 보는 정자.

정년 (결연한 표정으로 눈물 훔치는) 서울 손님 기다리겄네.

#55 풀밭. 밤

풀이 길게 우거진 밭을 정신없이 뛰어가는 자매. 정년, 정신없이 뛰다가 어제 다친 어깨의 통증이 느껴져서 이를 악무는. 통증을 잊으려는 듯 더 이를 악물고 뛰어가는 정년.

#56 한성여관 앞. 밤

옥경, 자신의 차 앞에서 초조하게 정년을 기다리는. 그때 정년과 정자, 뛰어오는. 옥경, 표정 밝아지는.

정년 지가 늦었지라이.

옥경 아냐, 어서 가자.

(운전석에 오르는)

정년 (정자를 보는) 엄니헌티 겁나게 혼날 것인디……
미안해, 언니.

정자 그 각오도 안 하고 문 열어줬겄냐. (괜히 밝게) 나는 금방 싹싹 빌고 네같이 매를 벌지 않으니께 괜찮여.

정년 언니 돈 번다고 고생하는 거 안디…… 그것도 미안하고.

정자 자꾸 미안할 거 없어.
그런 꿈이 있다는 것도 네 복이다. (희미하게 웃는)
네 맘이 그러면 가서 끝까지 부딪혀봐.

정년 (눈이 충혈돼서 정자 보는)
나 꼭 성공해갖고 돌아올게.

정자 성공 못 해도 자꾸 집 생각나고 서러운 생각 들면 돌아와. 내가 밤에도 문 안 잠글랑게.

정년 (정자를 꼭 끌어안는)

정자도 정년을 마주 안아주는. 둘, 눈물 참는.

정자 얼른 가. 이러다 엄니헌티 붙잡히겄다.

정년, 조수석에 오르는. 차가 출발한다. 정년, 창밖으로 몸을 내밀고 정자에게 손을 흔드는.

정년 언니, 나 꼭 성공해갖고 돌아올게!

정자 (마주 손 흔들어주는) 밥 꼭 챙겨 먹고!

멀어지는 옥경의 차. 정자, 눈이 그렁그렁해서 오래도록 차 뒷모습을 본다.

#57 매란국극단 대문 앞. 아침

대문 앞에서 도앵, 앉아서 응시자들 이름 적는.

도앵 90번 서복실, 91번 박초록, 곧 시작할 테니 준비하세요.

복실과 초록, 들어가고 소복, 대문 밖으로 나오는.

소복 시간 다 됐다. 이제 문 닫아걸어라.

도앵 네, 단장님.

소복과 도앵, 안으로 들어가려고 하는데 옥경의 차가 와서 선다. 옥경과 정년, 차에서 내리는.

정년 잠깐만요! 여기 한 명 더 있는디요!

소복과 도앵, 소리 나는 쪽을 보는. 정년, 소복 쪽으로 뛰어간다.

정년 저도 매란국극단 입단 시험 보러 왔는디요!

소복 (뒤에 서 있는 옥경을 보고

정년을 보는) 이름은?

정년 윤정년이어라!

씩씩하게 대답하는 정년에서 1부 엔딩.

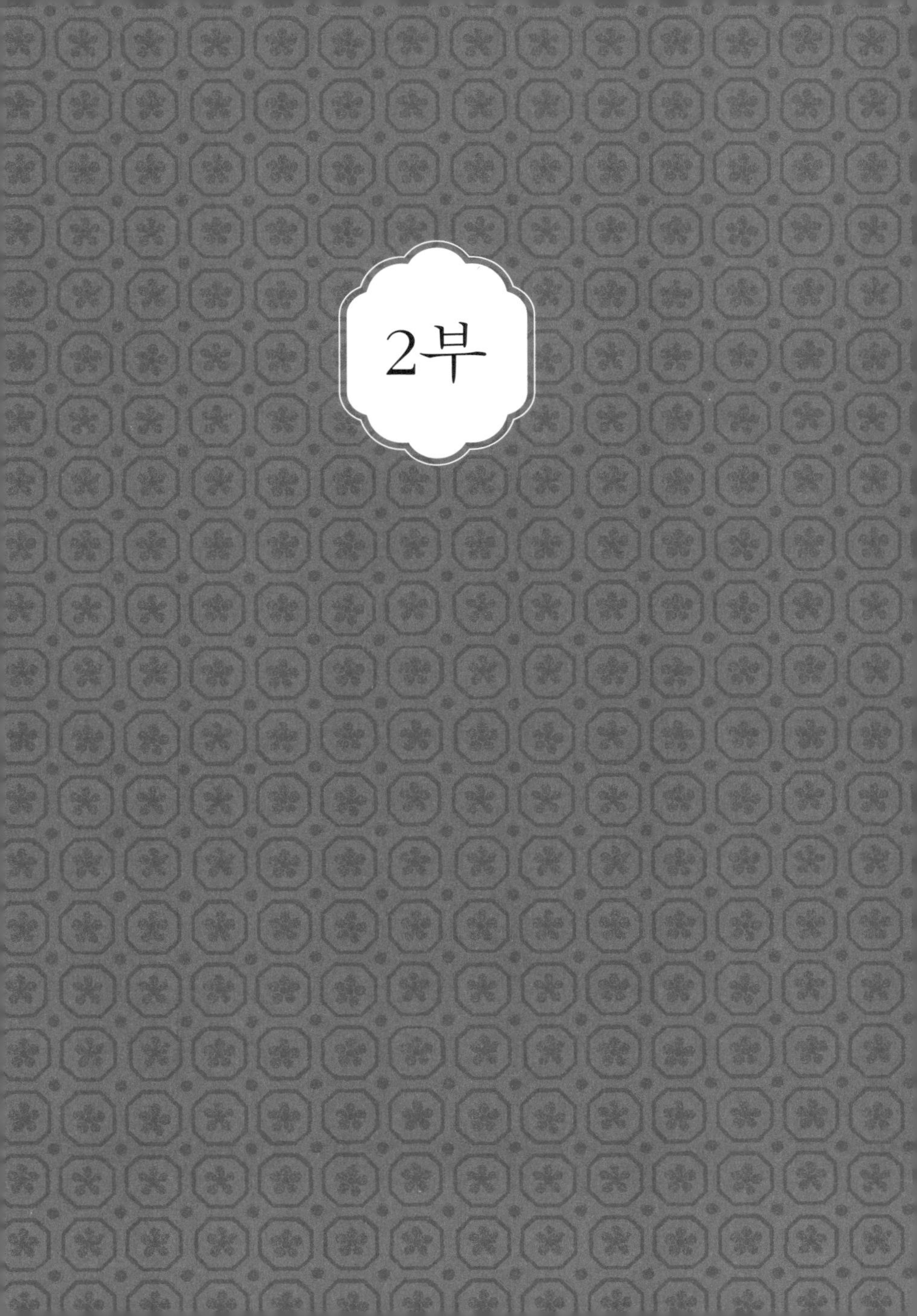

2부

(정년) 너도 나중에 여자 주인공이 되고 싶은갑네?

(주란) (화들짝 놀라는) 뭐? 내 실력에 감히…….

(정년) 뭐 어쩐대, 꿈도 못 가진대?

#1 매란국극단 대회의실 앞 마당. 낮

정년을 비롯한 지원자들, 마당에 모여 수다 떨면서 기다리는. 정년, 한쪽에 좀 떨어져 앉아서 주위를 둘러보는. 잘 차려입고 온 지원자들, 규모가 큰 국극단 건물, 모든 것이 생경하고 어색한 정년.

정년 (혼잣말로) 서울 가시내들은 다르긴 다르네…… 옷도 잘 입고.

정년, 이리저리 둘러보다 어깨에 통증을 느끼고 움찔하는. 정년, 어깨를 조심히 돌려보지만 역시 통증이 느껴져서 얼굴을 찡그리는.

초록, 복실, 연홍, 몰려서 수다 떠는.

지원자1 (울상인) 아까 춤출 때 나만 틀린 거 같아.

지원자2 (한숨) 난 동작을 아예 까먹었어.

복실 야, (정년 쪽 눈짓하며) 쟤, 아까 문옥경이 데리고 왔대.

초록 문옥경이 왜?

복실 몰라, 문옥경이랑 친한가 봐.

초록 (정년의 허름한 입성을 아래위로 훑어보는) 저런 촌스러운 애가?

연홍 부모님이나 친척 중에 대단한 사람이 있나?

정년, 자기를 향해 수군거리는 것 눈치채고 위축돼서 표정 어두워지는. 하지만 못 들은 척 어깨만 주무르는. 초록과 복실과 연홍, 정년 쪽으로 몰려온다. 정년, 경계심으로 보는.

연홍 너 문옥경이랑 어떻게 아는 사이야?

정년 (빤히 보는)

복실 (초록 가리키며) 얘네 엄만 무용가고, 우리 아빠는 명동에서 레스토랑을 하셔. 너네 집은 뭐 해?

정년 우리 집?

초록 (킁킁거리는) 이게 무슨 냄새야, 생선 썩는 냄새 같은데. (얼굴 찡그리는) 뭐야, 얘한테서 나는 냄새잖아.

정년 (당황해서 자기 옷 냄새를 맡는) 나한티서?

초록 뭐야, 생선이라도 팔다 온 거야?

정년 (무안해서 움츠러드는 표정, 하지만 이내 애써 당당하게) 개코네, 맞아. 우리 집 목포에서 생선 파는디.

복실 뭐? 생선 가게 딸이란 말이야?

정년 응.

초록 그럼 문옥경이랑은 어떻게 아는 사인데?

정년 시장에서 생선 팔다 만났제.

아이들, 어이없어서 피식피식 웃는.

초록 난 또 엄청난 집 딸인 줄 알았네. (노골적으로 훑어보며) 시장 바닥에서 생선 팔다 온 거였어?

정년, 초록 쏘아보는. 자신을 깔아뭉개는 분위기에 슬슬 열받는.

정년 어, 생선 팔다 왔는디, 그것이 뭐? 그란께 정신들 바짝 차려야. 시장 바닥에서 생선 팔다 온 애기한테 지고 싶지 않으면 이따 느그들 잘해야 써.

초록 (발끈하는) 이게 우릴 뭘로 보고,

도앵 (소리치는) 자, 90, 91, 92번 들어오세요!

#2 매란국극단 대회의실 안. 낮

소복(단장), 영섭(각본가), 수연(안무가)이 심사위원석에 앉아 있다. 정년과 초록과 복실, 용근(고수)이 치는 장단에 맞춰서 무용 기본동작을 추는. 정년, 어깨가 불편해서 팔이 제대로 올라가질 않아 무용 동작이 제대로 되질 않는다. 정년, 이를 악물고 열심히 추지만 자꾸 박자를 놓치고 팔동작이 둔한.

소복 그만. (춤 멈추면 정년 향해) 92번, 너만 계속 박자를 놓치고 있잖아. 팔동작이 왜 그래?

정년 어깨를 살짝 삐어갖고…….

소복, 무표정한 얼굴. 영섭과 수연, 고개를 절레절레 젓는. 초록과 복실, 고소하다는 듯이 피식 웃는. 정년, 떨어지는 건가 불안해지는 표정.

소복 자, 다음은 연기. 지금부터 주제를 줄 테니까 한 명씩 나와서 그에 맞는 연기를 해봐라.

정년 (당황하는) 주제요?

소복 왜? 무슨 문제 있니?

정년 지는 당연히 대본이 있는 줄 알고…….

소복 (날카롭게 정년 보는) 배우라면 대본이 없어도 연기를 할 줄 알아야 돼. 무대 위에서 어떤 돌발 상황이 생길지 모르는데 그때 대본이 없다고 관객들 앞에서 멍하니 서 있을 거야?

정년 (할 말 없어지는)

소복 자, 주제는 슬픔이다.

정년 (입 모양으로) 슬픔?

#3 매란국극단 일각. 낮

연구생들 모여서 수군거리고 주란, 다가가는.

주란 (궁금해하는) 뭐예요, 무슨 일 있어요?

소향 오늘 신입단원들 뽑잖아, 지원자 중에 특이한 애가 있어.

주란 누군데요? 잘하는 애예요?

봉선 무려 옥경 선배가 직접 데리고 왔댄다.

주란 (놀라는) 옥경 선배가요?

봉선 지금 다들 어떤 앤지 궁금해하고 있어. 아니지, 벼르고 있다는 말이 더 맞지.

주란 (호기심 생겨서 대회의실 쪽 보는)

#4 매란국극단 대회의실 안. 낮

소복 90번.

복실, 중앙에 있는 의자에 앉는다. 아이를 끌어안는 동작을 하는.

복실 (오열하며) 아이고, 철수야, 눈 좀 떠보거라. 이 에미를 두고 네가 먼저 가면 어떡하니. 잘 먹이지도, 입히지도 못했는데 아이고, 불쌍한 내 새끼.

소리 높여 오열하는 복실. 심사위원들, 채점하는.

소복 그만. 91번.

초록 수십 번 생각해봤지만 이런 식으로 끝낼 수는 없어요. (울부짖는) 분명히 얼마 전까지만 해도 날 사랑한다고 했잖아요! 어떻게 사람 마음이 이렇게 쉽게 변할 수가 있죠. 당신한테 사랑은 이것밖에 안 되는 거였어요?!

소복 그만, 92번.

정년, 고민에 빠져서 못 듣는.

소복 92번!

정년 (그제서야 듣고) 예!

한 걸음 앞에 나와서 중앙에 있는 의자에 앉는 정년, 눈을 감는다.

#5 숲속. 밤 (회상)

피난 짐을 둘러메고 숲속으로 도망가는 정년과 가족들. 정년 부, 배 쪽에 부상을 입어 피를 흘리고 있고 정년과 용례가 양옆에서 정년 부를 부축하고 있는. 멀리서 총 쏘는 소리와 포탄 떨어지는 소리가 들린다. 정년 부, 입에서 피를 뿜어내는. 정년, 놀라서 정년 부를 본다. 정자, "아버지!" 외마디 소리 지르는. 용례, 더 이상 무리임을 깨닫고 정년 부를 나무에 기대어 앉힌다. 임종이 눈앞에 닥친 정년 부, 눈앞의 가족들 얼굴을 한 명씩 본다. 겁에 질려 울고만 있는 정자. 용례, 남편의 배 쪽에 난 상처를 어떻게든 지혈하려고 애쓰는. 정년 부, 그런 용례의 손을 잡고 그만하라는 듯 고개를 젓는다. 용례, 눈물이 왈칵 나는. 정년, 떨리는 목소리로 "아버지" 하고 부른다. 정년 부, 정년을 안심시키려는 듯 고통스러워하면서도 희미하게 미소를 지어준다. 이내 눈을 감고 고개를 떨구는 정년 부. 정년, 멍하니 아버지를 본다. 용례와 정자, 정년 부를 붙잡고 통곡하는. 정년, 떨리는 손으로 아버지의 손을 꼭 잡는다. 힘없이 축 늘어지는 아버지의 손. 그제서야 아버지의 죽음이 현실임을 깨달은 정년, 볼 위로 눈물이 주르륵 흐르는.

#6 매란국극단 대회의실 안. 낮 (현재)

정년, 눈을 뜬다. 그때처럼 슬픔에 잠겨 공허하고 멍한 표정. 소복, 순식간에 변한 정년의 표정을 보고 좀 놀라는. 정년의 텅 빈 시선이 허공을 헤매다가 얼굴이 일그러진다. 정년의 어깨가 떨린다. 정년, 소리 죽여 흐느끼는.
심사위원들, 놀라서 정년을 보는.

소복 그만.
정년 (눈물 닦고 심사위원들을 보는)
소복 자유롭게 대사를 하거나, 크게 울 수도 있었는데 왜 그런 연기를 했지?
정년 우리 아버지 돌아가셨을 때가 생각이 났어라. 그때 너무 슬픈께 가슴이 꽉 막힘서 오히려 말도 안 나오고, 울음소리도 크게 안 나오던디요.

소복, 처음으로 표정 풀리며
희미한 미소가 떠오르는.
심사위원들, 감탄하며 고개
끄덕이는.

소복 그래, 됐다. 이제부터 노래를 본다.

#7 매란국극단 대회의실 옆방 안. 낮

주란, 대회의실로 통하는
문을 조심스럽게 조금 여는.
심사위원들의 뒤통수가 보이고 그
너머로 지원자들이 보인다. 용근이
치는 북장단에 맞춰 노랫소리가
새어 나온다.

복실 *이리 오너라 업고 놀자*
이리 오너라 업고 놀자 사랑
사랑 사랑 내 사랑이로구나
사랑 사랑 사랑 내 사랑이지
이히이히이 내사랑이로다—
소복 그만. 다음, 91번.

#8 매란국극단 대회의실 안. 낮

초록 (함양양잠가를 부르는)
에야 뒤야 에헤야 에 헤헤
두견이 울음 운다 두둥가 실실
너 불러라—

심사위원들, 부지런히 채점하는.

소복 그만. 다음 92번.

#9 매란국극단 대회의실 옆방 안. 낮

흥미를 잃은 주란, 발걸음 돌려서 간다.

#10 매란국극단 대회의실 안. 낮

정년, 나와서 마음을 가다듬는다. 추월만정을 부른다.

정년 *추월은 만정허여*
산호주렴 비춰들 제,

심사위원들, 놀라서 정년을 본다. 소복, 표정 굳어서 자기 귀를 의심하며 정년을 뚫어지게 보는.

#11 매란국극단 대회의실 옆방 안. 낮

주란, 발걸음을 멈춘다. 주란, 놀라서 돌아보는.

#12 매란국극단 대회의실 안. 낮

정년 *청천의 외기러기는*
월하에 높이 떠서 뚜루루루루
낄룩, 울음을 울고 가니, 심황후
반기 듣고, 기러기 불러 말을
한다.

가슴에 사무친 듯 부르는 정년. 방 안을 가득 메우는 정년의 목소리. 지금 이 순간, 더 이상 심사위원도, 입단 시험도 의식하지 않고 노래 자체에만 몰두해 있는 정년. 심사위원들, 점수 매기는 것도 잊고 멍하니 정년만을 보고 소복, 충격과 전율에 손이 떨려온다.

정년 *오느냐, 저 기럭아,*
소중랑 북해상에 편지 전턴
기러기냐? 도화동을 가거들랑
불쌍헌 우리 부친 전에 편지

일장 전하여라.

정년, 노래 마친다. 그 누구도 입을 뗄 생각도, 말을 할 생각도 못 하고 멍하니 정년을 본다. 초록과 복실, 표정이 굳을 대로 굳어서 정년을 보는. 충격과 공포에 휩싸인 대회의실 안.

정년　저기…… 다 끝났는디요.
소복　……누구한테 소리를 배웠니.
정년　예?
소복　누구를 모시고 배웠냐고.
정년　그냥 귀동냥으로 여기저기서 듣고…… 저 사는 목포는 동네 어르신들이 일하다 힘들어도 노래 부르고, 즐거워도 노래 부르고 그런께요.
소복　그럼 본격적으로 선생님을 모시고 배운 적이 없단 말이니?
정년　예.
소복　(가만히 정년을 보는)

#13 매란국극단 대회의실 앞. 낮

대회의실에서 나오는 초록, 복실, 정년. 정년의 뛰어난 소리에 깊은 인상을 받은 주란, 옆방 문간에 서서 가는 정년의 뒷모습을 유심히 보는.

#14 매란국극단 대회의실 안. 낮

흥분한 심사위원들.

용근　엄청난 애가 나타났네요. 경력 많은 소리꾼들도 어려워하는 추월만정을 저렇게 쉽게 부르다뇨.
수연　저 애 감정 표현하는 거 보셨어요? 어떻게 저 나이에 그게 가능하죠? 아까 춤은 부족했지만 저는 소리 하나만으로도 저 아이 합격시키고 싶어요.
영섭　저런 성음은 타고나는 겁니다. 단장님, 저 아이 아까 연기도 테크닉은 부족했지만 발상이나 순간적인 감정 몰입은 좋았습니다. 이 친구, 절대 놓치면 안 됩니다.

소복, 표정 굳은 채로 말없이 앉아 있는.

영섭　저희는 저 아이 합격시키는 거 대찬성입니다. 단장님은 어떻게 생각하시는지.

소복　……저 아이를 뽑았을 경우의 위험부담에 대해서 생각하고 있었습니다.

심사위원들, 어리둥절한.

소복　(고민하는) 합격시키면 분명히 뒷말이 나올 겁니다.

#15 매란국극단 대회의실 앞 마당. 낮

초록과 복실, 표정이 굳어서 나오는. 정년, 뒤이어 나오는. 초록, 정년을 쏘아보는.

초록　정식으로 배운 것도 아닌데 저렇게 소리를 할 수 있다고? 말도 안 돼.

복실　우리 괜히 재랑 같이 오디숀 봐서 손해 보는 거 아니야?

초록　그나마 재 다음에 안 불러서 다행이야.

초록과 복실이 질투, 분노, 경계심이 뒤섞인 눈빛으로 한쪽에 떨어져 서 있는 정년을 본다. 정년, 눈치채지 못하는.

정년　(혼잣말로) 어깨만 괜찮았으면 춤을 더 잘 출 수도 있었는디…… (불안한) 혹시 춤 땜에 떨어지는 거 아니여?

[시간 경과]

도앵, 종이를 갖고 마당으로 나온다. 지원자들 시선 전부 다 도앵에게 쏠리는. 정년도 긴장해서 도앵을 보는.

도앵 지금부터 합격자 발표를 하도록 하겠습니다. 23번 진연홍, (연홍, 좋아서 꺅 소리 지르는) 90번 서복실, 91번 박초록.

초록과 복실, 좋아서 소리 지르며 서로 끌어안는. 정년, 언제 자신의 번호가 불리나 잔뜩 긴장하는.

도앵 ……정식 연구생 합격은 여기까지입니다.
정년 (뭐? 당황하는데)
도앵 다만, 올해는 이례적으로 예외를 둬서 보결로 합격시킨 응시자가 한 명 더 있습니다.

응시자들, 웅성거리고 정년, 잔뜩 긴장해서 도앵을 보는.

도앵 92번 윤정년.
정년 (순간 멍했다가 표정 밝아지며 좋아하는) 보결? 긍께 합격은 합격이라는 거제?

응시자들, 쟤는 뭔데 예외야, 웅성거리며 정년을 날카롭게 보는.

도앵 이상입니다. 자, 합격된 분들은 오늘 오후까지 숙소로 들어오시면 되고 나머지 분들은 돌아가시면 됩니다. 모두 수고하셨습니다. (정년 향해) 윤정년, 넌 잠깐 단장실로 와.

#16 매란국극단 단장실 안. 낮

정년, 긴장한 얼굴로 소복 앞에 서 있다. 소복의 냉랭하고 무표정한 얼굴에서 아무것도 읽어낼 수 없는.

소복 왜 널 보결로 합격시켰다고 생각하니.

정년　그것이…… 제가 춤을 잘 못 춰갖고 그런 거 아니어라? (억울한) 근디 그거는 제가 어깨를 다쳐갖고 그런 건디요, 평소엔 그것보다는 봐줄 만한디,

소복　그것 때문이 아냐. 넌 문옥경이 데리고 왔어. 널 받아주면 아마 매란의 모든 단원들이 네가 문옥경 때문에 들어온 거라고 생각할 거다.

정년　(아차, 싶은)

소복　그러니까 지금부터 스스로 널 증명해 보여. 유예기간 동안 네가 모두에게 문옥경 때문이 아니라 네 실력으로 들어왔다는 걸 보여주라고. 그걸 해내지 못하면 넌 매란에 들어올 자격이 없다.

정년　(결연해지는) 그렇게 하겠습니다. 지 실력으로 모두 입 싹 다물게 할 자신 있구만이라.

소복　유예기간 동안 넌 정식 연구생이 아니다. 널 받아주되 넌 내가 나가라고 하면 언제든 나가는 거다. 연습을 게을리하거나 국극단 규율을 어긴다? 다른 연구생들은 한 번 더 기회가 있겠지만 너는 그날로 끝이다. 알겠니?

정년　(의연하게) 예.

소복, 찬찬히 정년을 보는.

소복　고향이 목포라고?

정년　예.

소복　(잠시 정년을 보다가) 어머니 함자가 어떻게 되시니.

정년　(뜬금없이 무슨 소리지 싶은) 서, 용자, 례자 되시는디요.

소복　……서용례가 확실하니?

정년　(점점 더 어리둥절한) 예, 맞는디요.

소복　(그럴 리 없다는 듯 입가에 희미한 미소가 떠오르는)

……그래? 알았다, 그만 나가 봐라.

정년, 고개 숙이고 나가는. 소복, 잠시 정년 뒷모습을 본다.

#17 매란국극단 단장실 앞. 낮

정년, 환한 표정으로 단장실 나오는데 옥경, 단장실 쪽으로 오는.

정년 돼부렀어요!
옥경 (피식 웃는) 결국 해냈구나.
정년 물론 언제든 쫓겨날 수 있는 조건부 합격이긴 한디 그래도 이것이 어디요. 이게 다 선배님이 도와주신 덕분이어라. 이 은혜는 나중에 꼭 갚을게요.
옥경 많이 보고 배워서 쑥쑥 커라. 내 자리를 위협할 정도로 빨리 커.
정년 (에이, 말도 안 된다는 듯) 지가 어떻게 감히 선배님 자리를,
옥경 아니, 그게 지금부터 네가 할 일이야. 할 수 있지?
정년 (얼떨떨한) 야…….

옥경은 웃고 정년, 고맙게 옥경을 보는.

#18 매란국극단 단장실 안. 낮

소복, 추월만정 레코드판을 보면서 생각에 잠겨 있는데 노크 소리 나고 옥경, 들어오는.

소복 왔니.
옥경 덕분에 무사히 복귀했습니다.
소복 애초에 네 실명을 거론할 거면 처음부터 했겠지. 한번 미끼를 던져놓고 네가 어떻게 나오나 반응을 살피려고 했던 것 같아. 조심해라. 네가 조금이라도 방심하면 널

끌어내리려고 노리는 사람들이 한가득이야.

옥경　네.

소복　앉아라, 차나 한잔하자.

둘, 마주 앉아서 차를 마시는데.

소복　오늘 연구생으로 들어온 윤정년이라는 아이, 네가 가르쳤니?

옥경　네.

소복　국극단에서 후배 가르치는 것도 귀찮아하는 네가 개인적으로 교습을 해줬다고? 윤정년하고 무슨 인연인데.

옥경　(피식 웃는) 목포에서 어쩌다 만났어요. 그 애 소리하는 걸 듣고 무조건 서울로 데려와야겠다고 생각했어요.

소복　어지간히 맘에 들었나 보구나.

옥경　그 애 목소리는 사람을 사로잡는 무언가가 있어요. 더 무서운 건 정년이는 아직 미완인 상태라는 거예요.

소복　…….

옥경　단장님은 정년이 소리 어떻게 들으셨어요.

소복　(생각에 잠긴) ……예전에 같이 소리를 배우던 내 친구 생각이 났어. 다들 그 애보고 하늘에서 내린 재능이라고 했었다.

옥경　그분은 지금 명창이 되셨겠네요?

소복　(씁쓸하게 웃는) 글쎄…….

#19 매란국극단 숙소 정년 방 앞. 밤

정년, 자신의 방을 찾아 복도를 걷는.

정년　(혼잣말) 끝에서 두 번째 방이라고 했은께…… 여기네.

정년, 문을 막 열려고 하는데 풉,

웃음 참는 소리 들리는. 정년, 돌아보면 단원 셋이 정년을 보며 자기들끼리 뭔가 수군거리는. 정년, 영문을 모르고 셋을 보면,

소향 너보고 그 방 쓰래?
정년 예. 딴 방 다 찼다고 여기 쓰라던디요.
봉선 (딱해서 보며) 너 누구랑 방 같이 쓰는 건지 알아?
정년 (이상한 느낌에) 모르는디…… 그것이 누구대요?
봉선 그게, (뭐라고 하려는데)
금희 (봉선 입 막으며) 아유, 너 땡잡았다. 그 방 넓고 좋아.
소향 그래, 그래. 옥경 선배 총애받는 네가 아무 방이나 쓰면 되겠니? 다른 방은 세 명, 네 명이서 복닥거리는데 넌 딱 둘이서 여유 있게 쓰게 될 거야. 그럼 피곤할 텐데 푹 쉬고.

단원들, 낄낄거리며 돌아서서 가는. 정년, 뭔가 불길한 예감에 고개 갸웃거리는. 정년, 조심스럽게 문을 열어보지만 아무도 없는 텅 빈 방 안. 김빠지는 정년.

#20 매란국극단 숙소 정년 방 안. 밤

정년, 이불을 펴고 잘 준비를 하다가 옆자리를 보는. 단정하게 개켜져 있는 이불뿐.

정년 누군지 서로 인사 좀 하고 자려고 했더니 늦게 들어오네…….

정년, 일어나서 영서의 책상을 본다. 책들이 가지런히 꽂혀 있고 책상 위 물건들이 깨끗하게 정리돼 있는.

정년 겁나게 깔끔하네. 성격이 지나치게 깔끔하면

피곤한디…… 그래서 아까 그런 반응들이었을까? (이불 위에 드러눕는) 오메, 좋은 거.

[플래시백 - 1부 #32]
다 같이 좁은 방에서 이불 꿰매고 있던 정년이네 가족.

정년, 미안함과 그리움에 순간 어두워지는 표정.

정년 (도리질하는) 아녀, 언능 성공하면 돼.

[시간 경과]

곤히 잠이 든 정년. 문이 열리고 누군가(영서)의 발이 들어오는. 영서의 시선에서 내려다보는 정년. (영서 얼굴 아직 안 나왔으면 좋겠습니다.)

#21 매란국극단 숙소 정년 방 안. 아침

정년, 눈을 뜬다. 일어나서 어깨를 만져보는. 아프지 않자 조심스럽게 팔을 돌려보는 정년. 통증이 느껴지지 않자 표정 밝아지는. 정년, 옆자리를 본다. 어젯밤과 마찬가지로 단정하게 개켜져 있는 이불.

정년 (갸웃하는) 뭐여, 들어온 거여, 안 들어온 거여?

#22 매란국극단 숙소 마당. 아침

원철, 필순, 주란, 정년, 같이 마당을 쓴다. 정년, 셋과 좀 떨어져서 마당을 쓰는. 정년, 흥얼흥얼 콧노래를 부르는.

원철 (정년 쪽 눈짓하며) 쟤가 윤정년이야. 무용에서 빵점 받았는데 소리에서 만점 받아서 들어왔다는 목포 촌년.
필순 옥경 선배가 쟬 그렇게 이뻐한다는데.

원철 재수 없어. 들어온 지 몇 년 된 우리도 옥경 선배한테 이름 한번 불러보는 게 소원인데.

필순 근데 재가 소리 천재면 성골이랑 경쟁 붙겠네.

원철 허영서? (픽, 웃는) 상대가 되겠냐? 허영서는 지금 당장 정기공연 니마이 맡아도 될 실력인데. 어쨌든 윤정년은 보결밖에 안되잖아.

주란, 정년 쪽을 본다. 정년, 둘이 자신을 향해 뭐라고 떠드는지 눈치 못 채고 기분 좋게 청소를 끝내는. 빗자루를 한쪽에 놓고 돌아서는데 주란이 눈앞에 서 있다.

정년 아이, 깜짝이야.

주란 (상냥하게) 난 홍주란이야. 만나서 반가워.

정년 지는 윤정년이라고 하요.

주란 (웃는) 그냥 말 놔도 돼. 나도 아직은 이 국극단에서 신입 취급받는 연구생이거든.

정년 (웃는) 응, 앞으로 잘 부탁해.

주란 아직 국극단 제대로 못 봤지. 내가 이 안에 구경시켜 줄까?

정년 (좋아서 웃는) 응!

#23 매란국극단 일각. 낮

주란을 따라가는 정년.

주란 국극단 안은 크게 수업하는 곳과 숙소로 나뉘어 있어. 숙소는 언니들이 쓰는 숙소랑 우리 같은 연구생들이 쓰는 숙소가 따로 있어. (손가락으로 가리키며) 저쪽은 식당이랑 부엌이 있고, 저기는 사업부가 쓰는 공간.

정년 사업부?

주란 장부 정리하는 데 말이야. 별로 우리랑 마주칠 일은 없는 사람들이야. 저기 뒤뜰 구석에 보면 뒷간이랑 목간하는 곳 있어. 항상 미어터지니까 일찍 가야 돼. 아, 될 수 있으면 뒷문으로 다니고 정문 쪽으로는 가지 마.

정년　왜?

#24 매란국극단 대문 안&밖. 낮

주란, 심호흡하고 정문을 연다. 정문 앞에서 대기하고 있던 여학생 팬들, 문이 열리자 "열렸다!" 미친 듯이 소리 지르며 문 쪽으로 달려드는. 기겁하는 정년. 주란, 얼른 문을 닫는다.

주란　보다시피 이 시간에 팬들이 죽치고 있을 때가 많은데, 잘못 걸리면 선물 전해달라, 옥경 선배나 혜랑 선배 물건 몰래 가져다 달라, 한참을 시달리거든.

#25 매란국극단 춤 연습실 앞&안. 낮

단원들, 벽면에 붙은 큰 거울 앞에서 군무 연습하는. 정년 일사불란한 군무에 입 벌어지는.

주란　여기는 춤 연습실이야.

정년　저라고 연습을 한께 공연서 춤이 서로 딱딱 맞았구만…….

주란　그치? 우리 매란국극단은 군무가 절도 있고 아름답기로 유명하거든.

#26 매란국극단 연기 연습실 앞&안. 낮

대본 보며 대사 연습을 하는 단원들.

단원1　심 낭자 거기 계시오? 물때가 늦어가니 어서 나와 가사이다.

단원2　평안히들 오시니까?

거기 잠깐 계시면 부친 앞에 하직하고 함께 따라가오리다.

열띤 연습을 보던 정년, 감탄하는.

주란 〈심청전〉 연습하네. 연습실들은 비어만 있으면 너 혼자 연습할 때 써도 돼.

#27 매란국극단 개인 연습실 안. 낮

혜랑, 검무를 연습하고 있다. 유려하고 능숙한 혜랑의 움직임에 정년, 놀라는.

정년 저분은 누구실까?

주란 서혜랑 선배. 우리 매란국극단 여자 주연을 도맡아 하고 있어. 옥경 선배가 우리 국극단 왕자님이라면 혜랑 선배는 공주님이야. 혜랑 선배 춤은 평론가 선생님들도, 다른 국극단에서도 다 인정해.

주란, 입을 헤벌리고 혜랑의 춤에 푹 빠져서 보는.

정년 (주란 보고 웃는) 혜랑 선배 좋아하는갑네?

주란 (그저 황홀해서 혜랑을 보며) 여자 주연 배우로는 최고잖아.

정년 너도 나중에 여자 주인공이 되고 싶은갑네?

주란 (화들짝 놀라는) 뭐? 내 실력에 감히…….

정년 뭐 어쩐대, 꿈도 못 가진대?

주란 (고개 저으며) 지금은 어림도 없는 얘기야. 난 아직 춧대밖에 못 해봤는데, 뭐.

#28 매란국극단 일각. 낮

같이 돌아다니는 정년과 주란.

주란 (웃는) 어제 추월만정 부른 거 들었는데 너 소리 엄청 잘하더라? 난 아무리 연습해도 그렇게 안 되던데…… 부럽다.

정년 (좋으면서 쑥스러운) 아니 뭐…… 암튼 좋게 봐준께 좋네.

주란 (주위 둘러보고 소리 살짝 낮추는) 조심해, 너 문옥경 선배 뒷배로 들어왔다고 애들이 질투해.

정년 뭐, 예상 못 한 일은 아니여.

금희 주란아, 숙영 선배가 너 찾아!

주란 네, 가요! (정년 향해) 나 잠깐 갔다 올게. 여기서 기다리고 있어. (자리 뜨는)

혼자 여기저기 둘러보던 정년, 어디선가 고수가 북 치는 소리가 들리자 그 소리에 이끌리듯 가는.

#29 매란국극단 노래 연습실 앞&안. 낮

열린 문 사이로 북소리가 새어 나오는. 정년, 살짝 안쪽을 들여다본다. 영서 뒷모습만 보이고 얼굴이 보이지 않는.

영서 *산천은 험준하고, 수목은 총잡헌디 만학에 눈 쌓이고 천봉에 바람칠 제,*

빼어난 노래 실력에 정년, 충격받아 표정 굳어서 보는.

영서 *화초목실 바이없어 앵무원실 끊쳤는디 새가 어이 울랴마는,*

충격받아서 숨도 못 쉬고 영서 소리를 듣는 정년. 전율을 느끼며 온몸이 덜덜 떨린다. 정년, 떨림을 멈추려는 듯 주먹을 꼭 쥔다.
북 치던 용근, 문간에 서 있는 정년을 보고 북 치던 손 멈추는.

용근 누구냐! 거기 밖에 누구야!

영서, 확 돌아본다. 그제서야 영서 얼굴을 보는 정년. 정년, 차가운 영서의 얼굴을 보자 정신이 확 들어서 정신없이 도망치듯 그 자리를 뜨는.

#30 매란국극단 일각. 낮

도망치던 정년, 걸음을 멈추고 숨을 몰아쉰다.

정년 뭐여…… 저 애기는 뭣 하는 애긴디 소리를 저라고 잘한대? 저라고 구성진 소리는 첨 들어보는디…….

정년, 멍하니 서 있는다.

#31 매란국극단 단장실 안. 낮

소복, 서류 보는데 정년, 초록, 복실, 연홍이 들어온다. 각기 연습복이 아닌 사복을 입고 있는.

소복 오늘은 첫날이라 어쩔 수 없지만, 원래 수업에는 반드시 연습복을 입고 참석해야 한다. 연습복을 갖춰 입지 않았으면 수업에 들어올 생각도 하지 말아라.

연구생들 네.

소복 여기서 명심해야 할 일은 두 가지다. 연습에 성실히 임할 것, 그리고 매란국극단 이름 팔아서 밖에서 돈 벌지 말 것. 특히 매란국극단 단원임을 내세워서 노래 파는 짓? 절대 용납할 수 없어. 그 어떤 순간에도 너네가 예인임을 잊지 말고 행동해라.

연구생들 네.

#32 매란국극단 앞마당. 낮

소복의 선창 아래 목을 푸는 단원들.

소복 *이리 오너라 업고 놀자*

이리 오너라 업고 놀자—

단원들　*이리 오너라 업고 놀자*

이리 오너라 업고 놀자—

소복　*사랑 사랑 사랑 내*

사랑이야—

단원들　*사랑 사랑 사랑 내*

사랑이야—

소복　*사랑 사랑 사랑 내*

사랑이지—

단원들　*사랑 사랑 사랑 내*

사랑이지—

소복　자, 그럼 새로 연구생들이 들어왔으니 서로 인사는 해야겠지. 대표로 윤정년, 앞으로 나와라.

정년　(앞으로 나가는)

소복　뭐 불러볼래.

정년　사철가 부르겄습니다.

소복　(고개 끄덕이는) 사철가 좋지. 영서, 허영서 어디 있니.

연구생들 시선, 일제히 영서 있는 쪽으로 쏠린다. 정년도 덩달아 연구생들 시선 향하는 곳을 보는. 영서, 정년 있는 쪽으로 온다. 정년, 영서 얼굴 보고 아까 그 연습실에서 적벽가 부르던 아이라는 걸 눈치채고 눈 커지는.

정년　(혼잣말) 아, 아까 그,

영서　(정년 쪽 전혀 보고 있지 않은)

소복　누가 먼저 시작할래.

영서　전 어느 순서든 상관없습니다.

소복　그럼 정년이 먼저 시작해라.

대결이라는 것을 안 정년, 표정 경직되고. 단원들, 얼마나 잘하나 보자, 잔뜩 호기심에 찬, 시험하는 눈빛으로 정년을 본다. 정년, 자신에게 쏠린 시선들 의식하고 마음 가다듬으며 심호흡을 한다. 용근, 북으로 장단 맞추기 시작하는.

정년　*이 산 저 산 꽃이 피니*

분명코 봄이로구나—

정년의 구성진 목소리에 영서, 무표정한 얼굴로 듣고 있다가 움찔하는.

정년　*봄은 찾어왔건마는 세상사 쓸쓸허드라 나도 어제 청춘일러니 오날 백발 한심 허구나—*

단원들　(놀라며 탄성이 물결처럼 번져나가는)

소복　다음 영서.

영서　*내 청춘도 날 버리고 속절없이 가버렸으니 왔다 갈 줄 아는 봄을 반겨 헌들 쓸 데 있나—*

영서 소리가 듣기 좋게 뻗어나가자 단원들, "역시" 하며 감탄하는. 정년, 표정 굳어서 듣고 있는.

영서　*봄은 왔다가 갈려거든 가거라 니가 가도 여름이 되면 녹음방초 승화시라 옛부터 일러 있고 여름이 가고 가을이 돌아오면 한로삭풍 요란해도 제 절개를 굽히지 않은 황국 단풍도 어떠한고—*

정년　(긴장 풀려서 표정과 몸짓이 자연스러워진) *가을이 가고 겨울이 돌아오면 낙목한천 찬 바람에 백설만 펄펄 휘날리여 은세계가 되고 보면 월백설백 천지백 허니 모두가 백발의 벗이로구나—*

소복　좋아, 그만. 정년이, 영서 소리 어떻게 들었니.

정년　좋구만이라.

소복　구체적으로.

정년　목소리가 거칠고 쉰 거 같으면서도 청아한 맛이 있고, 뱃속에서 소리가 바로 뽑아져 나오는 거 같았습니다.

소복　그게 바로 통성이라는 거다. 소리 자체에 힘이 있기 때문에 마음대로 소리를 조절할 수 있다. 영서는 정년이 소리 어떻게 들었니.

영서 제가 들어본 소리 중 가장 맑고 독특한 음색이었습니다.

소복 그래, 정년이는 타고난 좋은 성음이 있다. 하지만 명심해라. 아무리 좋은 자질을 타고났더라도 연습을 게을리하면 실력은 결코 늘지 않는다. 둘 다 알겠니?

정년, 영서 네.

정년, 영서를 본다. 하지만 여전히 정년을 보지 않고 있는 영서.

#33 매란국극단 숙소 일각. 낮

영서, 앞서서 걸어가는데 영서를 따라오는 정년.

정년 거시기, 잠깐만!

영서 (돌아본다. 냉랭한 얼굴)

정년 아야! 소리 잘 들었다. 사실 아까 연습실 앞에서 니 소리 듣다가 도망간 사람이 나여.

영서 (표정 변화 없는)

정년 나는 나가 솔찬히 헌다고 생각했는디 우물 속 개구리였구만. 넘이 소리허는 걸 듣고 무섭다고 느껴본 것은 처음이었당께. 놀래갖고 아주 오금이 저리드만?

헤헤 웃는 정년. 경계심 없이 웃는 정년을 무표정하게 보고만 있는 영서.

정년 난 윤정년. 넌 허영서라고 하제? 실력을 겨루게 돼갖고 참말로 영광이여. 앞으로 친하게 지냈으면 좋겠어.

영서 너 유경학 명창이라고 들어봤어?

정년 아니, 첨 들어봤는디.

영서 국창이라는 소릴 듣는 분이야. 난 그분 밑에서 10년 가까이 혹독한 수련 과정을 거쳐서 소리를 배웠어. 그런 내가 실력 한번 겨뤘다고 시장 바닥에서 노래 팔다 온 너랑 동급이라고 생각하지 마.

정년 (멍하니 보다가 헛웃음) 실력은 좋은디 싸가지가 보통 아니네?

영서 알았으면 사람 귀찮게 하지 마. 너랑 친구 하고 싶은 생각 없으니까. (찬바람 일으키며 가버리는)

정년 (어이없어서 입 벌리고 보는) 뭐대, 저 가시내.

#34 매란국극단 부엌 안. 밤

아궁이 앞에 앉아 불을 때는 정년과 주란.

주란 (웃는) 벌써 영서랑 싸웠단 말이야?

정년 그 싸가지…… 소리는 끝내주게 하던디 성격은 왜 그 모양이여.

주란 영서 성골이라서 아무도 못 건드리는데.

정년 성골?

주란 응, 다들 영서를 성골 중의 성골이라고 그래. 어머니는 그 유명한 소프라노 한기주에 영서 언니도 어렸을 때부터 성악 신동으로 유명했어.

정년 어쩐지…… 그 정도면 무대에서 중요한 역할도 맡아봤겄네?

주란 아니? 지금까지 영서 춧대만 했었어.

정년 뭐? 그라고 실력이 좋은디야?

주란 단장님이 춧대만 하라고 하면 누구든 그 명령에 따라야 돼. 오디숀날 본 도앵 선배 알지. 그 선배 사실 단장님 조카다?

정년 참말로?

주란 응, 근데 도앵 선배도 새 공연 들어갈 때마다 다른 사람들처럼 매번 오디숀을 봤어.

정년 (헉하는) 워메, 즈그 조카도 안 봐준단 말이여?

주란 그렇다니깐?

정년 미쳐불겄네…… 천년 만년 촛대로만 서면 나는 어느 세월에 무대에 서고 돈을 벌 수 있다는 거여. 싸게싸게 벌어갖고 목포로 금의환향해야 하는디.

주란 (웃는) 벌써 목표가 있네?

정년 그람, 그래서 나가 마음이 좀 다급해. (잠시 생각하다가) 근디 집안이 그라고 다 성악을 한담서, 으째 영서는 성악을 안 하고 국극을 한대?

주란 글쎄…… 영서는 통 속 얘기를 한 적이 없어서…….

정년 (타오르는 불꽃을 멍하니 보며) 성골 중의 성골…….

#35 매란국극단 숙소 정년 방 안. 밤

정년, 이불 펴다가 옆자리를 보는.

정년 이 애기는 도대체 누군디 오늘도 늦게 들어오는 거여?

그때 문 열리고 영서가 들어온다. 정년, 무심코 돌아보다가 영서 얼굴 보고 헉하는. 영서, 정년 쪽은 보지도 않고 책상에 앉아 대본 펴서 보는.

정년 설마 나랑 같이 방을 쓰는 게 너여?

영서 (대꾸 않고 대본만 보는)

정년 (어이없는) 아야! 그래도 인자 한방 쓸 사인디 아는 척 좀 하제?

영서 (시선 주지 않고) 내가 아까 귀찮게 하지 말라고 했지?

정년 (열받는) 알았어, 걍 서로 소 닭 보듯 그라고 살자, 누가 아쉽간디?

정년, 드러누워서 이불 덮어쓰는. 영서, 그러거나 말거나 대본 읽기에만 집중.

#36 꽃 가게 안. 낮

영서, 꽃을 고른다. (여느 때 입었던 연습복 아니고 신경 써서 입은 블라우스와 스커트 차림.) 옆에서 꽃 가게 직원, 영서에게 꽃을 설명해주는. 영서, 여느 때 같지 않게 표정 밝아 보이는.

직원 이 꽃이 요새 인기가 좋은 꽃이에요. 꽃다발을 만들면 풍성하고 화려해 보이거든요.
영서 (꽃향기 한껏 들이마시고 만족한 듯 고개 끄덕이는) 이걸로 꽃다발 하나 만들어주세요. 받으시는 분 취향이 까다로우니까 포장 좀 신경 써서 해주세요.
직원 네.

#37 영서 집 현관. 낮

영서, 꽃다발 갖고 현관에 들어서자 파주댁, 반갑게 맞아주는.

파주댁 아가씨 오셨어요.
영서 어머니는?
파주댁 응접실에 계세요. 영인 아가씨랑 학장님은 좀 전에 같이 외출하셨어요. 사모님, 시차 적응 때문에 요 며칠 힘들어하시다 오늘은 좀 기분이 좋아 보이세요.
영서 (웃는) 그래?

#38 영서 집 응접실. 낮

영서, 꽃다발을 갖고 밝은 표정으로 응접실로 들어간다.

영서 어머니, 저 왔어요.
(말하다가 멈칫하는)

기주, 차를 마시며 레코드로 오페라를 듣고 있다. 기주, 아주 몰입한 듯 눈까지 감고 집중해서 듣는. 영서, 조심스럽게 꽃다발을 옆에 놓고 자리에 앉는다. 방 안에 가득 울려 퍼지는 오페라. 잠시 후 노래가 끝나자 기주, 눈을 뜬다.

기주 (흐뭇해서 웃으며) 역시 내 딸이야. (영서 보며) 방금 들은 게 요번에 너희 언니가 녹음한 레코드야. 어떠니, 언니 목소리가.

영서 (웃는) 좋아요. 목소리도 더 깊어진 거 같고.

기주 그렇지? 훨씬 깊어졌지. 더 정교해지고 더 풍부해지고, 그리고 이 타고난 우아함! 미국에서 콧대 높은 평론가들도 영인이는 타고난 디바로서의 기품이 있다고 했어.

영서 (씁쓸하게 웃는) 이제 언닌 어머니 제자가 아니라 라이벌이 될 텐데 그렇게 좋으세요?

기주 그럼, (레코드 표지의 영인 얼굴을 쓸어보며) 영인이가 날 뛰어넘는 날이 오면, 난 웃으면서 박수 쳐줄 수 있어. 영인이는 내 프라이드고 내 작품이야.

그저 흐뭇한 표정으로 어쩔 줄 몰라 하는 기주를 보며 영서, 점점 표정이 어두워진다. 영서, 이러지 말아야지, 애써 표정 관리하는.

영서 (옆에 놔둔 꽃다발 건네며) 귀국 축하드리고 싶어서 사 왔어요.

기주 (꽃다발 받자마자 한쪽에 놓으며 건성으로) 그래, 고맙다.

영서 (허탈해져서 쓴웃음 나오는)

기주 건강해 보이는구나. 국극단 생활은 할 만하니?

영서 (마음 추스르고) 네, 얼마 후에 연구생 공연이 있을 거예요. 제가 거기서 주연을 맡았어요. (조심스럽게) 한번 보러 안 오세요?

기주 그래 봤자 연구생 공연이잖아. 연구생 공연까지

내가 가봐야 되니?

영서 (풀 죽는) 아뇨…….

기주 정기공연 주연은 언제 될 수 있는 거야?

영서 연구생 공연이 끝나고 정기공연 오디숀이 있어요. 거기서 합격하면 주연이 될 수 있어요.

기주 난 너 오페라 배우다가 말고 국극으로 가버린 거 아직도 맘에 안 들어. 그치만 이왕 그걸 선택했으면 그 분야에서 1등이 돼야 하는 거야.

영서 알아요, 빠른 시일 내에 꼭 주연으로 무대에 설게요. 최고가 될 자신이 없었으면 애초에 시작하지도 않았어요.

기주 그래, 무대에서 촛대로만 서는 데 만족하면 안 돼. 명심해, 넌 이 한기주 딸이야.

영서 (미소 짓는) 네.

기주 (축음기 쪽으로 가서 레코드판 바꾸는) 너도 왔고, 오랜만에 추월만정 한번 들어볼까?

추월만정이 흘러나온다.

기주 (눈 감으며 음미하는) 아, 역시 좋아. 판소리는 오페라 따라가려면 멀었다고 생각했지만 가끔 이런 진짜배기가 있어. 공선이는 진짜 소리를 할 줄 알았는데.

영서 개인적으로 채공선을 아셨던 거예요?

기주 응, 임진 선생님 댁 갔을 때 몇 번 본 적이 있어. 이걸 공선이가 부르는 걸 듣고 진짜 쇼크받았었는데…… 나도 국악을 할 걸 그랬나 후회될 정도였어. (창가로 가서 밖을 보는) 가끔 궁금해, 공선이는 왜 갑자기 사라졌는지. 공선이 같은 천재가 또 나타날지.

#39 매란국극단 연습실 안. 낮

연구생들, 앉아서 친구들과 수다 떨며 기다리는데 정년, 뒤늦게 들어와 주란 옆에 앉는다. (아직 정년 혼자만 목포에서 입고 온 허름한 옷.) 아직 수업 시작 전. 영서는 그 누구와도 말 붙이지 않고 단정하게 앉아 있다.

정년 나도 좀 깨워주제.

주란 열 번은 깨웠다. 왜 그렇게 잠귀가 어두워?

정년 나 한번 잠들면 옆에서 대포가 떨어져도 몰라야…….

주란 근데 너 옷,

정년 옷?

그때 소복이 들어온다. 연구생들, 일제히 일어나는. 소복, 연구생들 옷매무새를 확인한다. 소복, 정년에게 시선이 멎는다. 통일된 연구생들의 연습복 사이에서 튀는 정년의 허름한 옷.

소복 윤정년. 넌 왜 아직도 연습복을 안 입고 있어?

정년 아직 연습복을 못 받았는디요.

소복 연습복 나눠준 사람 누구야.

초록 전데요. 어제 네 벌 받아서 윤정년 방 앞에도 놔뒀습니다.

정년 (당황하는) 지는 본 적이 없는디요.

초록 (억울하다는 듯) 분명히 문 앞에 놔뒀습니다.

소복 (냉랭하게 정년 보는)

정년 연습복은 그림자도 못 봤는디요. 그, 그냥 이거 입고 연습하면,

소복 옷 하나도 단정하게 못 갖춰 입고 무슨 연습을 하겠다는 거야! 어서 가서 옷 안 찾아와?!

소복의 호통에 정년, 당황해서 연습실을 허둥지둥 빠져나가는.

#40 매란국극단 숙소 마당&정년 방 앞. 낮

정년, 정신없이 마당을 가로질러 자기 방 쪽으로 뛰어가는.

정년 (혼잣말) 분명히 없었는디, 어디다 놔뒀다는 거여. 날 골탕 먹이겄다고, 금방 들통날 거짓말 하는 것을 누가 모를 줄 알고,

하다가 멈칫하는 정년. 정년 방 방문 앞에 떡하니 연습복이 단정하게 개켜져 놓여 있는. 정년, 연습복을 보고 멍한.

#41 매란국극단 연습실 안. 낮

연습복을 갖춰 입은 정년, 연습실 안으로 들어간다. 한창 발성 연습 중인 연구생들. 정년, 자기 자리로 가려고 하는데,

소복 잠깐.

정년 (멈칫하는)

연구생들 시선이 정년에게 쏠린다.

소복 지각한 연습생은 그날 연습에 참여할 자격이 없다. 연습 끝날 때까지 밖에서 기다려.

정년 (울컥한) 이건 지 잘못이 아니라,

정년, 말하다가 자신을 냉랭하게 보는 소복의 시선과 마주치는. 정년, 억울한 마음을 꾹 참고 단념해서 밖으로 나가는. 그런 정년을 딱하게 보는 주란. 초록과 복실, 나가는 정년 쪽 보다가 자기들끼리 비웃는 웃음 주고받는.

#42 매란국극단 연습실 앞. 낮

연습실 앞에 우두커니 서서 기다리는 정년. 눈빛에 억울함과

설움이 가득하다. 안에서 들려오는 노래 연습 소리. 그 소리를 들으니 더더욱 기운이 빠지는 정년, 어깨가 축 처지는.

#43 매란국극단 일각. 낮

초록, 복실, 연홍, 어울려서 웃고 떠들며 가는데,

정년　박초록이!

연구생들, 돌아본다. 정년, 화가 난 얼굴로 다가오는. 주란, 불안한 얼굴로 정년을 쫓아오는. 연구생들, 싸움 날 것 같자 삼삼오오 몰려들어 구경하는.

정년　치사하게 뭐 하는 거여?
초록　내가 뭘?
정년　기껏 생각해낸다는 게, 연습복 제때 안 줘서 사람 바보 만드는 거여?
초록　웃겨…… 내가 그랬다는 증거 있어?
정년　네가 그랬는지, 아닌지 네 양심이 잘 알겄지.
복실　(발끈하는) 야, 네가 잘못한 걸 지금 누구한테 누명 씌우는 거야. 문옥경이 네 뒤에 있다고 눈에 뵈는 게 없어? 보결 주제에…….
정년　(허, 웃는) 참말로 유치해갖고 못 들어주겄네. 그라고 내가 싫으면 실력으로 누를 생각을 해야지, 이런 추접시런 짓이나 하고…….
복실　(열받아서) 야!
초록　야, 목포 촌년.
정년　(초록을 쏘아보는)
초록　너 시장 바닥에서 노래 좀 불렀다고 네가 제일 잘난 줄 아나 본데, 좋아, 그럼. 몇 달 후에 정기공연 있는 거 알지? 그 오디숀 대본 도앵 선배한테서 받아내봐. 그 정도는 할 수 있겠지?
주란　(헉해서 초록을 보는) 뭐?

아니, 그 대본은,

초록 네가 받아 오면 네가 시키는 일 뭐든 한 가지 할게. 대신 못 받아 오면 넌 실력 없이 문옥경 뒷배로 들어온 거 인정하고 매란에서 네 발로 나가는 거야, 어때?

주란 (당황해서 말리려는) 정, 정년아.

정년 좋아.

주란 (헉하는)

정년 대신 조건 하나 더 걸어. 내가 대본 받아내면 나 실력 없이 들왔다고 한 거 사과해, (둘러보는) 지금처럼 모두 있을 때. 그라고 문옥경이 뒷배니 어쩌니 그 소리도 집어치워라이.

초록 (가당치 않다는 생각에 픽 웃는) 좋아, 받아 오기나 해.

정년 (자신만만하게) 기다려, 네 눈앞에 딱 갖다줄란게.

#44 매란국극단 휴게실 가는 길. 낮

씩씩하게 걸어가는 정년. 심란한 채 옆에서 따라가는 주란.

주란 정기공연 오디숀 대본이 어떤 건지 알아? 정해진 부수만 딱 찍고, 대본마다 오디숀 볼 애들 이름 박아서 딱 한 부씩만 줘. 오디숀 대본 못 받은 애들은 아무리 옆에서 훔쳐봐서 대사 외웠다고 해도 오디숀 볼 수도 없어.

정년 그니께 사정을 해서 받아내야제.

주란 (답답) 사정해도 안 준다니까? 오디숀 대본 관리하는 도앵 선배, 절대 예외를 두지 않는 사람이야. 우리 국극단은 막 들어온 신입 연구생들한테는 절대 정기공연 오디숀 대본 안 줘. 적어도 6개월은 지나야 오디숀 볼 기회라도 준단 말이야. 그게 단장님이 정하신 방침이야. (울상되는) 너 초록이한테 잘못

넘어간 거야.

정년 걱정하덜 말어, 뭔 수를 써서든 받아낼랑게.

도앵 [소리] 지금 무슨 말도 안 되는 소리를 하는 거야!

#45 매란국극단 휴게실 안. 낮

도앵, 맞은편에 선 정년을 날카롭게 보는.

도앵 들어온 지 며칠 되지도 않은 연구생 주제에 정기공연 오디숀 대본을 달라니, 너 간이 배 밖으로 나왔구나? 아니지, 넌 정식 연구생도 아니고 아직 보결이지. (차갑게) 넌 정기공연 촛대도 아직 설 수 없어!

정년 신입 연구생이어도 오디숀을 볼 수 있는 기회는 똑같이 가지는 게 맞다고 생각하는디요.

도앵 (차갑게) 무대에 서서 시선 처리를 어떻게 하는지, 상대 배우랑 호흡을 어떻게 맞추는지도 모르면서 벌써 오디숀 기회를 달라고? 선배들을 보고 배우는 게 먼저야.

정년 지는 떨어질 땐 떨어지더라도, 오디숀 보는 과정도 공부라고 생각합니다. 그 경험도 못 하게 막아버리는 거는 불공평한 거 같은디요.

도앵 (가만히 정년을 보는)

정년 (기다리는)

도앵 좋아, 그럼 이렇게 하자.

#46 매란국극단 연습실 안. 낮

영서와 주란 포함한 연구생들 앉아 있는데 정년, 연습실로 들어온다. 정년에게 날아와 꽂히는 연구생들의 호의적이지 않은 시선. 정년, 순간 움츠러들지만 애써 모르는 척 꾸벅 고개 숙이는.

정년 윤정년입니다. 잘

부탁드리겠습니다.

연구생들, 무시하듯 고개 돌려버리고 영서는 아예 정년 쪽으로 눈길도 주지 않는다. 주란만 정년과 눈 마주치고 따뜻하게 웃어주는. 주란, 자기 옆자리에 앉으라고 바닥을 두드린다. 정년, 웃으며 주란 옆에 앉는. 영서, 일어나서 앞으로 나가는.

영서 시간 됐으니 지금부터 연구생 자선공연 〈춘향전〉 연습을 시작하도록 하겠습니다.

정년, 눈을 빛내며 영서를 본다.

#47 매란국극단 휴게실 안. 낮

(회상, #45 이어서)

도앵, 정년에게 대본을 건넨다. 정년, 대본을 받아서 펼쳐보는. 대본에 〈춘향전〉이라고 제목이 쓰여 있다.

정년 (어리둥절한) 이거는 정기공연 대본이 아닌디요?

도앵 1년에 두 번 연구생들 자선공연이 열려. 그건 열흘 뒤 올라가는 〈춘향전〉 대본이야. 그 무대에 서라. 그 무대에서 네가 하는 연기를 보고 정기공연 오디숀 대본을 줘도 될지 단장님께 말씀드려볼게.

정년 (난감한) 근디…… 열흘 뒤에 하는 공연이면 진작 역할도 다 나눠 가졌을 것인디, 인자 와갖고 저를 끼워줄라고 안 할 거 같은디요.

도앵 (싸늘한) 연구생 공연도 못 설 거면, 정기공연 오디숀 대본을 욕심내지 말았어야지.

정년, 도앵을 보는. 도앵을 보는 정년의 눈빛이 도전적으로 바뀐다.

정년 아니, 할라요. 꼭 그

무대에 서갖고 지가 오디숀 대본 받을 자격이 있단 걸 증명해 보이겄습니다.

#48 매란국극단 연습실 안. 낮

(현재, #46 이어서)

영서 오늘은 춘향이가 옥에 갇히는 장면부터 대사를 맞춰보도록 합시다.

정년 (손 들고) 잠깐만요.

영서 (정년 보는)

정년 지는 배역이 없는디요.

영서 (그저 정년을 보는)

원철 나중에 들어와서 배역까지 내놓으라고 하는 거야, 지금?

필순 이미 대역까지 다 역할 배분은 끝났어. 연습을 지켜보게 해주는 것만도 감지덕지하게 생각해야지.

정년 지도 연구생잉께 이 무대에 설 자격이 있소. 촛대든, 뭐든 좋응께 무대에 서게 해주십시요.

필순 야, 윤정년! 양심 좀 챙겨라! 우리는 이걸 석 달을 연습했어. 근데 열흘 남기고 처들어와서 맡겨놓은 것처럼 역할 내놓으라고?

원철 그리고 네가 무슨 연구생이야, 넌 보결이잖아! 반쪽짜리 연구생! 넌 우리 공연에 설 자격이 없어!

연구생들, 적의가 가득한 시선으로 정년 보며 웅성거리는. 뒤쪽에서 지켜보고 있던 초록과 복실과 연홍, 정년을 비웃는다. 영서, 속을 알 수 없는 무표정한 얼굴로 그저 정년을 보는.

정년 (개의치 않고 영서만 주시하며) 아무리 작은 역이라도 상관없어라. 무대에 설 수 있게만 해주십시요.

영서 ……뭐든 상관없다는 거지?

정년　예.

영서　그럼, 방자 역을 맡아.

연구생들, 깜짝 놀라서 영서를 보는. 정년도 당황해서 영서를 보는.

필순　영서야!

영서　방자 역 맡은 순심이는 아파서 빠졌고, 대역인 미금이는 첫날은 못 한다고 했어. 마침 하루만 그 자리를 채워줄 사람이 필요했는데 잘됐네.

필순　무대에 서본 적도 없는 애한테 춘대도 아니고 방자를 주겠다고? 쟤가 뭔데!

영서　(아랑곳없이 정년 보며) 할 거야?

정년　(영서 보다가 눈빛 단호해지며) 하겠소.

정년 보는 영서 얼굴에 희미한 미소가 떠오르는.

#49 옥경 집 거실. 밤

옥경, 책을 읽다가 꽃꽂이하는 혜랑을 보는.

옥경　영서가 역할을 줬다고? 그것도 방자를?

혜랑　지금 연구생들 난리가 났어. 안 그래도 윤정년에 대해서 별로 감정도 안 좋은데 큰 역할까지 떡하니 맡았으니…….

옥경　남의 역할 뺏은 것도 아니고 비어 있는 역할 들어간 건데 뭐.

혜랑　그게 그렇게 간단한 문제가 아니잖아. 방자 역은 그 공연에서 네 번째로 비중이 커. 몇 년씩 연구생으로 있던 애들이나 맡는 역인데…….

옥경　(피식 웃는) 역시 허영서 머리가 좋아.

혜랑　(의아하게 옥경을 보는)

옥경　처음 무대에 서면 춘대도

제대로 못 해서 바들바들 떨다가 들어오는 애들이 태반이야. 근데 그 대사 많은 방자 역을 하라니…… 정년이 스스로 자괴감에 빠져서 그만두라는 소리잖아.

혜랑 그걸 알면 윤정년이 무대에 서기 전에 좀 말리지 그래.

옥경 (피식 웃고 다시 책을 보는) 정년이 한번 마음먹으면 누가 말려도 안 들을 거야. 두고 봐, 이제부터 재밌는 일이 벌어질 테니까.

다시 책을 보는 옥경. 못마땅한 혜랑.

#50 매란국극단 휴게실 안. 밤

정년, 신이 나서 〈춘향전〉 대본을 끌어안고 난리도 아닌. 주란, 편지를 쓰다가 정년을 보고 피식 웃는.

주란 그렇게 좋아?

정년 그라암, 좋제. 인자 오디숀 대본 받는 것도 시간 문제여.

주란 난 네가 긴장할 줄 알았는데…….

정년 (별거 아니라는 듯) 그래 봤자 겨우 연구생 공연인디 긴장헐 거 뭐 있다냐. 하면 되는 거제.

주란 (가만히 정년 보다가) 너 겁나서 일부러 허세 부리는 거지.

정년 (찔끔) ……귀신이다이.

주란 처음 무대에 서는데 겁나는 게 당연해. 더구나 우리 공연에 오는 관객들은 연구생 공연이라고 봐주지 않으니까…….

정년 (히죽 웃는) 그라냐?

주란 (의아한) 왜 웃어?

정년 우리 공연을 진지하게 봐준다는 뜻잉게로. 연구생 공연이라고 오냐오냐만 해줌서 대충 다 박수 쳐주면 그게 더 자존심 상하는 일이제. 못하면 욕먹고, 지대로 해내면 박수 받는 게 배우잖어.

주란 (감탄하듯 보다가 웃는) 역시. 난 이래서 네가 좋아.

정년 (주란이 쓰던 편지를 보는) 누구한테 편지 쓰는 거여?

주란 우리 언니.

정년 어? 나도 언니 있는디. 착한 동생이네, 난 낯간지라서 언니한티 편지는 못 쓰겄든디.

주란 우리 언니, 몸이 약해서 계속 집에만 있거든. 내 편지 받아보는 게 유일한 낙일 거야. (편지지 한 장 건네는) 너도 이 기회에 한번 언니한테 써봐.

정년 아, 낯간지럽다니께.

주란 그러지 말고 한번 써봐. 너희 언니도 네 소식 엄청 궁금해할 텐데 편지 받으면 많이 좋아할 거야.

정년 ……그럼 한번 써볼까?

정년과 주란, 머리 맞대고 편지를 쓰는.

#51 매란국극단 연습실 안. 낮

〈춘향전〉 공연 연습을 하는 연구생들.

영서 다음 방자부터.

연구생들 시선, 정년에게로 향한다. 대본만 열심히 보고 있던 정년, 눈치채지 못하는. (정년은 머릿수건을 두르고 있다.)

주란 (나지막이) 정년아!

정년 (고개 들어 주란 보고는 그때서야 상황 파악하는) 아, 아, 내 차례.

연구생들, 싸늘한 시선. 정년, 연구생들 시선을 의식하는.

정년 (잔뜩 긴장해서 어색하게)

자, 도련님, 이것이 제가 아,

아까 말씀드린 그 삼남에서

제일가는 광한루올시다.

영서 (차갑게) 다시.

정년 (목 가다듬고) 자, 도련님, 이것이 제가 아까 말씀드린 그 삼남에서,

영서 다시.

정년 (무안하지만 애써 소리 더 크게) 자, 도련님, 이것이 제가 아까 말씀드린,

영서 다시!

연구생들, 자기들끼리 뭐라고 수군거리고 키득거리며 정년을 노골적으로 비웃는. 정년, 영서를 쏘아본다. 영서, 무표정한 얼굴로 정년을 싸늘하게 보고만 있는.

정년 (열받아서) 뭔디, 뭐가 문젠디. 도대체 뭣이 문젠지를 말해줘야 알제. 자꼬 다시, 다시만 허면 나더러 어쩌란 것이여.

영서 넌 그럼 방금 네가 한 연기가 방자라는 거야?

정년 그럼 방자지, 향단이여?

영서 (정년에게 손 내민다) 머릿수건 줘봐.

정년, 머릿수건 풀어서 영서에게 건네면 영서, 방자처럼 머릿수건을 이마에 두른다. 다음 순간, 평소 쌀쌀맞고 무표정한 얼굴은 사라지고 익살스럽고 능청스러운 표정으로 돌변해서 활기차게 걷는 영서. 정년, 움찔해서 영서를 보는.

영서 자! 도련님, 이것이 제가 아까 말씀드린 그 삼남에서 제일가는 광한루올시다. 어떻소? 미상불 자알 지었지요?

영서, 신명 나게 춤을 추기 시작한다.

영서 *예이, 방자 분부 듣고 춘향 부르러 건너간다.*

건드러지고 맵시 있고 태도 고운 저 방자.

춤을 추며 연기하는 영서를 홀린 듯이 보는 정년. 영서가 연기를 마치자 연구생들, 열렬하게 박수 친다. 정년, 그저 넋 놓고 영서를 보는. 머릿수건을 푼 영서, 그런 정년을 무표정한 얼굴로 보는.

[시간 경과]

연습 마치고 빠져나가는 연구생들. 영서, 뒷정리를 하는데 정년, 영서에게 다가온다.

정년　아까 네가 한 말이 뭔지 알았어. 나, 내일부터는 지대로 해낼란께,

영서　어떻게 해낼 건데? 아까 내가 보여준 방자를 흉내 낼 거야?

정년　(영서 보는)

영서　(차게 비웃는) 하기사, 흉내를 내는 것도 실력이 있어야 가능한 일이지. 넌 방자가 될 준비가 전혀 안 돼 있어. 방자로서 어떻게 걸어야 할지, 어떻게 말해야 할지 감도 못 잡고 있잖아.

정년　그야 아직 하루밖에 안 됐응게,

영서　(말 자르며) 자신 없으면 지금이라도 나가면 돼.

정년　(싸늘하게 식어 내려서 영서 보는) ……이럴라고 나보고 방자 맡으라고 한 거여?

영서　넌 자격도 없으면서 문옥경을 등에 업고 여길 들어왔어. 그것도 모자라서 이 국극단의 암묵적인 룰을 다 무시하고 있어. 다른 애들은 밑바닥부터 차근차근 올라오는데 네가 뭐라고. 네가 그렇게 잘났어?

정년　그래서 이런 식으로 기회 주는 척하면서 치졸하게 복수하는 거여?

영서 큰 역할 준다고 덥석 문 네가 멍청한 거지. 선택해, 무대 위에서 망신을 당하든지, 아니면 지금이라도 주제 파악하고 물러나든지.

정년 ……이런다고 나가 순순히 나갈 줄 알어? 어림 반 푼어치도 없어야.

영서 (차디찬 비웃음) 그럼 무대에서 관객들 야유 듣고 퇴장하는 결말밖에 안 남았네.

정년 (열받아서 한 발짝 다가가는) 너 날 너무 쉽게 봤어. 인자부터 두 눈 뜨고 똑똑히 봐라이, 내가 뭘 어떻게 해내는지.

정년과 영서, 기 싸움 하듯 서로를 쏘아보는.

#52 매란국극단 숙소 뒷마당. 낮

빨래하는 정년과 주란.

정년 (열받아서 씩씩거리며 사정없이 방망이로 빨래를 탁탁 때리는) 긴때가리 없는 가시나!

주란 (위로하는) 영서 누구한테나 다 그래.

정년 더 화딱지 나는 것은 영서 허는 말이 틀린 말도 아니라는 거여. 나는 지금 방자가 전혀 준비가 안 돼있응게 도대체가 방자다운 게 뭔지 하나도 모르겄어. (한숨 쉬는)

숙영 (다가오는) 윤정년. 옥경 선배가 너 지금 집에 좀 오라는데.

정년 저를요?

#53 옥경 집 대문 앞. 낮

정년, 입이 헤벌어져서 으리으리한 대문을 본다. 대문에 붙은 문패에 '문옥경'이라고 적혀 있는. 주란, 작은 손거울로 이리저리 얼굴을 살피며 매무새 점검하는.

정년 근디 너는 왜 따라온 거여?

주란 옥경 선배 집을 구경할 수 있는 기회를 놓칠 수 없잖아. 그리고 여기 혜랑 선배도 살거든.

정년 같이 산다고야? 둘이 진짜 친한갑네?

주란 옥경 선배랑 둘이서 매란국극단 초창기부터 함께 해왔으니까…… (심호흡하고 손거울 집어넣는) 자, 난 준비됐어, 벨 눌러.

정년 (피식 웃고는 심호흡하고 벨 누르는)

잠시 후, 대문 열리고 도우미가 나온다.

도우미 누구세요?

정년 매란국극단 윤정년이라고 합니다아.

#54 옥경 집 마당. 낮

정년과 주란, 으리으리한 집이 신기해 입을 헤벌리고 구경하면서 도우미를 따라 마당을 가로질러 간다. 그때 은재(6세)와 혜랑, 외출하는 차림으로 손잡고 정년 맞은편에서 오는. 정년과 주란, 혜랑에게 꾸벅 인사하는.

혜랑 너희들이 어쩐 일이야.

정년 옥경 선배가 허실 말씀이 있다고 부르셔서요.

혜랑 옥경이가? (헛웃음, 빤히 정년 보는) 정말 지극정성으로 챙기네.

정년 (긴장하는)

혜랑 (차갑기 짝이 없는) 옥경이가 먼저 나서서 후배 챙긴 건 이번이 처음이야. 옥경이 얼굴에 먹칠하는 일 없게 경솔하게 행동하지 마라.

정년 (위압감 느끼는) ……예.

혜랑, 은재 손 잡고 마당을 나가는. 정년과 주란, 다시 도우미를 따라가는.

주란 (따라가며 작게) 정년이 너 진짜 모두가 주목하고 있구나.
정년 (갸웃하는) 이 관심이 별로 좋은 게 아닌 거 같은디. 연구생 공연 망치면 난 그대로 끝장나부는 거 아니여. (한숨) (사이) 근디 저 애기는 누구여?
주란 아, 저 애? 혜랑 선배 조카래.

#55 옥경 집 거실. 낮

도우미, 앞장서서 정년과 주란을 거실 쪽으로 안내하고 자리 뜨는. 정년과 주란, 거실 안을 보고 놀라서 눈 커지는. 영사기가 돌아가면서 외국 영화가 나오고 있고 옥경, 영화를 몰입해서 보고 있다. 생경한 풍경에 정년과 주란, 헤, 입 벌리고 주위를 구경하는데.

옥경 정년이 어서 와. 주란이도 왔구나. 얼른들 와서 앉아.

정년과 주란, 옥경 옆에 앉아서 같이 영화 보는. 정년과 주란, 화면에 빨려 들어갈 듯이 몰입해서 영화를 본다.

[시간 경과]

영화 끝나고 옥경, 빙긋 웃으며 아이들 보는.

옥경 어땠어?
정년 제가 방금 본 게 뭐여라?
옥경 영화라는 거야. 어때, 신기하지?
정년 예, 꼭 실제 사람들이 지 눈앞에서 왔다 갔다 허는 거 같소.
옥경 작년에 개봉한 〈춘향전〉은 서울에서 관객 15만 명이 들었어. 머지않아서 영화의 시대가 올 거다. 지금 국극을 보러 사람들이 몰리듯,

영화관 앞에 발 디딜 틈도 없이 사람들이 몰릴 날이 오게 될 거야.

주란 (걱정스러운) 그럼 저희 국극 보러 올 사람들을 영화 쪽으로 뺏기게 되는 건가요? 그럼 안 되잖아요.

옥경 (그 말에 대꾸 않고 잠시 허공 보다가 정년 보고 빙긋 웃는) 어떻게, 정년인 적응 잘하고 있어? 방자 역 맡았다면서.

정년 안 그래도 그것 땜시 선배님께 여쭤보고 싶은 것이 있는디요.

옥경 뭔데?

정년 남역 연기를 하는 비법 좀 가르쳐주시겄습니까?

옥경, 어리둥절해서 정년을 본다.

옥경 남역 연기를 하는 비법?

정년 예, 여자인 지가 남자인 방자 연기를 할라고 한께 자꾸 어색시럽고 낯간지러운 느낌이 들어가꼬 몸이 뻣뻣하게 굳어분당께요. 근디 선배님은 남역 연기로는 최고신께 비법을 갖고 계시지 않겄나 싶어갖고요.

옥경 정년이 네가 뭘 착각하고 있는 거 같은데?

정년 예?

옥경 난 남역 연기를 잘하는 비법 같은 건 없어. 그냥 내가 맡은 역할의 상황과 감정을 관객들한테 설득한 거지. 남역 연기를 너무 의식할 필요는 없어. 지금 제일 중요한 건 너, 윤정년만의 방자를 어떻게 관객들한테 납득시킬 거냐는 거지.

정년 …….

옥경 어때, 도움이 좀 됐어?

정년 (표정 일그러지며) ……더 헷갈리기만 하네요이.

옥경 (웃는) 당연하지! 연기란 건 몸으로 부딪혀서 아는 거지, 생각만 한다고 해답이 나오는 게 아니니까.

정년 (머리 싸쥐고 고민스러워서 죽으려고 하는) 오메, 어쩔까요, 일주일도 안 남았는디 이라고 감도 못 잡고 있으니…….

옥경 그럼 내가 지름길로 가게 해줄까?

정년 (어리둥절하게 옥경 보면)

옥경 사실 이거 주려고 너 오라고 했어.

옥경, 대본을 꺼내서 정년 쪽으로 내민다. 정년, 오디션 대본을 펼쳐보고 놀란다.

정년 이거…….

옥경 정기공연 오디숀 대본이야. 지금부터 넌 정기공연 오디숀 준비해.

정년, 주란 (놀라서 옥경을 보는)

옥경 너 결국 그 오디숀 대본 때문에 이 〈춘향전〉도 나가려고 하는 거잖아.

정년 근디…… 이 오디숀 대본, 〈춘향전〉에서 잘해야 도앵 선배가 단장님께 말씀드려 보겄다고,

옥경 도앵이한테는 내가 따로 말할게. 그건 걱정할 거 없어. 난, 너 연구생 무대에나 서라고 서울로 데려온 거 아니야. 내 뒤를 이을, 아니, 내 자리를 두고 경쟁할 남역이라고 생각해서 데려온 거지.

정년 (놀랍고 혼란스러운) 감히 제가요?

옥경 그래, 정년이 너. 넌 누구보다 빨리, 누구보다 높은 자리에 올라가게 될 거야.

정년, 그저 놀랍고 당황스러워서 표정 관리조차 안 되는. 주란, 엄청난 제안에 놀라 옥경과 정년을 번갈아 보면서 눈빛이 흔들리는.

옥경 시간 낭비할 필요 없잖아? 연구생 공연, 그런 건 실력 검증이 필요한 연구생들이

해야 하는 거고, 넌 이미 재능이 있다는 걸 내가 알아. 그러니까 돌아서 가지 말고 넌 내가 하자는 대로 하면 돼. 그렇게 할 거지?

정년, 심하게 갈등하면서도 혼란스러운. 그런 정년을 불안하게 보는 주란. 정년을 가만히 지켜보는 옥경. 눈빛이 흔들리는 정년에서 2부 엔딩.

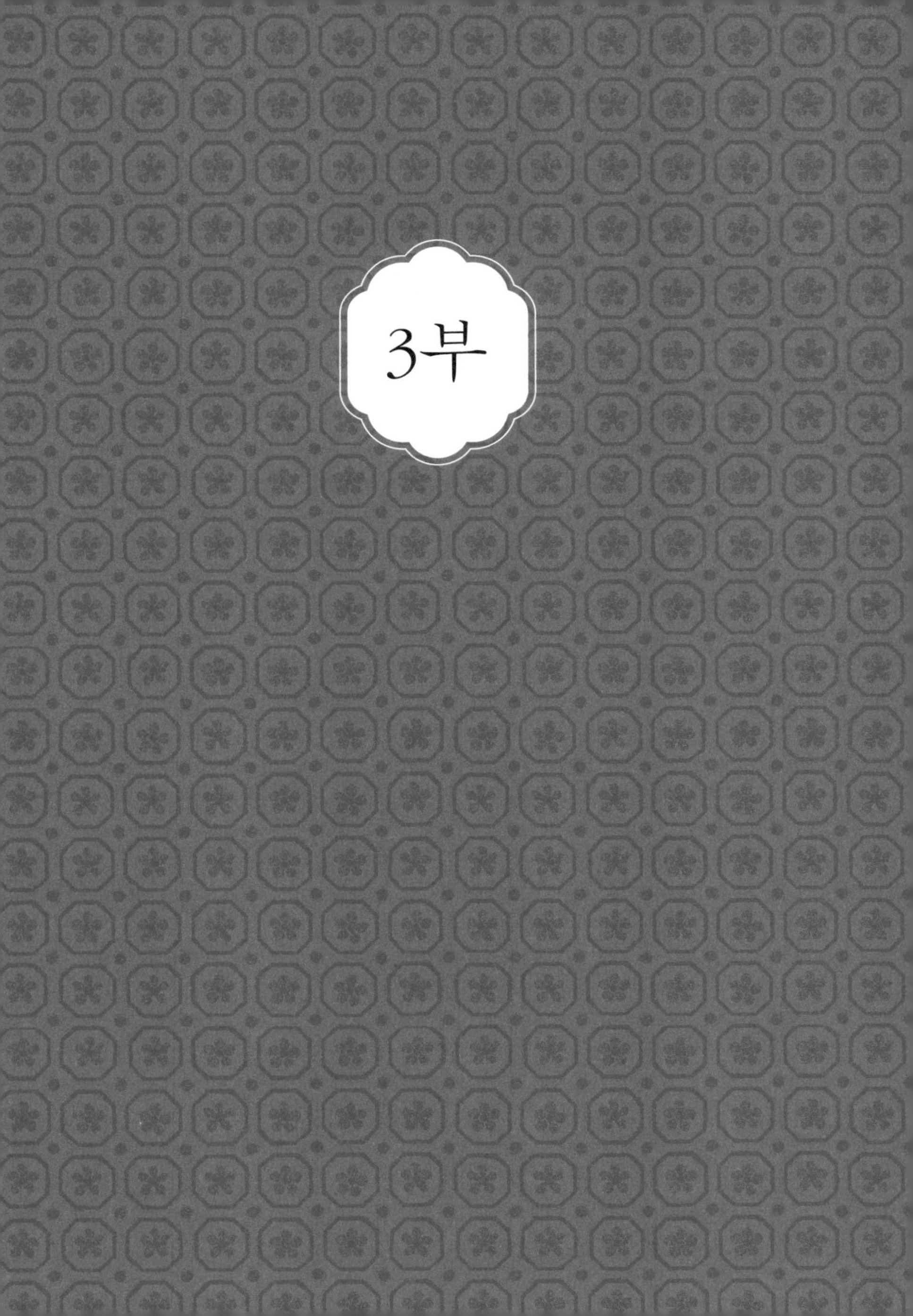

3부

정년 저, 윤정년이는 홍주란이랑
꼬부랑 할마시 될 때까지
같이 국극을 허고, 영원히 우정을
지킬 것을 맹세헙니다, 됐제?

주란 (만족스러운) 응, 됐어.

정년 (주란이 귀여워 웃는다)

#1 옥경 집 거실. 낮 〔2부 엔딩 이어서〕

옥경 시간 낭비할 필요 없잖아? 연구생 공연, 그런 건 실력 검증이 필요한 연구생들이 해야 하는 거고, 넌 이미 재능이 있다는 걸 내가 알아. 그러니까 돌아서 가지 말고 넌 내가 하자는 대로 하면 돼. 그렇게 할 거지?

오디션 대본을 앞에 놓고 눈빛이 흔들리며 치열하게 고민하는 정년. 정년을 관찰하듯 지켜보는 옥경. 옥경과 정년을 혼란스러운 눈으로 번갈아 보는 주란. 정년, 마침내 결심한 듯 대본을 가만히 손으로 밀어낸다.

정년 선배님 말씀은 참말로 고맙구만이라. 하지만 받지 않을랍니다.

주란 (놀라는)

옥경 왜?

정년 그 길은 제 길이 아니어라. 안 그래도 다들 지가 지 실력으로 이 국극단 들어온 게 아니라고 떠들어쌓는디, 여기서 또 쉬운 길을 선택해 불면 그 사람들 말이 맞다고 인정하는 것밖에 안 된께요.

옥경 (정년을 살피는. 실망한 건지, 기뻐하는 건지 알 수 없는 표정)

정년 (투덜대는) 거기다 시방 지가 내빼불면 허영서가 제일로 손뼉 치고 좋아함서 그럴 줄 알았다고 비웃을 것이요. 그 꼴은 죽었다 깨나도 못 보겄응게요.

주란 (정년을 빤히 보는)

옥경 (웃는) 그래, 네 선택이 이거라면 어쩔 수 없지. 하지만 기억해둬, 정년아. 선택에 따른 후회도, 책임도 오로지 다 네 몫이야.

정년 (뭔가 서늘해져서 옥경을 보는)

#2 옥경 집 대문 앞. 낮

대문을 나서는 정년과 주란.
어딘지 멍한 두 사람.

정년 (멍한) 내가 방금 뭔 짓을 한 거여?

주란 (멍한) 정기공연 오디숀 대본을 포기했지.

정년 (여전히 멍) 잘한 짓이겄제?

주란 (여전히 멍) 미친 짓이지. 다들 못 가져서 안달인 걸 포기했잖아.

정년 (고개 내젓는) 아니여, 잘한 거여. 그 대본 받았다간 문옥경 뒷배로 들어온 거 맞다고 확인시켜주는 거밖에 안 되제. 그 소리 듣기 싫어서 지금 내기까지 하는 건디…… 난 내 실력으로 받아내불 것이여.

주란 (생각에 잠겨 정년을 보다가 불쑥) 너 대단해.

정년 (어리둥절해서 주란 보면)

주란 나 같으면 너처럼 단번에 거절하진 못했을 거야.

정년 (한숨) 야무지게 질러는 놨는디…… 방자 연기를 어떻게 해야 되는지 아직도 통 모르겄다이.

주란 이런 때 뭘 해야 하는지 알아?

정년 (뭔데? 하는 표정)

주란 (씩 웃는) 쇼핑!

#3 시내 잡화점 안. 낮

화장품, 손수건, 양산, 스타킹, 별의별 소품을 파는 잡화점 안.

주란, 정년을 끌고 들어오는.

정년 (둘러보며) 바빠 죽겄는디 여긴 뭣 할라고.

주란 무대에 서려면 화장품이 있어야지. (정년 손 잡아끌고) 우선 콜드크림부터 사고, (파우더 집어 들며) 이 코티분, 이걸 바르고 무대에 서면 얼굴이 세상 뽀얗게 보일 거야. 이게 요새 인기 폭발이야.

정년 (솔깃하는) 참말로? (뚜껑 열어서 보고 황홀한) 와따 냄새도 좋네…….

주란, 브로치들을 구경하다가 두 개를 집어서 그중 하나를 정년에게 건네는.

정년 (뭐지 싶어 주란 보면)

주란 내 선물이야. (정년 손에 브로치 쥐여주는) 이건 네 거, (나머지 브로치 하나를 들어 보이며) 이건 내 거! 우리 맹세하는 의미로 하나씩 나눠 갖자.

정년 뭣을?

주란 우리 우정 변치 않기로, 그리고 꼬부랑 할머니 될 때까지 같이 국극하기로!

정년 (웃으며) 뭐 그런 것을 맹세씩이나 한다냐.

주란 (눈 부릅뜨는 시늉 하며) 안 하면 나 화낼 거야.

정년 오메, 무서워 죽겄네. 알았어, 하자! 하면 될 것 아니여. (브로치 쥔 한쪽 손 들고) 저, 윤정년이는 홍주란이랑 꼬부랑 할마시 될 때까지 같이 국극을 허고, 영원히 우정을 지킬 것을 맹세헙니다, 됐제?

주란 (만족스러운) 응, 됐어.

정년 (주란이 귀여워 웃는다)

#4 시내 길거리. 낮

정년과 주란, 쇼핑한 물건들 손에 들고 신이 나서 걸어가는데 저만치서 왁자지껄하게 사람들이 떠들며 모여 있는 것이 보인다. 정년과 주란, 궁금해서 가까이 다가가는. 사람들 사이를 헤치고 앞에 나가서 보니 40대 중반의 한 남자가 탈춤을 추는 것이 보인다. (탈은 쓰지 않았다.) 구경하는 사람들이 얼쑤, 추임새 넣어주면 남자, 그 소리를 반주 삼아 신명 나게 탈춤을 추는. 정년과 주란, 주변의 들뜬 분위기에 같이 흥겨워지며 표정 밝아지는.

정년 음마, 서울도 이런 사람이 있어야. 목포서도 장날이면 이라고 나와서 춤추고 돈 벌던 사람이 있었는디.

구경꾼1 저 사람은 돈 안 받고 그냥 추는 거야.

정년 예?

구경꾼1 그냥 자기가 춤추는 게 좋아서, 자기 춤 보고 즐거워하는 사람들을 보는 게 좋아서 저러는 거야.

정년, 놀라서 탈춤 추는 남자를 유심히 보는. 광대의 동작 하나하나, 그에 따른 구경꾼들의 반응을 날카롭게 관찰하는 정년.

주란 (웃으면서 보는) 대단하네, 막 추는 거 같은데 사람들이 다 좋아해.

정년 (웃음기 없는 얼굴로) ……막 추는 게 아닌디.

주란 응?

정년 (유심히 광대를 보며) 어떻게 춤을 추면 구경꾼들이 좋아할지 정확하게 알고 있어. 사람들을 자기 손바닥 위에 올려놓고 추고 있는 거여.

주란 (어리둥절한)

정년 (자기 생각에 빠져) 나도 무대 위에서 저라고 관객들을 마음대로 쥐락펴락할 수 있다면 좋을 텐디…….

#5 매란국극단 단장실. 밤

도앵, 소복에게 서류를 내미는.

도앵 정기공연 오디숀 일정입니다.

소복 (받아서 보는) 대본 받을 사람들은 다 받았니?

도앵 네, 저 근데 오디숀 대본 관해서 드릴 말씀이 있습니다. 신입 연구생 중에 대본을 받고 싶어 하는 사람이 있는데요.

소복 간도 크네. 신입생 누구? (퍼뜩 생각나는) 혹시…… 윤정년이야?

도앵 네.

소복 (허, 웃는)

#6 매란국극단 숙소 마당. 아침

정년, 주란, 초록, 복실, 연홍, 마당을 쓴다. 정년, 하품을 하는.

주란 잠 못 잤어?

정년 밤새도록 대본 보니라고. 아니, 옥경 선배 말로는 대본 속에 답이 있다는디 대체 뭐가 있다는 거여. 방자가 뭣 하는 놈인지 봐도 봐도 모르겄어. 내 눈에는 그냥 실없는 놈으로 보이는디…….

초록 그러니까 애초에 주제넘게 방자를 하겠다고 덤비질 말았어야지.

정년 (한심하게 초록 보며) 니는 한마디라도 안 거들면 입에 가시가 돋냐. 넌 나 없으면 심심해서 어떻게 살래.

초록 별걱정을 다 해, 정말.

초록, 혀 쏙 내밀고 정년 약 올리면서 가다가 자기 빗자루에 걸려서 볼썽사납게 넘어지는. 정년과 주란, 정신없이 웃는다. 복실, 연홍도 자기도 모르게 풉, 웃는.

초록 (무안해서 일어나며) 왜 웃어! (복실, 연홍 향해) 너네들까지 왜 웃어!

정년과 주란, 숨이 넘어가게 웃는. 복실과 연홍도 껵껵거리고 웃는.

초록 웃지 말라니까! (애들 향해 신경질) 빨랑 가아! (복실, 연홍과 자리 뜨는)

정년 (웃음 잦아들며) 음마! 지가 넘어져놓고 우째 성질이대. 아이, 간만에 정신없이 웃었다야. (말하다가 멈칫하는) 그래, 내가 왜 그 생각을 못 했지?

주란 (정년 보면서) 뭐가?

정년 (생각에 잠겨서) 방자도 사람들을 웃기는 놈이잖어.

주란 응?

정년 쉴 새 없이 사람을 웃기는, 방자는 말하자면 그라제, 광대 같은 놈이란 말이여. (얼굴에 미소가 떠오르는) 쉴 새 없이 사람들을 웃기되, 마음대로 관객들 반응을 쥐락펴락할 수 있는 자, 그게 〈춘향전〉의 광대, 방자인 거여!

주란 (어리둥절해서 정년 보면)

정년 주란아, 나 어디 좀 갔다 온다이. 나 오늘 연습 빠진다고 전해주고! (어디론가 뛰어가는)

주란 (당황해서 보는) 정년아, 어디 가는데에!

#7 시내 길거리. 낮

40대 춤꾼, 신명 나게 탈춤을 추고 주변 사람들, 신이 나서 같이 장단 맞추며 춤을 추는. 정년, 눈을 빛내며 춤꾼을 보는.

#8 국제극장 분장실 안. 낮

연구생들, 화장하며 드레스리허설 준비하는. 영서, 대본 보고 있는데 혜랑, 분장실로 들어온다.

혜랑 리허설 준비하는 거니?

영서 네.

혜랑 윤정년은?

영서 참석 안 했습니다.

혜랑　잠깐 나 좀 보자. (자리 뜨는)

#9 국제극장 공연장 안. 낮

조명과 무대장치 설치하느라 바쁜 무대 위. 무대 밑에서 영서와 이야기하는 혜랑.

혜랑　윤정년, 어제 최종 연습도 빼먹었다면서.

영서　네.

혜랑　너, 윤정년 쫓아내겠다고 아예 공연까지 망칠 셈이니? 내일 개막하고 공연 시작할 때까지 윤정년이 안 오면 그땐 어쩔래.

영서　…….

혜랑　이건 연구생 공연이라도 엄연히 매란국극단 이름을 건 공연이야. 네 독단으로 공연을 망치게 놔둘 순 없어.

영서　공연을 망칠 일은 절대 없습니다. 방자 역 제가 할 거니까요.

혜랑　(의아해서 영서를 보는) 이몽룡 역을 맡은 네가 방자를 어떻게 해? (멈칫하는) 설마 1인 2역을 하겠다는 말이야?

영서　네.

혜랑　네 실력이 아무리 좋다고 해도 방자는 이몽룡이랑 줄창 붙어 나오는데 어떻게 1인 2역을 하겠다는 거야. 하다가 호흡이 엉키면 대사를 빼먹는 상황이 생길 거고, 그럼 관객들은 내용을 이해 못 할 텐데.

영서　다른 공연이라면 불가능하겠죠. 하지만 〈춘향전〉은 가능해요. 대사 몇 줄이 빠진다고 해도, 관객들이 이미 〈춘향전〉 내용을 너무 잘 알고 있으니까요.

혜랑　(곰곰이 생각에 잠기는) 어떻게 하겠다는 건지 내 눈으로 봐야겠어.

혜랑, 관객석 자리에 앉는다. 영서, 잠시 생각하다 무대 위로 올라간다. 무대 점검하느라 정신없는 사람들 아랑곳 않고 연기를 시작하는 영서.

영서 (편지를 읽는 척 몸동작을 하다가 애간장이 끊는 듯 표정이 일그러지며) 아이고, 춘향아. 수절이 무삼 죄냐. (흐느껴 우는)
혜랑 [마음속 소리] 이몽룡이 춘향이가 쓴 편지를 방자한테서 건네받는 장면.
영서 제 낭군 수절한 게 그게 무삼 죄가 되어, 춘향아…… 모진 매질이 웬 말이야. 모든 게 내 탓이로구나.

애절하게 연기하던 영서, 갑자기 표정이 변한다.

영서 (방자가 되어) 아, 이보시오! 남의 편지 다 젖소!
혜랑 (멈칫해서 영서 보는)
영서 여보! 당신이 춘향이와 어찌 되오? (다시 이몽룡이 되어서) 어찌 되어 묻는 것이 아니라 편지 보니 사연도 불쌍하고 게다가 이렇게 혈서를 하였으니 목석인들 보겠느냐?

능수능란하게 1인 2역을 오가는 영서. 무대 준비하던 인부들, 감탄해서 일하던 손을 멈추고 영서를 본다. 혜랑, 서서히 얼굴에 미소가 떠오른다.

영서 (방자 목소리로) 아니 이이가 누구요? (아래위로 훑어보며) 도련님이 아니요? 그렇지요? 도련님이시지요? (엎드리는 시늉 하며) 도련님! 도련님 몰골이 왜 이렇게 되었소? (흐느끼는)

영서, 흐느끼는 연기를 마치고 일어나서 혜랑에게 고개 숙인다. 인부들, 열렬하게 박수 친다. 영서,

조마조마해서 혜랑의 반응 살피는. 혜랑, 됐다는 표시로 영서에게 고개 끄덕인다. 영서, 안도의 한숨 내쉬는.

#10 국제극장 앞. 밤

극장 앞 간판에 '매란국극단 연구생 자선공연 춘향전'이라고 크게 쓰여 있다. 많은 관객들이 극장 안으로 들어가는.

#11 국제극장 공연장 안. 밤

관객석에 앉아 있는 옥경과 혜랑. 주변 사람들, 꺅꺅거리며 좋아서 어쩔 줄을 모르는. 옥경과 혜랑, 자신들에게 다가와서 종이와 펜을 내미는 팬들에게 웃으며 사인해주는. 팬들 좋아서 사인 갖고 자리 뜨자 혜랑, 팸플릿을 펼쳐보는.

혜랑　오늘 공연은 허영서 독무대가 될 거야. 지금 영서 실력은 연구생들하고 놀 수준이 아니니까.

옥경　(웃는) 그래? 네가 그렇게 말할 정도면 엄청 잘한다는 건데.

#12 국제극장 분장실 안. 밤

연구생들, 분장하고 대사 맞춰보느라 정신없는. 깔깔 웃기도 하고 긴장돼 죽겠다고 한숨도 쉬고 왁자지껄한 분장실. 무대에 서지 않는 초록, 복실, 연홍은 의상과 소품을 갖다주는 등 심부름을 한다. 주란, 정년의 빈 옆자리를 보며 한숨. 주란, 거울 보며 화장하는데,

원철　윤정년은?

주란　어, 아직…….

필순　뭐 하자는 거야, 리허설도 빠지고. 도망간 거 아니야?

주란　(화들짝 놀라는) 아냐.

정년이가 왜 도망가.

원철 방자가 안 오면 오늘 공연을 어떻게 올리자는 건데. 허영서! 네가 말해봐.

연구생들 시선, 다 영서에게 쏠리는.

영서 윤정년이 시간 맞춰서 안 오면 방자 역은 내가,

정년 [소리] 나가 쪼까 늦었제?

영서 비롯한 연구생들, 놀라서 보면 정년, 밝은 얼굴로 분장실에 들어오는.

주란 (깜짝 놀라 반기는) 정년아!

정년 (고개 꾸벅 숙이며) 죄송합니다이. 두 번 다시 이런 일 없도록 하겠습니다.

원철 안 올 줄 알았는데, 오긴 왔네?

필순 오면 뭐 해. 리허설도 빼먹고 호흡을 어떻게 맞추겠다는 거야.

영서 (잠시 정년 보다가 연구생들 둘러보며) 40분 남았습니다. 다들 빨리 준비하세요!

정년 (자리에 앉아 화장하기 시작하는)

주란 (정년 쪽으로 붙어서) 안 오는 줄 알고 얼마나 걱정했는지 알아? 뭐 하다 이제 온 거야!

정년 (밝게 웃는) 방자 찾다가 좀 늦었제!

#13 국제극장 공연장 안. 밤

이미 꽉 찬 관객석. 여학생 관객들 수다 떠는.

여학생1 오늘 연구생 공연은 허영서가 남자 주인공이라던데.

여학생2 저번 연구생 공연에서 허영서 연기하는 거

봤는데 진짜 잘하던데? 걘 왜 정기공연에서 촛대만 하는지 모르겠어. 다른 국극단에서 걔 정도 실력이면 당장 비중 있는 역할로 받을 텐데.

여학생3 야, 저번에 칠성국극단 연구생 공연 봤냐? 걔네들 소리 진짜 엉망이던데.

여학생1 요새 칠성국극단이 연기 되는 애들 위주로 뽑아서 소리가 좀 약해. 아예 연극하던 애들로 뽑기도 한대잖아.

잠시 후, 무대가 완전히 암전된다 싶더니 다음 순간 환해진다. 주란을 비롯한 기생 역 배우들 나와서 장구를 치며 군무를 추는.

#14 국제극장 대기실 안. 밤

분장을 마친 정년과 영서, 나갈 준비를 한다. 정년, 무대 쪽의 빛과 소리를 느끼면서 점점 긴장되는. 손바닥의 땀을 바지에 닦고 영서 쪽 보면 영서, 전혀 흔들리지 않는 무표정한 얼굴로 가만히 눈을 감고 마음을 가다듬고 있는.

숙영 몽룡이, 방자, 나갈 준비해.

영서, 눈을 뜬다. 정년, 무대 쪽을 보고 주먹을 꼭 쥐었다 펴는. 영서, 앞장서서 무대 쪽으로 나간다. 정년, 영서 뒤를 따라가는.

#15 국제극장 공연장 안. 밤

영서, 부채를 쫙 펴 들며 무대에 등장한다. 정년, 다소 긴장해서 영서 뒤를 따라가는. 관객들을 보는 영서의 자신만만한 눈빛.

혜랑 역시 영서는 관객들하고 기 싸움에서 밀리지 않네.

옥경, 그 옆의 정년을 본다. 정년, 긴장해서 뻣뻣하게 서 있는. 고수,

북을 친다. 정년, 그때 연습날처럼 얼어붙어 있는. 정년이 가만있자 관객들, 웅성거리는.

혜랑 　재 저래갖고 첫 대사나 제대로 치겠어?
옥경 　(그저 담담한 얼굴로 정년을 지켜보는)

고수, 다시 북을 친다.

정년 　(관객들을 똑바로 본다. 다음 순간 표정이 풀어지며 웃는) 히야, 도련님! 멋들어져서 넋이 홀딱 빠져부러요! (자연스럽게 제스처까지 섞어가며) 자! 도련님, 이것이 제가 아까 말씀드린 그 삼남에서 제일가는 광한루올시다. 으떻소이? 미상불 자알 지었지요?

영서, 자기 눈을 의심하며 정년을 보는. 정년, 미소 띤 얼굴로 영서를 본다.

정년 　워메, 도련님이 광한루를 보고 벌써 넋이 빠져부렀는갑네!
관객들 　(정년 넉살에 웃는)
영서 　(관객들 웃음소리에 정신이 번쩍 들어 얼른 다시 몰입하는) 에이! 저 기왓골엔 풀들이냐? 나는 광한루, 광한루 하기에 아주 굉장하려니 하였는데, 고작 이것을 두고 그리하였단 말이냐.
정년 　거, 거 무슨 말씀이오? 좀 퇴락하였다고 그러시오? (광한루 세트에 올라가) 이 다락에 한번 올라오시어서 사방 경치를 살펴보시지요!
영서 　(세트에 오르며) 흠흠, 네놈 말이 맞는 것 같기도 하구나.

춘향 역 성숙이 그네 타는 것이 보이는.

영서 　아니, 그런데 저자는

누구냐?

정년 (엉뚱한 곳 보며) 누구 말입니까?

영서 (부채로 춘향을 가리키며) 내 부채를 보거라, 저 건너 말이다!

정년 아무것도 안 보이는뎁쇼.

영서 (부채로 정년 머리 때리며) 네 눈에는 저것이 안 보인단 말이냐.

정년 (울상되어서) 그럼 이 백주 대낮에 귀신이라도 보인단 말입니까.

관객들, 웃음 터뜨린다. 옥경, 희미하게 미소 지으며 정년을 보는. 신나서 연기하는 정년.

정년 [소리] 딱 일주일만 스승님을 따라다니게 해주시요!

#16 시내 길거리. 낮 〔회상, #7 이어서〕

춤꾼, 어리둥절해서 정년을 보는.

춤꾼 스승님이라니…… 나 같은 사람한테서 뭐 배울 게 있다고요. (자리 뜨려고 하며) 나는 춤추는 것밖에 모르는 무지랭이요.

정년 바로 그거여라, 딴것 암것도 안 바라고 춤 하나에만 몰두해갖고 주변 사람들을 다 웃게 만드는 거, 그 재주를 일주일 동안 따라다님서 배우고 잡소!

#17 국제극장 공연장 안. 밤 〔현재, #15 이어서〕

정년 (그제야 알았다는 듯) 아이고, 오늘이 단옷날 아닙니까! 퇴기 월매의 딸 춘향이가 추천 하는 모양입니다요!

영서 기생의 딸이라? 그럼 내가 한번 불러볼까.

정년 도련님이 그리 말씀하시면, 소인 방자, 사내답게 건너갑지요!

고수들이 장단 맞춰주면 정년, 신이 나서 춤을 추며 소리를 하기 시작하는.

정년 *방자 부름 듣고 춘향 부르러 건너간다, 건드러지고 맵시 있고 태도 고운 저 방자,*

관객들, 몰입해서 장단 맞춰주며 정년에게 빨려 들어갈 듯 보고 영서, 도무지 이 상황을 보고도 믿을 수 없어 정년을 멍히 보는. 어느새, 영서와 정년이 서 있는 무대가 광한루로 전환된다.

#18 남원 광한루. 낮

영서, 정년의 소리에 빠져 있다가 실제 광한루에 온 것 같은 기분에 흠칫 놀라며 주위를 둘러보는. 광한루에서 신나게 춤을 추며 노래를 부르는 정년.

정년 *궁구러지고 맵시 있고 태도 고운 저 방자, 쇠수 없고 발랑거리고 우멍시런 저 방자.*

영서, 정년을 멍히 본다. 신나게 방자 연기를 하는 정년. 그런 정년의 연기를 정신없이 빠져서 보는 영서. 영서, 정년의 연기를 보다가 점점 표정이 굳어지는. 영서, 주먹을 꽉 쥔다.

#19 국제극장 대기실 안&공연장 안. 밤

대기실의 연구생들이 몰려서 무대를 보고 있다. 초록과 복실과 연홍, 신나서 가까이 다가가는.

초록 뭘 보고들 있는 거야? 윤정년이 무대 망치는 거 구경하나? (말하다 멈칫하는)

무대 위에서 신나게 춤을 추는 정년. 정년을 지켜보며 신나 하는 관객들.

초록 뭐야…… 이게 어떻게 된 거야.

#20 국제극장 공연장 안. 밤

관객석에서 춤을 추는 정년을 지켜보는 옥경. 옥경 옆에 앉은 관객 둘, 신나게 보다가,

여학생1 춤 잘 추네.
여학생2 처음 보는 연구생인데 연기도 진짜 잘해.

옥경, 뚫어지게 무대 위 정년을 보는. 정년, 신나게 계속 춤을 추는.

정년 *한 발 여기 놓고, 또 한 발 저기 놓고,*

#21 장터. 낮 (회상)

몰려 있는 사람들 앞에서 춤을 추며 방자 연기를 하는 정년. 옆에서 북을 쳐주는 춤꾼. 정년, #20의 노래 이어 부르는.

정년 *총총총총거리고 건너간다.*

구경꾼들, 정년을 보며 "아이고, 좋다!" "그놈의 방자, 재간둥이구만!" 하면서 좋아하는. 정년, 좋아하는 구경꾼들 보면서 흥이 나서 더 신명 나게 추는.

#22 국제극장 공연장 안. 밤 (현재)

정년, 향단 역 미자와 소리를 하는.

정년 *하늘에는 별이 총총,*
미자 *물 위에는 원앙 쌍쌍, 우리 도련님.*

정년 *우리 아가씨.*

옥경 (웃는) 이게 정년이가 찾은 방자구나. 보는 사람들로 하여금 모든 시름 잊게 하고, 웃게 만드는 광대.

혜랑 (표정 굳어서 정년 보는)

정년 (미자와 손잡고) *가락가락이 사랑일세.*

정년의 소리가 끝나자 순간 객석에서 우레와 같은 박수와 환호가 터져 나온다. 정년, 열렬한 관객들의 반응에 깜짝 놀라는.

#23 국제극장 대기실 안. 밤

영서, 표정 굳어서 무대 위 정년을 보는.

복실 (어이없는) 이게 뭐야, 관객들이 다 좋아하고 있어.

초록 (분한) 방자가 저런 박수를 받다니…… 말도 안 돼. 이거 완전히 윤정년 독무대처럼 됐잖아.

정년과 미자, 무대에서 내려와 대기실로 들어오는. 초록과 복실, 정년을 쏘아보는. 정년과 영서, 순간 서로 시선이 강하게 맞부딪힌다. 주란, 정년 쪽으로 달려오는.

주란 정년아, 정말 잘했어!

정년 (안도의 한숨) 나 무대 배려불고 있는 건 아니제?

주란 얼마나 잘하고 있는데! 관객들이 저렇게 좋아하잖아.

봉선 몽룡이, 춘향이, 월매 소리 끝나면 바로 나갈 준비해!

춘향 역 성숙, 영서 쪽으로 조심스럽게 다가오는.

성숙 (용기 내서) 영서야, 잘 부탁해. 우리 같이 멋진 무대 만들어보자.

영서 (싸늘하게 앞만 보며)

……뭘 부탁한다는 거야?

성숙 (당황하는) 어?

영서 (성숙을 냉랭하게 보는) 무대 위는 혼자 살아남아야 하는 곳이야. 남한테 어물쩍 기대려고 했다가는 무대를 망치고 말 거라고. 정신 똑바로 차려.

성숙 (무안하고 당황스러워서 아무 말 못 하는)

영서, 눈 감고 짧게 심호흡하는. 눈 뜬 영서, 정년을 지나쳐 무대로 나간다. 정년, 그런 영서 뒷모습을 지켜보는.

#24 국제극장 공연장 안. 밤

영서, 부채를 경쾌하게 착 펴 들고 성숙을 보며 손을 내민다. 방금 전과는 딴판인 다정한 표정. 성숙, 수줍게 영서 손을 잡으면,

영서 *사랑, 사랑 내 사랑아. 어화둥둥 내 사랑이지.*

영서의 소리와 연기에 매료된 여자 관객들, 설레서 어쩔 줄 모르는.

여학생1 진짜 왕자님이잖아?

여학생2 눈빛이랑 목소리 좀 봐. 아, 미치겠다, 진짜…….

#25 국제극장 대기실 안. 밤

멍히 영서의 연기를 넋 놓고 보는 정년.

주란 (웃으며 그런 정년을 보는) 영서 진짜 잘하지?

정년 자는…… 어떻케 저라고 구성지면서도 단단한 소리가 나는 거여?

주란 수리성을 타고났으니까.

정년 수리성이 뭐대?

주란 네가 방금 말한 거. 거칠고 쉰 목소리 같지만 구성지면서도 깊은 소리.

정년 (멍한)

주란 정년이 너도 탁한 가운데 단단하게 소리 뽑아내기가 얼마나 힘든지 알고 있지. 영서는 목소리를 타고난 데다 오랜 시간 연습을 해서 더 깊게 만든 거야.

#26 국제극장 공연장 안. 밤

영서, 공연장을 휘어잡으며 계속 노래를 부르는. 관객석에서 영서를 지켜보는 옥경과 혜랑. 옥경, 영서를 유심히 지켜보는.

[시간 경과]

원철, 필순과 연기한다.

원철 이 고을에 춘향이라는 기생이 있다던데,

필순 춘향은 구관 사또 자제를 만나 머리를 얹어, 이때껏 수절하고 있습니다.

원철 (어색한 연기 톤으로) 뭐야? 기생이 수절을 해?! (크게 소리 내며 웃는다)

관객들, 같이 웃기는커녕 지루해하며 보는.

여학생1 (지겨워하며) 이몽룡은 언제 다시 나오는 거야.

여학생2 (짜증 내는) 방자도 빨리 다시 나왔으면 좋겠어. 방자 연기 진짜 잘하던데.

옥경 (웃는) 영서랑 정년이가 빨리 나와야겠는데?

혜랑 …….

#27 국제극장 대기실 안&공연장 안. 밤

정년과 영서 대기하는. (둘 다 한 손에 지팡이를 짚고 있다.) 정년, 긴장한 채 무대를 보는. 주란을 포함한 연구생들, 군무를 추고 있다. 정년, 손에 쥔 무대 소품인 편지를 본다. 정년, 기도하는 마음으로 눈을 꼭 감는.

숙영　몽룡이랑 방자, 나갈 준비 해!

초록과 복실과 연홍, 정년을 흘끔 보고 자기들끼리 시선 교환하는. 영서, 그런 셋을 보고 의아해하는. 영서, 정년에게 다가간다.

영서　이번 무대 조심해.
정년　뭐?
영서　이번 무대 조심해서 하라고. 뭔가 이상해.
정년　(어리둥절해하는데)
숙영　몽룡이랑 방자, 빨리 나가!

영서, 앞장서서 무대로 나간다. 정년, 엉겁결에 따라 나가는.

#28 국제극장 공연장 안. 밤

영서와 정년이 나오자 관객들, 환호하며 박수를 치는. 소복, 공연장에 들어와서 뒤쪽에 앉는다. 박수가 멈추자 영서, 연기 시작하는.

영서　그래, 한양엔 무슨 연유로 가느냐.
정년　춘향 아씨 편지 들고 구관댁 이몽룡 씨 찾아가요오.

[시간 경과]

영서　(편지를 읽고 흐느끼는) 아이고, 춘향아. 수절이 무삼 죄냐. 제 낭군 수절한 게 무삼 죄가 되어, 춘향아, 모진 매질이 웬 말이냐, 모두 다 내 탓이로구나.

영서의 애절한 연기에 관객들, 눈물 흘리는. 손수건으로 눈물 닦느라 여기저기 정신없는 관객석.

정년　근디 저 목소리가 말이요, 어디서 많이 듣던 목소리 같은디, (영서 얼굴 보고 깜짝 놀라는) 아이고, 우리 서방님 아니오? (영서 앞에 엎드리며) 아이고, 서방님! 소인 방자놈, 문안이요. (애절해지는) 대감마님 행차 후에 지체 안녕하옵시며, 서방님도 먼 길에 노독이나 없이 오시었소.

정년, 옆에 놓아뒀던 지팡이를 짚고 일어나려 한다. 그 순간 지팡이가 반으로 부러지며 정년, 그대로 바닥에 엎어진다. 지켜보던 영서, 옥경, 혜랑 모두 당황하는. 소복, 냉정하게 정년을 지켜보는. 관객들, 웃음이 터진다. 정년, 당황해서 어쩔 줄 몰라 하며 일어서지도 못하는. 관객들 웃음소리는 점점 더 커진다. 창피함, 당혹감, 무대를 망쳤다는 자괴감에 금방이라도 눈물을 쏟을 것 같은 정년. 영서, 어찌 된 일인지 깨닫고 대기실 쪽을 노려보는.

#29 국제극장 대기실 안. 밤

초록과 복실과 연홍, 정년을 보다가 쌤통이라는 듯 웃으며 자기들끼리 시선 교환하는.

#30 국제극장 공연장 안. 밤

여전히 웃음을 멈추지 못하는 관객들.

관객1　아이고, 아프겠다.
관객2　아, 해 뜰 때까지 엎어져 있을 거야?

관객들, 다시 우하하 웃음 터뜨리는. 옥경과 혜랑, 가만히 정년을 지켜보는. 영서, 안 되겠다 싶어서 연기를 이어가려고 관객들 쪽으로 한 걸음 나서는데,

정년　살려주오…….

영서　(멈칫하는)

정년　(무릎 꿇은 채로 부러진 지팡이 한쪽을 집어 들고 어루만지며 흐느끼는) 살려주오.

관객들　(웃음 멈추는)

정년　(몰입해서) 여중군자 옥중 아씨를 살려주오…….

영서, 멍하니 정년을 본다. 소복, 유심히 정년을 지켜보는.

#31 국제극장 대기실 안. 밤

초록과 복실, 원철과 필순 비롯한 연구생들, 멍하니 정년을 본다.

복실　뭐야…… 연기를 계속하는 거야? 이 상황에 감정 몰입을 한다고?

주란, 집중해서 정년을 보는.

#32 국제극장 공연장 안. 밤

정년, 애절하게 영서 보며 손 내미는. 관객들, 정년을 보며 눈물을 훔치는. 영서, 자기도 모르게 뭔가에 홀린 듯 정년 손을 잡아주는.

영서　(정년 일으켜주며) 내가 춘향일 구해 오겠다. 걱정 말거라.

정년　아이고 참, 서방님, 저를 속이시고, 서울서 한가락 하시고 오신 거제라?

영서　아이고, 이놈아! (하는데 몸에서 마패가 떨어지는)

정년, 깜짝 놀라서 마패를 주워 든다.

정년　아이고, 이건 마패 아니오! 우리 아씨 이제 살았다!

영서　너를 이리 두었다가는 천기누설을 하겠구나! 이리 따라오너라!

정년　(끌려가며 과장스럽게 다

죽는 시늉) 아이고, 서방님!

관객들, 으하하 웃음을 터뜨리는. 소복, 정년을 보고 피식 웃는다. 옥경, 자리에서 일어나는.

혜랑 가려고?
옥경 더 볼 것 없겠어.
혜랑 (잠시 무대 쪽 보다가 따라 일어나는)

[시간 경과]

공연을 마친 연구생들. 정년과 영서를 비롯한 연구생들, 인사하면 우레와 같은 박수와 환호가 쏟아진다. 무대 위로 쏟아지는 꽃들. 관객 한 명이 올라와 영서와 정년의 목에 화환을 걸어준다. 상기된 채로 인사하는 영서. 정년, 그저 얼떨떨해서 관객들을 보는. 그러다 정년, 자신이 첫 무대를 성공적으로 치렀음을 실감하고 서서히 표정 밝아진다. 관객들의 환호와 박수를 만끽하며 정년, 이 순간 더할 나위 없이 짜릿하고 감격스럽다.

#33 국제극장 분장실 밖&안. 밤

분장실 밖 복도는 환호하는 팬들로 미어터지는. 정년과 영서와 연구생들, 흥분한 팬들에게 인사하며 꽃과 선물에 파묻힌 채 간신히 인파를 뚫고 분장실로 들어가는. 분장실 안에도 가득한 꽃과 선물. 연구생들, 공연을 무사히 끝냈단 안도감과 흥분에 떠들기 시작한다. 주란, 눈물이 글썽해서 정년에게 달려가는.

주란 정년아!
정년 (아직도 얼떨떨한) 나, 나, 무사히 해낸 거 맞제?
주란 그래, 정말 잘했어! 최고의 방자였어!
정년 (긴장 풀려서 눈물까지 글썽이는데)

소복, 분장실로 들어온다.

소복 자, 주목. 오늘 모두들 고생 많았다. 매란국극단의 이름에 걸맞은 훌륭한 공연이었다. 오늘 무대에 서면서 느꼈던 압박감과 두려움에 맞서서 싸웠던 경험은 다 너희들에게 좋은 밑거름이 될 거다. 수고했다.

연구생들, 박수 치며 좋아하는. 소복, 정년에게 다가가는.

소복 윤정년.
정년 (긴장해서 소복 보는)
소복 아까 무대에 나가기 전에 지팡이 확인했니?
정년 ……안 했어라.
소복 무대에 나가기 전에 분장과 의상, 무대 소품을 스스로 체크하는 건 기본이야.
정년 (풀 죽어서) ……예.
소복 그래도 짧은 시간에 어떻게 너만의 방자는 찾았구나.
정년 (표정 밝아지는) 그 말씀은…….
소복 도앵이한테서 얘기 들었다. 내일 아침에 단장실로 와서 대본 받아 가라.
정년 워메, 진작 그라고 말씀을 하시제, 어째 뜸을 들인다요.

정년과 주란, 서로 붙잡고 좋아 죽는. 소복, 어이없어서 웃고 돌아선다. 정년, 자신을 질투하며 흘끔거리는 초록과 눈 마주치는. 찔리는 게 많은 초록, 얼른 시선 돌리는데 정년, 그쪽으로 다가간다.

정년 사과해.
초록 뭐?
정년 내가 대본 받아내면 내가 실력 없이 들어왔다고 한 거 사과하고 문옥경이 뒷배 어쩌구 한 것도 다 집어치우겄다고 했잖애. 모두 있는 데서 사과하라고.

연구생들 시선, 일제히 정년과 초록에게 쏠리는.

초록 (열받는, 하지만 주위의 따가운 시선에 어쩔 수 없이 참는) ……미안해.

정년 좋아, 니가 사과했응께 나도 넘어가준다이. 하지만 인자부터 또 헛소리했다간 나한티 뒤진다이. (연구생들 쏘아보며 둘러보는) 느그들도 싹 다 마찬가지여. (자리 뜨는)

연구생들, 기가 눌리는. 초록, 약 올라서 어쩔 줄 몰라 하는. 복실과 연홍, 초록을 달래며 자리 뜨려는데 영서, 셋 앞을 가로막는다. 셋, 또 뭐야? 움찔해서 영서를 보는. 영서, 냉랭하게 셋을 보는.

#34 시내. 밤

밤거리를 걷는 옥경과 혜랑.

혜랑 오늘 윤정년은 춤도, 노래도 제멋대로였어. 정기공연에서 저랬다간 단장님이 불벼락을 내렸을 거야. 하지만 인정할 건 인정할게. 열흘 만에 저렇게 자기만의 방자를 찾아올 거라곤 솔직히 예상 못 했어.

옥경 오늘 공연을 보고 나니까 왜 정년이가 내 제안을 거절하고 굳이 방자를 하려고 했는지 알겠어. 윤정년은 어쩌면 내가 상상한 이상으로 더 큰 배우가 될지도 몰라.

설레서 이야기하는 옥경을 보며 속이 뒤집어지는 혜랑.

혜랑 그래, 윤정년 나쁘지 않아. 하지만 지금은 역시 영서 실력이 제일 출중해. 이건 부정할 수 없는 사실 아니야?

옥경 (냉정해지는) 맞아. 허영서는 오늘 소리 하나만으로도 거기 있는 관객들을 다 휘어잡았어. 근데…… 오늘 허영서 연기를 보니까 알겠어. 왜 단장님이 그 앨 그동안 촛대로만 세웠는지.

혜랑 …….

옥경 내가 궁금한 건, 너도 이미 허영서의 한계에 대해 잘 알고 있을 텐데 거기에 대해서는 말을 안 한다는 거야. 누구보다 배우 보는 눈이 날카로운 네가…… 왜?

혜랑, 걸음을 멈추고 옥경 보는. 옥경도 혜랑을 본다.

#35 국제극장 일각. 밤

영서, 날카롭게 초록과 복실, 연홍을 몰아붙인다.

영서 너네들이 윤정년 지팡이 미리 망가뜨려놓은 거지. (복실이 뭐라고 말하려고 하면) 잡아뗄 생각 하지 마. 아까 너네들 이상한 신호 주고받는 거 똑똑히 다 봤어.

초록, 복실, 연홍 (할 말 없어지는)

영서 앞으로 그런 짓 두 번 다시 하지 마.

복실 (부어서 소심하게) 너도 윤정년 싫어하잖아.

초록 (눈치 보지만 불만에 찬) 그래, 너도 윤정년이 알아서 나가게 하려고 일부러 방자 역 시킨 거잖아.

영서 내가 너네처럼 아무 생각 없이 일 벌이는 줄 알아? 난 윤정년이 도망가면 혼자서 1인 2역을 할 준비가 돼 있었어. 너넨 아까 윤정년이 무대 망쳤으면 무슨 대책이 있었는데?

초록, 복실, 연홍 …….

영서 또 한 번 이딴 짓 하면

단장님께 바로 말씀드릴 거야.

영서, 자리 뜨고 셋, 불만스럽지만 차마 아무 말 못 하는.

#36 국제극장 빈 공연장 무대 위. 밤

정년, 적막한 무대 위에 서서 텅 빈 객석 쪽을 본다. 아직 첫 무대의 여운이 가시지 않은 정년, 자신이 해냈다는 뿌듯함과 흥분에 젖어 주위를 둘러보는. 그때 영서, 무대 쪽으로 걸어오다가 정년이 있는 것을 보고 돌아서서 가려는데.

정년 (쫓아오는) 허영서!
영서 (돌아보는)
정년 거시기, 아까 나 도와줄라고 한 거 고맙다이. 네가 영 싸가지 없다고만 생각했는디 나가 잘못 생각한 거 같어.
영서 (코웃음) 착각하지 마. 널 도와주려고 그런 거 아니야.
정년 (당황해서 영서를 보면)
영서 (싸늘하게) 아까 네가 망칠 뻔했던 건 내 무대였어. 난 이 〈춘향전〉으로 확실하게 눈도장 찍고, 다음 단계로 나아가야 돼. 그 누구든 내 무대를 망치는 건 용납할 수 없어. (자리 뜨는)
정년 (어안이 벙벙해서 영서 보면)
영서 (몇 걸음 가다가 돌아보는) 연습도 몇 번 빼먹은 네가 어떻게 오늘 공연에서는 나랑 그렇게 호흡이 잘 맞았는지 궁금하지 않아? 설마 네가 잘해서 오늘 무대를 무사히 마쳤다고 생각해? 착각하지 마.
정년 (멈칫하며 표정 굳는)
영서 무대 망치기 싫어서 내가 너한테 맞춰줬던 거야. 네 상대역인 내 실력이 좋았던 거지, 네 실력이 좋았던 게 아니라고!

정년, 충격받아서 영서를 본다.

#37 시내. 밤 (#34 이어서)

혜랑 그러는 너는?

옥경 …….

혜랑 너도 오늘 공연 봤으면 윤정년이 가진 너무 뚜렷한 단점을 눈치챘을 거 아니야. 왜 거기에 대해선 얘기 안 해?

옥경 …….

혜랑 오늘 공연에서 윤정년의 장점이라고 모두가 생각했던 그것, 그건 윤정년의 발목을 잡는 족쇄가 될 거야.

옥경 (속을 알 수 없는 얼굴로 혜랑을 보기만 하는)

혜랑 장담하는데, 윤정년은 다음 공연에서 자멸할 거야.

#38 국제극장 빈 공연장 무대 위. 밤 (#36 이어서)

충격받은 정년. 그런 정년을 쏘아보는 영서.

#39 매란국극단 마당. 낮

연구생들, 전력 질주를 하며 마당을 돌고 있다.

소복 뛰어! 뛰어! 너희들 같은 체력으론 아무것도 할 수 없어! 정기공연 들어가면 일주일에 적어도 일곱 번 이상은 무대에 서야 하는데 체력이 없으면 소리를 잘하든, 연기를 잘하든 말짱 도루묵이야!

연구생들, 힘들어서 헉헉대면서도 죽자고 달리는. 정년과 영서, 나란히 달리고 있는. 둘, 잠시 눈이 마주친다.

[플래시백 - 3부 #36]

영서 무대 망치기 싫어서 내가 너한테 맞춰줬던 거야. 네 상대역인 내 실력이 좋았던 거지,

네 실력이 좋았던 게 아니라고!

정년, 이 악물고 속도를 높여서 뛰는. 영서도 질세라 미친 듯이 뛰는.

[시간 경과]

수업 듣는 연구생들.

소복　오늘은 무대 위에서 액션, 특히 칼싸움을 하는 법을 알려주겠다. 〈자명고〉에도 많은 칼싸움 장면이 나오니 집중해서 보도록. 허영서, 윤정년, 앞으로 나와서 목검 잡아봐라.

정년과 영서, 앞으로 나가 목검을 잡는다.

소복　〈자명고〉 제3막, 목련공주가 죽고 분노한 호동왕자와 고미걸의 전투 장면이 시작된다. 윤정년이 호동왕자, 허영서가 고미걸. 자, 시작해봐.

정년과 영서, 목검을 들고 서로를 쏘아보다가 다음 순간, 서로에게 달려드는. 둘의 목검이 몇 번 부딪치다가 영서, 세게 검을 휘두르고 정년, 영서의 힘에 못 이겨 목검을 놓치며 쓰러진다. 열받은 정년, 영서를 쏘아보고 영서, 흥, 그러거나 말거나, 도도한 표정으로 외면하는데,

소복　그만, 그만! 둘 다 뭐 하고 있는 거야. 이걸 지금 칼싸움이라고 하고 있는 거야?
정년　(일어나며 억울해서) 한 번 더 하게 해주세요, 이번엔 진짜 이길 자신 있구만이라.
소복　(한심) 이기긴 뭘 이겨, 이게 지금 서로 이겨먹겠다고 힘자랑하는 장면이 아니잖아!
정년　칼싸움인디…… 이겨야 하는 거 아니여라?

소복 (고개 절레절레 젓는) 둘 다 들어가고, 백도앵 나와라.

정년과 영서, 자리로 돌아가고 도앵, 앞으로 나와서 목검을 잡는다. 소복도 목검을 잡는.

소복 자, 내가 호동왕자, 백도앵이 고미걸이다. (목검을 겨누며 눈빛이 달라지는) 고미걸이 비열한 놈! 너를 죽여 공주의 원수를 갚겠다!

둘의 목검이 확 부딪치는.

도앵 (비웃는) 가련하도다, 어린 왕자여! 괴롭구나, 젊은이여! (둘의 목검이 떨어졌다가 다시 부딪치는) 너도 원하지 않았느냐! 자명고 찢기를! (눈빛이 사나워지며 표정이 험악해지는) 낙랑을 짓밟고 부수기를! (다시 한번 둘의 목검이 부딪친다. 도앵 표정, 호동을 비웃듯) 나는 네 욕망을 이루어줬을 뿐이다.

소복의 표정이 아픈 데를 찔린 듯 굳어버린다. 그 틈을 놓치지 않고 도앵, 목검으로 내리친다. 소복, 목검을 놓치고 쓰러지는. 소복, 울분에 가득 차서 도앵을 올려다보면 도앵, 목검을 소복 턱 밑에 갖다 대는.

도앵 저승에서 공주에게 안부 전해주시오, 왕자여.

연구생들, 감탄하며 정신없이 박수를 친다.

정년 진짜 잘하네.
주란 도앵 선배 칼싸움 실력은 최고니까. 괜히 최고의 가다끼라고 하는 게 아니야…….

소복, 도앵의 손을 잡고 자리에서

일어난다.

소복　윤정년, 이제 뭐가 중요한지 알겠어?
정년　합이 중요한 것이구만요.
소복　그래, 합이 중요해. 애정씬이든, 싸움씬이든 제일 중요한 건 상대역하고 호흡을 맞추는 거야. 제각각 아무리 훌륭한 연기를 한다 한들 눈앞의 상대와 호흡이 안 맞으면 관객들은 집중력을 잃게 된다. 다들 이 점을 명심하도록, 알겠나?
연구생들　네!
소복　좋아, 그럼 다음은 홍주란, 박초록 나와.

주란과 초록, 나와서 목검을 잡는다. 둘, 목검을 겨누다가 확 부딪치는. 몇 번 목검을 부딪치다가 초록, 기합을 넣어서 목검을 확 내리치는. 주란, 자신의 목검으로 받아내려 하는 순간 악, 소리 지르며 목검을 떨구는. 지켜보다가 깜짝 놀라는 정년.

정년　주란아!

#40 의원 진료실 앞. 낮

정년, 진료실 앞에서 기다리는데 주란, 진료실에서 나오는. 오른쪽 팔에 깁스하고 있는 주란.

정년　선생님이 뭐라가시디?
주란　(시무룩한) 팔에 금 갔대. 한동안 이거 하고 있으래.
정년　(안타까운)

#41 의원 건물 앞. 낮

정년과 주란, 나란히 걷는다.

정년　하여간 박초록 고놈의 가시나, 도움이 하나도 안 돼. 그라고 우악시럽게 휘두를 일이여? 대충 합만 맞추면 그만이제.

주란 (시무룩해서 아무 말 없이 걷는)

정년 (딱하게 주란 보는) 기운내. 그래도 금만 갔당께 팔만 안 움직이면 오디숀 전까지 금방 낫을 거여.

주란 오디숀이 문제가 아니라…… (한숨 쉬고) 정년아, 먼저 들어가. 난 잠깐 들렀다 갈 데가 있어. (자리 뜨는)

정년, 주란 뒷모습을 의아하게 보는.

#42 파스텔 다방 앞. 낮

주란, 다방으로 들어가려고 하는데 정년, 주란 팔을 잡는.

정년 야!

주란 (깜짝 놀라 돌아보는) 네가 여길 왜 따라왔어!

정년 너 여기서 일하는 거여? 야가 간도 크네. 단장님이 바깥에서 일하지 말라고 하시던디.

주란 그건 국극단 이름 팔아서 노래 팔지 말라고 한 거였잖아. 여기서는 그냥 서빙 일만 하고 있고 나 국극단원인 것도 몰라. 옥경 선배나 혜랑 선배 같은 주연들이야 돈을 많이 벌지만 국극단에서 연구생들한테 주는 용돈은 적으니까 할 수 없잖아. 이렇게 몰래 나와 버는 수밖에.

정년 그니께 왜 몰래 일하면서까지 돈이 필요하냔 말이여.

주란 (내키지 않는 얘길 해야 하는 수치심에 망설이는) ……우리 언니 폐병이 있어서 약값이 많이 들어가.

정년 전에 편지 쓴 그 언니? 몸이 약하다 하더니 폐병이 있었던 거여?

주란 (고개 끄덕이는) 나 하고 싶은 일 한다고 뛰쳐나온 것도 미안한데 조금이라도 보태주고 싶어.

정년 (심란해지는) 아따 니 많이 성가시겄다이…… 그래도…… 그 맘 모르는 건 아니다만…….

주란 야, 늦겠다. 나 들어갈게! (들어가버리는)

정년 아야! 그 팔을 해갖고 일을 어떻게 하겠다는 거여!

정년, 심란해서 주란을 보는.

#43 파스텔 다방 안. 낮

양 사장(40대 초반), 못마땅하게 깁스한 주란을 보는. 정년, 조금 떨어져 서서 통사정하는 주란을 심란하게 보는.

양 사장 이래 가지고 어떻게 서빙을 하겠다는 거야.

주란 (사정 조로) 한쪽 팔로도 할 수 있어요. 아니, 어떻게든 할게요.

양 사장 그러다 손님한테 커피 엎지르기라도 하면? 그리고 다방 안에서 그 꼴로 돌아다니면 보기가 좋아?

결심한 정년, 양 사장에게 다가가는.

양 사장 (한숨) 안 그래도 요새 바빠 죽겠는데…….

정년 [소리] 지가 주란이 대신 일하께요, 그라면 되제라?

주란, 놀라서 돌아보면 정년, 서 있는. 양 사장, 떨떠름한 표정으로 허름한 입성의 정년을 보는.

양 사장 주란이 나을 때까지 대신 일하겠다고? 이름이 뭔데?

정년 윤정년인디요.

양 사장 (못마땅) 사투리 쓰네? 손님 접대해야 하는 직업인데 사투리 쓰면 곤란하지, 우리 다방 품위 문제도 있고.

정년 (발끈) 사투리 쓰는 게 뭣이 어째서요? (말하다가 꾹 참고 애써 웃으며) 인자부터, 아니, 지금부터 표준말을 쓰면 되지요. 작정하면 표준말도 잘 쓰거등요. (억양엔 여전히 남도 사투리가 묻어 있는)

양 사장 (미심쩍은 눈으로 정년을 보며 마땅찮게) 우선 일하는 거 보고 계속 쓸지 말지 결정할 거야. 유니폼 줄 테니까 나 따라와.

정년 (따라가려고 하다가 주란에게 붙잡히는)

주란 너 뭐 하는 거야!

정년 그럼 어짜냐. 친구가 힘들 땐 도와줘야제. 아까 봉께 안 짤릴라고 용을 쓰드만, 너 낫을 때까지 내가 대신 일할게.

주란 그러다 국극단에 너 여기 드나드는 거 들키면? 네 맘만 내가 받을게.

정년 짤리면 안 된담서, 돈 벌어서 집에 약값 보태줘야 한담서. 나도 가족들 호강시켜주겄다고 뛰쳐나온 거라서 네 마음이 뭔지 알아.

주란 (고민에 빠져서) 들키면 너도 혼날 텐데…….

정년 (씩 웃는) 아, 걱정하덜 말어. 나도 매란국극단 단원인 것만 안 들키면 되제. 그라고 서빙만 할 건디 뭣이 걱정이래.

#44 파스텔 다방 안. 낮

정년, 밝은 표정으로 커피를 서빙하는. 양 사장, 지나다가 정년을 흘끔 보고 안심한 듯 지나가는. 40대 부인 둘, 자기들끼리 뭐라고 수군거리다가 양 사장을 손짓으로 부른다. 양 사장, 손님들에게 다가가는.

부인1 사장님, (정년 가리키며) 저기 저 직원, 국극단 단원이죠?

양 사장 네?

부인2 매란국극단 단원이잖아요. 저번에 연구생 공연 보러 갔다가 저 친구 봤어요.

양 사장 정말이요?

부인1 모르셨던 모양이네. 방자 역할 했었는데 연기 꽤 잘했어요. 노래도 기가 막히게 잘 부르고.

양 사장 그래요? (고개 갸웃하며 정년 쪽 보는데 표정이 묘하게 바뀌는)

#45 매란국극단 숙소 마루. 낮

숙소 대청소하는 연구생들. 걸레로 마루를 닦는 정년. 성한 한쪽 팔로 걸레질을 하는 주란.

정년 나 혼자 해도 되는디 뭣 할라고 자꾸 움직이냐. 쉬어야 팔이 낫제.

주란 나 때문에 너 다방 일까지 하는데 미안해서 그러지.

정년 미안하기는. 해봉께 은근히 재밌던디?

주란 (한숨) 나는 너 들킬까 봐 조마조마해 죽겠다.

초록, 정년 앞에 걸레를 내던지는. 정년, 뭐야 싶어 초록을 올려다보는.

초록 내 거도 좀 같이 빨아. (돌아서는데)

정년 야, 박초록이. (일어서는)

초록 (돌아보면)

정년 넌 주란이 팔 이 모냥 이 꼴로 만들어놓고 사과도 안 하냐?

초록 내가 일부러 그랬니? 연습하다 그럴 수도 있는 거지. 그리고 주란이도 가만있는데 왜 네가 대신 나서서 야단이야? (가려고 하는데)

정년 그러고 봉께 너하고 나 사이에 아직 계산이 안 끝났제?

초록 뭐?

정년 너 저번에 내가 오디숀 대본 받아 오면 내가 시키는 거 뭐든 한다고 안 했냐? 설마 한 입으로 두 소리 하는 거 아니겄제?

초록 (순간 찔끔해서 더 큰소리) 해! 하면 되잖아! 내가 언제 안 한대?

정년 그람 앞으로 주란이 팔 낫을 때까지 주란이가 해야 되는 청소, 빨래, 설거지 니가 다 해. 우선 여기 걸레질부터 끝내고, 알았제? 주란아, 가자.

주란, 당황해서 눈치 보는데 정년, 주란 손 잡아끌고 자리 뜨는. 초록, 열받고 황당해서 정년 보는.

초록 야, 윤정년! 네가 하던 거는 마저 하고 가!

#46 매란국극단 숙소 정년 방 안. 밤

영서, 문을 열고 들어오다가 멈칫한다. 정년과 주란, 찐빵을 쌓아놓고 먹고 있다가 문 여는 소리가 들리자 몸으로 후다닥 찐빵을 가리는. 영서인 걸 알고 안심하는 둘. 영서, 어이없다는 듯 보는.

정년 으메 놀래라. 아그들이 냄새 맡고 온 줄 알았네이. 언능 닫아야, 냄새 퍼진께.

영서, 문 닫는다. 영서, 책상으로 가서 책 펼쳐서 보는. 주란, 영서 쪽 눈짓하며 정년 눈치 보는.

정년 (헛기침하고) 니도 쪼까 먹을래? 맛있는디.

영서 (책만 보며 차갑게) 됐으니까 너나 먹어.

정년 (입 삐쭉대는)

주란 근데 갑자기 왜 찐빵을 사 왔어?

정년 너 팔 빨리 낫을라면 잘 먹어야제.

주란 (웃는) 찐빵 먹으면 팔이 잘 낫는대?

정년 뭐든 맛나게 먹으면 약이 되는 거여.

주란 명언이네.

둘, 키득거린다. 영서, 미간 찌푸리다가 책을 탁 덮는. 아이들, 순간 쫄아서 보는.

정년 왜, 왜.

주란 (눈치 보며) 나 그만 갈까? 그만 갈게. (일어나려는)

정년 (잡으며) 가긴 어딜 가야, 취침 시간도 아직 멀었는디.

영서 됐어. 내가 나갈 거야.

영서, 나가버린다. 정년과 주란, 숨죽이고 있다가 영서 나가자 작게 웃음 터지는.

정년 아야! 저 가시나, 지도 찐빵 사 먹고 싶어서 나간 거 아니여?

#47 매란국극단 마당. 밤

영서, 목검을 들고 지나다가 멈칫하는. 옥경이 혼자 목검을 휘두르며 칼싸움을 연습하고 있다. 옥경의 절도 있는 액션. 영서, 감탄하며 지켜보는. 옥경, 목검 내려놓고 수건을 집어 들다가 영서를 보면 영서, 목례하는.

옥경 연습하려고?

영서 네.

옥경 내가 합 맞춰줄까?

영서 (반가운 기색 스치는) 네.

둘, 마주 선다. 호흡 맞춰 목검을 부딪치며 팽팽하게 칼싸움을 하는 둘. 영서, 존경하는 옥경과 호흡 맞추는 지금 이 순간이 행복하고 좋다. 영서, 반짝반짝 눈을 빛내며 온 힘을 다해 옥경의 맞상대를 하는. 영서, 기합을 넣어 목검을 휘두르자 옥경, 목검을 떨어트린다.

옥경 (씩 웃는) 이야, 허영서. 대련에서 날 이긴 사람은 단장님밖에 없었는데.

영서 (뿌듯해서 조금 어색하게 미소 짓는)

[시간 경과]

둘, 마당 한쪽에 앉아 대화하는.

옥경 역시 영서는 호동왕자로 오디숀을 보겠구나?

영서 아니요, 고미걸로 볼 생각입니다.

옥경 (뜻밖인) 니마이가 아니라 가다끼로 보겠다고?

영서 네.

옥경 왜? 저번 연구생 공연에서도 이몽룡을 맡아서 그렇게 잘해놓고?

영서 나중에 니마이를 잘해내기 위해선 지금 가다끼 연기를 해보는 게 저한테 필요해요.

옥경 (씩 웃는) 정말 영서다운 접근법이구나. 니마이를 잘해내기 위해서 가다끼를 한다라…… 그래, 좋은 생각이다. 근데 가다끼를 한다는 게 생각보다 만만치 않을 거야. 더구나 우리 국극단은 가다끼 연기에 있어서 타의 추종을 불허하는 도앵이가 있으니까.

영서 네, 알고 있습니다.

옥경 (미소 띠는) 이번 오디숀은 볼거리가 많겠구나.

영서 (조심스럽게) 한 가지…… 여쭤보고 싶은 것이 있습니다.

옥경 뭔데?

영서 (조금 망설이는) ……저번에 제 이몽룡 연기…… 선배님이 보시기에 부족한 점이 있었다면, 기탄없이 말씀해주셨으면 좋겠습니다.

옥경 글쎄…… 넌 이미 완성형에 가까워. 오히려 네가 언제 치고 올라올까 내가 긴장해야겠지.
영서 (당황하는) 아직 그 정도는…….
옥경 아냐, 누군가 내 자리를 위협해주기를 정말 설레면서 기다리고 있어. 지금은 네가 제일 근접해 있다.

영서, 생각지 못한 옥경의 칭찬에 좋으면서도 당황스러워 얼굴 달아오르는.

옥경 (문득 생각난 듯) 아,
영서 (옥경 보면)
옥경 호동왕자든, 고미걸이든, 그냥 즐겨.
영서 네?
옥경 즐기라고. 그러기 위해선 네 스스로를 많이 내려놔야 할 거야.

옥경, 자리 떠서 가버린다. 영서, 수수께끼 같은 말에 어리둥절해서 옥경 뒷모습을 보는.

#48 파스텔 다방 안. 밤

정년, 서빙한다. 이제 몸놀림도 능숙한. 종국(30대 초반, 남)과 화려하게 양장을 입은 패트리샤 김(30대 중반, 여) 대화하는.

패트리샤 박 피디님, 방송국 일은 해보니까 좀 어떠세요? 개국한 지 얼마 안 돼서 아직 정신없죠?
종국 일은 재밌습니다. 윗분들이 좀 보수적이시고, 투자받기가 힘들어서 그게 문제죠. 근데 그것도 히트작 하나만 생기면 분위기가 확 달라질 겁니다.
패트리샤 역시 박 피디님 의욕 있어서 좋아.
종국 요즘 뭐 하고 지내세요.
패트리샤 가수 지망생 애들한테 노래 레슨해주고 있어요.
종국 레슨만 하지 마시고 패트리샤도 슬슬 신곡 내고

돌아오셔야죠.

패트리샤 (피식 웃는) 돌아오고 싶은 맘이야 굴뚝같지만…… 보수적인 한국 사회에서 이혼녀를 순순히 받아줄까요.

종국 에이, 여전히 패트리샤 기다리는 팬들이 많은데요.

패트리샤 모르겠어요. 사람들이 이혼녀라고 나한테 비난하지 않을까 저 스스로부터가 겁이 나요.

양 사장, 한쪽 자리에 앉아 신문 보고 있는데 다방 직원 한 명이 전화 끊고 난감한 표정으로 양 사장에게 오는.

직원 저, 사장님. 오늘 노래 부르기로 했던 가수가 갑자기 아파서 못 나오겠다고 전화가 왔는데요.

양 사장 아니, 갑자기 그런 식으로 통보를 하면 어떡해! 갑자기 어디서 가수를 구하라고. (전화기 쪽으로 가는) 양희자 씨한테 부탁해봐야겠어.

직원 저, 양희자 씨 연락드려봤는데 지난주부터 오거리 다방에서 공연하신다고……

양 사장 정옥희 씨는.

직원 정옥희 씨는 다리를 다치셔서 당분간 댁에서 꼼짝도 못 하신대요. 저기, (패트리샤 쪽 보며) 패트리샤가 와 있던데 부탁해보면 안 될까요?

양 사장 (번쩍 패트리샤 쪽 돌아보며) 패트리샤? (표정 환해지며) 그래, 그러면 되겠네! (다음 순간 멈칫하는) 아냐, 패트리샤한테 노래 시켰다간 이혼녀한테 일감 줬다고 내일 우리 다방은 계란 맞는다.

직원 오늘 하루만 쓰는 것도 안 돼요?

양 사장 다른 다방들 다 마음은 굴뚝같아도 몸 사리느라고 못 쓰고 있잖아. 우리가 먼저 돌 맞을 순 없어. (갑갑해지는) 미치겠네. (문득 시선 정년한테 멎는. 잠시 고민하다가) 정년 씨, 이리 와봐.

정년 (양 사장에게 다가가는)

양 사장 오늘 저녁 공연 무대가 갑자기 펑크가 나서 그런데 노래 한 곡만 불러줄 수 있어?

정년 (어리둥절한) 저…… 말이에요? (화들짝 놀라는) 아니요, 저 노래할 줄 모르는데요?

양 사장 (가소롭다는 듯) 그래? 국극단 단원이 노래를 못 불러?

정년 (놀라는) 그걸…… 어떻게 아셨어라?

양 사장 오늘 하루만 불러. 지금 받는 시급보다 50프로 더 쳐줄게.

정년 아니요, 지 정말 노래 부르면 안 되는디요. 서빙만 하러 온 것인께 서빙만 하고 갈게라. (자리 뜨려고 하면)

양 사장 안 부르면 주란이까지 잘라버린다?

정년 (놀라서 양 사장 홱 돌아보는)

양 사장 정년 씨 때문에 주란이가 잘려도 괜찮겠어?

정년 (아오, 미치겠네, 갈등하는)

[시간 경과]

무대 쪽 조명이 어두워진다. 종국과 패트리샤 포함한 손님들, 기대에 찬 표정으로 무대를 보는.

양 사장 자! 오늘의 초대 가수 윤정년 양을 모시겠습니다. 큰 박수로 맞아주시길 바랍니다.

손님들, 박수 치는. 그중에는 종국과 패트리샤도 있다. 정년, 예쁜 원피스를 입고 나오는. 웃고 있지만 불안한 듯 다소 경직된 미소. 정년, 자신에게 쏠린 사람들의 시선 의식하고 마른침을 삼킨다. 정년, 밴드 쪽에 고개 끄덕여서 신호 보내면 밴드가 '목포의 눈물' 반주를 시작한다.

정년 *사공의 뱃노래 가물거리면 삼학도 파도 깊이 스며드는데—*

#49 정년 집 마당&마루. 낮 〔회상〕

정자, 마당에서 빨래를 널며 목포의 눈물을 부르는. 정년, 마루에서 용례의 무릎을 베고 누워 있다. 용례, 정년의 귀를 파주는.

정자 *부두의 새악시 아롱젖은 옷자락 이별의 눈물이냐 목포의 설움—*

정년, 용례의 무릎을 베고 누워 정자 노래를 들으니 잠이 솔솔 와서 눈이 감기는. 세 모녀의 평화로운 한때.

#50 파스텔 다방 안. 밤 〔현재〕

목포에서의 추억을 생각하며 정년, 표정이 한결 자연스러워지고 부드러워지는.

정년 *깊은 밤 조각달은 흘러가는데 어찌타 옛 상처가 새로워진는가 못 오는 님이면 이 마음도 보낼 것을 항구에 맺는 절개 목포의 사랑—*

정년이 노래를 마치자 손님들, 노래 전과는 비교도 안 되게 열렬하게 박수를 치며 좋아한다. 양 사장, 손님들 반응 살피며 좋아하고 정년, 얼떨떨하다가 안심하는. 손님들, 앵콜 외치며 환호하는. 종국, 정년을 보고 흥미롭다는 듯 미소 짓는.

패트리샤 저 친구 목소리 제법 쓸 만하네.

정년, 앵콜 요청에 떠밀려 다시 목포의 눈물을 부르기 시작한다. 손님들의 열띤 반응에 기운을 얻어 처음과는 달리 이번에는 무대를 즐기며 노래 부르는.

종국　(노래 부르는 정년을 보다가 씩 웃는) 그러네요, 한번 키워볼 만하겠는데요.

#51 파스텔 다방 앞. 밤

정년, 다방에서 나오는데 종국, 쫓아 나오는.

종국　윤정년 씨!
정년　(돌아보면)
종국　아까 노래 잘 들었어요. 나도 노래 좀 한다 하는 사람들은 많이 만나봤지만, 정년 씨는 음색이 아주 독특하던데요?
정년　(쑥스러운) 고맙네요.
종국　(명함 꺼내서 정년에게 내미는) 난 텔레비죤 방송국에서 일하는 박종국이라고 해요.
정년　방송국이 뭔데요?
종국　정년 씨를 스타로 만들어줄 곳이에요. 텔레비죤이 곧 세상을 휩쓸 텐데 우리 방송국이 국내에서는 선두 주자가 될 거예요. 정년 씨 재능을 크게 키워보고 싶으니까 스타가 되고 싶은 생각이 있으면 나중에 그 명함에 있는 번호로 전화해요. (자리 뜨는)
정년　(명함 보며 고개 갸웃하는) 텔레비죤?

#52 명동 길거리. 밤

전차가 서고 거기서 내리는 용례. 용례, 낯선 서울 길거리를 두리번거리다 지나가는 행인을 붙잡는.

용례　말씀 좀 묻겄어라. 매란국극단을 가려면 어디로

가야 허요?

#53 매란국극단 대문 앞&소복 차 안. 밤

정년, 대문 안으로 들어가려고 하는데,

용례 정년아.

정년, 놀라서 돌아보면 용례가 서 있는.

정년 (표정 굳는) 엄니, 여긴 어떻게 알고,
용례 긴말할 거 없다, 가자. (팔 잡아끌면)
정년 (뿌리치는) 안 해.
용례 소리를 헌다는 게 뭔지나 알고 이러는 거여! 그게 겉으로 볼 때나 화려하고 번지르르허지, 속은 곪아 죽는 일이여!
정년 엄니 눈에는 나가 무모해 보일지 몰라도 나도 다 생각이 있어갖고 뛰어든 거여. 힘든 것도 알고, 고생할 것도 각오하고 있어.
용례 (속 터지는) 알긴 네가 뭘 알어!
정년 그러는 엄니는 뭘 아는디! 엄니는 해본 적도 없음서 어째 안 된다고만 하냔 말이여!
용례 (터뜨리는) 나도 겪어봤으니께 알제!!
정년 (뜻밖의 소리에 멈칫) 뭐?
용례 (당황해서 시선 피하는)
정년 뭘 겪어봤단 말이여? 긍께 소리를 해봤다 그 말이여?
용례 (손 잡아끄는) 이 말 저 말 할 것 없어. 지금 바로 돌아가.
정년 아니, 말을 왜 하다 말어.

소복, 기사가 운전하는 차를 타고 오는데 정년과 용례가 대문 앞에서 실랑이를 벌이는 것이 보이는. 소복, 용례를 보고 순간 자신의 눈을 의심하는. 소복, 이내 공선이라는 것을 확신하고 표정이 굳는. 차가 멈춘다. 소복, 차에서 내린다.

소복　공선아.
용례　(흠칫 놀라 돌아보면)

차 옆에 내린 소복, 용례를 보고 있는. 용례, 소복을 보고 놀라서 그대로 굳어버린다. 정년, 그런 용례를 의아하게 보는. 소복, 용례 쪽으로 다가온다. 용례, 눈빛이 흔들리는.

소복　오랜만이다, 공선아.

용례, 입술이 파르르 떨린다. 소복, 그런 용례를 담담히 보려 애쓰지만 어쩔 수 없이 복잡해지는 표정. 정년, 의아하게 용례와 소복을 번갈아 보는. 세 사람에서 3부 엔딩.

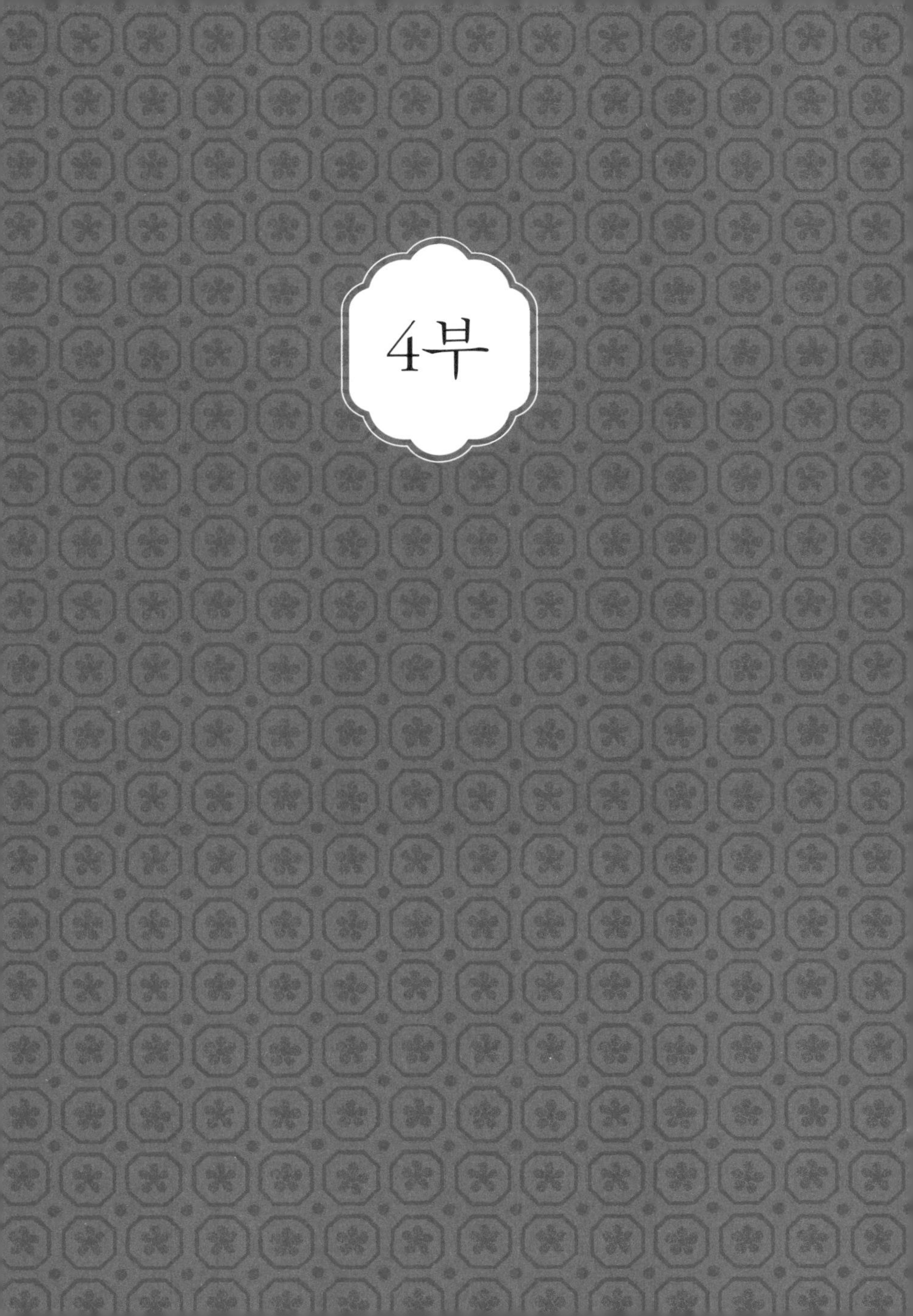

4부

(정년) 그래도…… 어쩔 수 없지요.

돌아가도 똑같은 선택을 할 거니까요.

(패트리샤) 나도 마찬가지야.

결과를 다 알고 돌아간대도 어쩔 수 없어.

난 나로 살 수밖에 없어. 나답지 않은

선택을 하면서 사는 건

나 스스로를 속이면서 사는 거니까.

#1 매란국극단 대문 앞. 밤 〔3부 엔딩 이어서〕

뜻하지 않은 곳에서 소복을 보고 충격받은 용례, 복잡한 심경으로 용례를 보는 소복, 이 상황이 의아하기만 한 정년.

용례　네가, 소복이 네가 어떻게,

소복　내가 여기 국극단 단장이야.

용례　뭐……?

소복　정년이, 네 딸 데리러 온 거니?

용례　(표정 굳는) 내 딸이란 걸 알고 있었단 말이여?

소복　(그저 보는)

정년, 둘 눈치를 보는.

정년　엄니, 우리 단장님이랑 아는 사이여?

용례　(정년 손 잡는) 가자.

정년　(버티는) 안 간다니께.

소복, 정년 손목 붙들고 있는 용례 손을 꽉 잡는다. 정년, 놀라서 소복 보는.

소복　정년이 지금 내 제자고 우리 국극단 소속이야. 이런 식으로는 못 끌고 가.

용례　(소복을 쏘아보고 손 뿌리치는)

소복　당사자가 제 발로 나간다고 하면 안 막겠지만.

정년　(얼른) 지는 나갈 생각이 없는디요!

소복　그럼 들어가 있어. 저녁 연습 안 할 거니?

정년 (용례 눈치 보는)

소복 정년이 데려가고 싶으면 나랑 얘기해. 아님, 네 딸 앞에서 우리 지난 세월 구구절절 다 얘기할까?

용례 (이 악무는) 잠깐 들어가 있어라.

정년, 눈치 보다가 대문 안으로 들어가는. 정년 들어가자 잠시 둘 사이에 침묵이 흐른다.

소복 ……많이 변했구나.

용례 너는 하나도 안 변했어.

둘, 만감이 교차하는 복잡한 표정으로 서로를 보는. 현재 소복과 용례의 마주 보는 모습에서 18세 소복과 18세 공선이 마주 보는 모습으로 전환.

#2 길거리. 낮 (회상)

길거리를 정신없이 나란히 뛰어가는 공선과 소복(둘 다 18세). 건물 앞에 멈춰 서는 두 사람. 둘 다 숨이 차서 헉헉거리는.

공선 안 늦었제?

소복 안 늦었어.

공선 (들어가려고 하면)

소복 잠깐만! (손에 든 걸 건네주는) 우황청심원이야. 떨릴 때 이거 먹으면 효과가 그만이래.

공선 (조금 먹고 찡그리는) 아, 써.

소복 안 돼, 다 먹어.

공선 (억지로 다 먹는) 워메, 소태 맛이 따로 없네.

소복 (비장하게) 자, 이제 들어가서 네 소리로 다 끝장내버려.

공선 (비장하게 고개 끄덕이는)

#3 녹음실 녹음 부스&컨트롤 룸. 낮 (회상)

공선, 녹음 부스 안에서

추월만정을 녹음하는 중.
임진과 소복, 음반사 관계자들과 엔지니어가 컨트롤 룸에서 공선이 녹음하는 것을 듣는다. 공선, 집중해서 애절하게 노래 부르는. 소복, 긴장한 표정으로 공선을 지켜보는.

공선 *눈물이 먼저 떨어져서 글자가 수묵이 되니 언어가 도착이로구나.*
관계자들 (공선의 노래에 집중하는)
공선 *편지 접어 손에 들고 문을 열고 나서보니 기럭은 간곳없고 창망한 구름 밖에 별과 달만 뚜렷이 밝았구나.*

공선, 노래가 끝나자 긴장해서 엔지니어를 보는.

엔지니어 (흡족한 듯 웃으며) 오케이, 좋습니다.
사람들 (박수 치는)
관계자1 역시 소문대로네. 이걸 들은 사람들은 다른 추월만정은 이제 시시해서 못 듣게 될 거야.
관계자2 괜히 천재 소녀 타이틀이 붙은 게 아니라니까요. 이 음반 나오면 조선 전역에서 채공선은 스타가 되는 겁니다.

긴장해 있던 공선, 사람들의 찬사에 안심하며 활짝 웃는. 공선과 소복, 서로 눈을 마주치며 기뻐한다.

#4 병원 입원실 안. 낮 (회상)

공선 부, 병색이 완연해 기력 없이 침대에 기대앉아 있고 공선, 공선 부의 손을 수건으로 정성스레 닦아주는.

공선 아부지, 사람들이 그러는데 내가 기가 막힌 소리꾼이래. 내가 녹음한 음반이 나오면 유명한 사람이 될 거래. (들떠서) 인자 내 노래가 어딜 가나 나온단 말이여!

공선 부 (마냥 좋아할 수 없는, 심란한) 그렇게 좋으냐?

공선 그럼, 나 싸게 성공해서 아부지 호강시켜주고 싶단 말이여.

공선 부 (심란하게) 공선아, 나가 한평생 소리판 따라다님서 봉께 소리꾼이란 게 참 힘들고 외로운 직업이여. 한을 품어야 소리를 잘하게 되는디, 한을 품는다는 건 결국 팔자가 사나워진다는 거니께. (간절하게) 아부진 네가 한 같은 거 품지 않고 편하게 살았으면 좋겄다.

공선 (시무룩한) 그래서 내가 소리 안 했으면 좋겄어? 난 소리하면 막 온몸에 기운이 뻗치는 거 같고 좋던디…….

공선 부 (측은하게 딸을 보다가) 공선아, 아부지랑 약속해. 그 길 가다가 힘들어지면 소리에 너무 집착하지 말고 그만두기로.

공선 (잠시 생각하다가 고개 끄덕이는, 해맑게 웃는) 응, 약속할게.

공선 부, 해맑기만 한 딸을 불안한 마음으로 애틋하게 보는.

#5 레코드숍 앞. 낮 (회상)

레코드숍 앞에 몰린 수십 명의 사람들. 쇼윈도에는 공선의 포스터와 공선의 레코드판이 전시돼 있는. 문이 열리자마자 몰려 들어가는 사람들.
긴장되고 떨리는 표정의 공선, 레코드숍 쪽으로 조심스럽게 다가간다. 공선, 가게에 몰려든 사람들과 쇼윈도에 장식된 자신의 커다란 포스터를 보고 신기해하며 놀라는. 레코드숍 앞에 몰린 사람들. 공선을 발견하고 공선 주변으로 몰려든다. 레코드판을 내밀며 사인을 부탁하는 사람들.
공선, 얼떨떨해하다가 점점 표정 환해지는.

#6 공터. 낮 〔회상〕

사람들 앞에서 소리하는 공선.
임진, 소복, 제자들, 그리고 구경꾼들 앞에서 소리하고 있다.
구경꾼들 사이에 1부 #7의 구경꾼 1, 2도 보이는. 그때와는 달리 공선의 소리를 한껏 즐기며 "얼쑤, 잘한다!" 추임새까지 넣는.

#7 임진 자택 정원. 낮 〔회상〕

공선, 신문기자와 인터뷰하는.

기자 공선 양의 추월만정은 날아가는 기러기도 날갯짓을 멈추고 듣는다는 평가가 있지 않습니까. 공선 양의 대표곡이나 마찬가지가 됐는데 다음 달에 있을 국제극장 개관 공연에도 역시 추월만정을 부를 예정인가요?

공선 당연히 불러야제라. 추월만정은 우리 아부지께 바치는 곡이기도 하니께요. 근디 추월만정 말고도 다른 보여드릴 게 많구만요. 동헌경사, 새타령, 이별가, 옥중가…….

기자 (웃는) 많이 기대하고 있겠습니다. 세간에서는 공선 양을 두고 백 년에 한 번 날까 말까 한 천재적인 소리꾼이라고 평하는데 어떻게 생각하십니까.

공선 (순간 표정 미묘해졌다가 다시 웃으며) 천재라고 하시니께 몸둘 바를 모르겄네요. 지는 아직도 갈 길이 먼 사람인디요.

기자 공선 양이 아니면 누가 천잽니까. 공선 양, 다음 달에 있을 개관 공연에서 추월만정 이상으로 사람들을 놀래킬 무대를 보여줄 거라고 다들 기대하고 있어요. 그 자리에 사회 명사들과 전국의 난다 긴다 하는 명창들이 다 모여서 공선 양의 소리를 들을 겁니다.

공선, 부담감에 표정 어두워지는데 소복, 공선 쪽으로 다가오는. 소복, 금방이라도 울 것 같은 표정. 공선, 소복 보고 불길한 예감에 표정 굳는.

#8 병원 입원실 안. 낮 〔회상〕

공선, 아버지에게 줄 새 갖신을 들고 뛰어 들어간다. 창백하게 누워 있는 임종 직전의 공선 부. 공선, 하얗게 질려 공선 부에게 다가간다.

공선　아부지, 안 돼, 응? 안 돼. 이렇게 가면 안 된단 말이여! 나 아직 아부지 호강시켜주지도 못했는디…… (눈물 나는) 아부지 봐, 아부지 주려고 새 갖신도 갖고 왔단 말이여!

공선 부　(공선을 보고 입을 달싹이며 무어라 말하는)

공선　(잘 들리지 않아 공선 부 가까이 귀를 갖다 대는)

공선 부　(간신히) 소리꾼의 길에…… 너무 연연하지 말고…… 네 뜻대로 자유롭게 살아…… 한 같은 거 품지 말고…… 애비 소원은 그것뿐……

공선　(눈물을 뚝뚝 흘리며 아버지를 보는)

공선 부, 눈물 고인 눈으로 애틋하게 딸을 보다가 숨을 거두는.

공선　(멍히) 아부지? (공선 부 손을 잡지만 축 늘어지고 공선 억장 무너지는) 아부지! 아부지!

오열하는 공선. 그런 공선을 뒤에서 지켜보며 우는 소복.

#9 임진 자택 연습실 안. 낮

〔회상〕

공선, 임진의 장단에 맞춰 소리를 연습하는. 하지만 자꾸 소리가 막히는 공선. 공선, 점점 답답하고 초조해져서 진땀이 난다. 공선, 안 되는 소리를 쥐어짜듯 내다가 삑사리가 나버리는. 공선, 지칠 대로 지쳐서 숨을 몰아쉬는.

임진 마음이 딴 곳에 가 있구나.

공선 …….

임진 명창이 되려면 가야 할 길이 멀거늘……. (한숨 쉬는)

공선, 불안과 초조함에 찌들어서 눈빛이 불안정하게 흔들린다.

#10 임진 자택 연습실 안. 밤

〔회상〕

공선, 혼자서 소리를 연습한다. 초췌하고 지치고 날 선 공선, 소리가 뜻대로 나오지 않자 악— 소리를 지르는. 문간에 서서 지켜보던 소복, 불안하게 공선을 보는.

#11 매란국극단 대문 앞. 밤

〔현재, #1 이어서〕

소복을 쏘아보는 용례, 그런 용례를 복잡한 심경으로 보는 소복.

소복 (연민으로 보는) 이름까지 바꾸고…… 어떻게 지냈어.

용례 정년이 돌려줘.

소복 (애써 참으며) 어디서 사는지 몇 번 수소문해봤어. 번번이 실패하긴 했지만…… 전쟁통에 잘못됐을까 봐 걱정했는데, 살아 있으니 결국 다 만나지는구나.

용례 (벌컥) 쓸데없는 소리 말고, 내 딸 돌려달란 말이여!

네가 뭔디 내 딸을 붙잡아 두겠다는 거여!

소복도 폭발해서 날카롭게 용례를 쏘아보고,

소복　(평소 같지 않게 무섭게 화난 목소리로) 내가 억지로 애를 가뒀니? 정년이가 안 가겠다잖아!

용례　시방 정년이 핑계를 대는 거여? 애가 철이 없어서 고집부리는 걸 넌 옳다꾸나 하고 부추겨놓고?

소복　(싸늘해지는) 왜, 겁나니? 정년이도 너처럼 소리꾼의 길을 가다가 실패할까 봐? 그날, 네가 극장에서 겪었던 일을 정년이도 겪을까 봐?

용례　(눈빛 매서워지는)

소복　이 길을 선택한 건 네 딸이야. 이제 와서 네 딸 억지로 주저앉힌다고 포기할 거 같아?!

용례　그래서 안 된다고 하는 거여! 내 딸 성격 누구보다 내가 잘 아니까! 한번 맘먹으면 기언치 끝장을 봐야 하는 성격이니께 안 된다고 하는 거라고!

소복　(서글퍼지는) 그래서, 결국 도중에 포기한 너는 지금 마냥 행복하니?

용례　(멈칫하는)

소복　(눈이 충혈돼서) 난 널 도저히 이해할 수가 없어. 내가 아무리 가고 싶어도 못 가본 그 자리를 넌 가봤어. 소리꾼이라면 누구나 원했던 그 자리를 넌 가봤다고! 그래놓고 넌 그때 너무 쉽게 포기했어.

용례　그럼 내가 어떻게 했어야 했어! 소리를 하고 싶어도 더 이상 소리가 안 나오는디!

소복　하고자 하는 의지가 있었다면 어떻게든 소리를 할 방법을 찾았겠지. 넌 소리가 안 나와서 그만둔 게 아냐. 모두가 천재, 천재

하며 떠받들어주다가 갑자기 외면하니까 그걸 못 견딘 거야. 밑바닥에서 다시 시작해야 하는 게 엄두가 안 나서 도망간 거라고!

용례 (아픈 데를 찔려 부들부들 떠는) 그래서 내가 천재 소리 듣고 떠받들려질 때 밀려난 분풀이를 이런 식으로 하는 거여? 내 딸 인질로 잡고?

소복 아니, 네가 외면한 네 딸 재능 내가 꽃피우게 해줄 참이야. 그래서 네가 포기한 그 길, 정년이가 끝까지 갈 때까지 지켜볼 거야!

용례, 부들부들 떨고 소복도 감정 격해져서 용례를 보는.

소복 (애써 냉정하려고 하며) 그리고 너 착각하는 거 같은데 날 먼저 찾아온 건 정년이야. 난 안 하겠다는 사람 억지로 붙잡고 가르치지 않아. 아무나 예인의 길을 갈 수 있는 게 아니니까.

용례 ……그래, 임진 선생님도 그렇게 말씀하셨었지.

소복 ……그래, 그러셨지.

잠시 말 없는 두 사람.

소복 네 딸 소리하는 거 제대로 들어본 적은 있니?

용례 …….

#12 매란국극단 후원 정자. 밤

정년, 고수의 장단에 맞춰 홀로 소리 연습을 하는.

정년 *추월은 만정허여 산호주렴 비춰들 제,*

소복을 따라서 정년 쪽으로 다가오던 용례, 충격을 받는다.

정년 *청천의 외기러기는*

월하에 높이 떠서 뚜루루루루 낄룩, 울음을 울고 가니, 심황후 반기 듣고, 기러기 불러 말을 한다.

오래전의 공선처럼 사람의 속을 후벼파듯 추월만정을 부르는 정년. 정년에게 오버랩돼서 보이는 어린 공선의 노래 부르는 모습. 용례, 멍히 정년을 지켜보다가 뭐라 말할 수 없는 복잡한 감정이 소용돌이쳐서 눈물을 흘리는.

소복 정년이 소리 듣자마자 공선이 네 딸이라는 거 알았어.
용례 (말없이 눈물을 흘리는)
소복 네 딸이라는 거 깨닫고 그동안 죽 두 가지 마음이 싸우고 있었어. 밀어내고 싶다는 마음과 저 재능을 내 손으로 키워보고 싶다는 마음.
용례 …….
소복 처음에 임진 선생님 앞에서 소리를 배우겠다고 했을 때 너랑 네 아버지 아직도 기억해. 네 아버지가 극구 반대하는데도 넌 기어이 임진 선생님 제자가 됐었지.
용례 …….
소복 네 목소리, 네 고집까지 정년인 널 너무 닮았어.

용례, 하염없이 눈물을 흘리며 정년의 소리를 듣는. 그런 용례를 서글프게 보는 소복. 소리를 마친 정년, 무심코 주위를 둘러보다 용례와 눈이 마주치는. 깜짝 놀라는 정년. 그런 정년을 말없이 보는 용례.

#13 매란국극단 일각. 밤

마루에 걸터앉아 있는 용례와 정년. 용례, 약간 넋 빠진 사람처럼 멍하게 앉아 있고 정년, 그런 용례를 본다.

정년 엄니도 소리를 했담서

어째 내가 소리하는 걸 반대하는 거여? 나 같으면 기뻐할 거 같은디…….

용례 (한숨 쉬는) 어떻게 기뻐하겄냐, 그 끝에 뭐가 있는지 다 아는디.

정년 끝에 뭐가 있는디? 뭔 일이 있었는디 그러냔 말이여.

용례 그때, (얘기를 하려다 차마 못 하고 한숨 쉬는)

정년 엄니, 나 돈 벌어갖고 엄니 호강시켜주겠단 마음은 그대로여. 근디 인자는 그것뿐만이 아니여. 내가 국극을 하고 싶어. 더 잘해내고 싶고, 무대 딱 끝내불고 난 그 기분도 또 느껴보고 싶어.

용례 (마음이 내려앉아서 정년을 보는) 벌써 그 정도로 좋아진 거여?

정년 응, 사람들이 나한테 박수를 쳐주는디 머리끝이 쭈뼛쭈뼛 서는 느낌이었어. 그 정도로 좋아. (간절하게) 엄니가 나 한 번만 봐주면 안 되겄는가? 나 진짜 열심히 할란께,

용례 (속이 타서 정년 손 꼭 잡는) 아니, 엄니야말로 이렇게 애원할게. 정년아, 엄니 말 들어. 나랑 집으로 돌아가자.

정년 (손 뿌리치는) 집으로 돌아가면 그담은? 맨날천날 바지락이나 캐고 생선 손질함서 살다가 적당한 남자한테 시집가갖고 살라고? 나 인자 그라고는 못 살어.

용례 이 길로 계속 가면 너 후회한단 말이여! 네가 가려는 길 끝에 뭐가 있는지 궁금허냐? 아무것도 없어! 내가 가진 모든 것을 불 싸질러 소리에 다 바쳤는디 남은 건 한 줌 재밖에 없드란 말이여! (간절하게, 울 듯이 정년 보며) 내 꼴 나기 전에 여기서 그만하자, 응?

정년 아니, 난 엄니랑 달라. 엄니처럼 되지 않을 자신 있어. 엄니가 실패했다고 어째서 내

발목까지 잡을라고 드는 거여!

용례, 속을 후벼파는 정년을 절망적으로 보는.

용례　……엄니는 너 소리하겠다는 거 죽어도 받아들일 수가 없어. 지금 같이 안 가면, 부모 자식 연 끊고 너 없는 자식인 셈 칠란다. 그래도 여기 남을 거여?

정년　…….

용례　남을 거냔 말이여!

정년　……남을라네.

용례, 가슴이 덜컹 내려앉아 정년을 본다. 정년, 눈물 고여 용례를 보는.

#14 매란국극단 대문 앞. 밤

떠나는 용례를 떨어져서 지켜보는 정년. 심란한 정년, 용례를 보며 눈물이 고인다. 용례, 돌아보지 않지만 정년이 지켜보고 있다는 것을 아는. 용례, 눈에서 눈물이 떨어진다.

#15 매란국극단 단장실 안. 밤

소복, 자신의 앞에 서 있는 정년을 복잡한 감정으로 보는.

소복　가셨다고.

정년　예.

소복　…….

정년　엄니랑 어떻게 아시는 사이요?

소복　네 어머니랑 같은 선생님 밑에서 소리를 배웠어.

[플래시백 - 2부 #16]

소복　(잠시 정년을 보다가) 어머니 함자가 어떻게 되시니.

정년, 아 그래서 그때…… 깨닫는.

정년　헌디 왜 엄니는 그만두신

거여라?

소복 그 이유는 당사자인 너희 어머니께 여쭤봐.

정년 ……아까 저희 엄니 막아주셔갖고 고맙습니다.

소복 나 너 이뻐서 막아준 거 아니다. 네가 이 국극단 소속인 이상, 넌 내 책임이야.

정년 ……예.

소복 나 실망시키는 일 만들지 마라.

정년 예.

소복 나가봐.

정년, 고개 숙이고 나가는. 소복, 복잡한 심경으로 무겁게 한숨 쉬는.

#16 매란국극단 단장실 앞. 밤

단장실을 나온 정년, 잠시 무거운 표정으로 서 있다가 마음 추스르고 자리 뜨는.

#17 매란국극단 대문 앞. 낮

외출 준비하고 나가는 정년. 주란, 뒤쫓아 나오는.

주란 정년아!

정년 (주란 보면)

주란 이제 나 깁스 풀었으니까 오늘부터는 너 다방 안 나가도 돼.

정년 니가 다시 갈라고?

주란 응, 너 거기서 노래 부르는 거 불안해 죽겠어.

정년 나도 단장님 얼굴 뵐 때마다 찔리긴 하던 참인디, 근디 너 괜찮겄어? 당분간 팔 쓰는 거 좀 조심해야 되는 거 아니여?

주란 괜찮아. 봐봐, 이제 멀쩡…… (팔 번쩍 들어 보이다가 악, 소리 지르는)

정년 (기겁해서 보는) 아이고, 이 가시나야, 큰일 날라고. 깁스 풀어도 하루 이틀은 조심해야 돼. 안 되겄다. 오늘까지는 내가 나갈게.

주란　이러다 들키면…….

정년　괜찮애. 지금까지 안 들켰응게. 오늘 하루만 더 부르면 되제. 나 갔다 올게!

정년, 자리 뜨는. 주란, 불안하게 정년 뒷모습 보는.

#18 매란국극단 단장실 안. 낮

영서　(들어가서 소복 향해 고개 숙이는) 부르셨어요. (말하다 멈칫하는)

뒤돌아 앉아 있던 사람이 영서 쪽을 보는데 언니 영인이다.

영인　(웃으며) 우리 영서 오랜만이야.

소복　앉아라. (영인 향해) 네가 언제 마지막으로 한국에 들어왔지?

영서　(무표정한 얼굴로 자리에 앉는)

영인　미국에서 마지막으로 들어온 게 작년이니까…… 한 1년 됐을걸요. (영서 향해) 언니 보고 반가운 척도 안 하니?

영서　집에 가면 볼 텐데 뭐 하러 여기까지 와.

영인　너 집에 오면 엄마만 보고 가버리잖아. 그리고 (소복 향해 웃으며 붙임성 좋게) 내가 좋아하는 단장님 얼굴도 오랜만에 뵙고.

소복　(웃는) 둘 다 같은 뱃속에서 나왔는데 성격이 참 달라.

영인　영서는 엄마 빼다 닮았어요. (깔깔 웃는) 둘 다 예술가 자존심 빼면 시체잖아요.

영서　(자리가 불편한 기색 역력한)

영인　참, 이거 드리려고 와놓고. (핸드백에서 티켓 세 장

꺼내서 소복에게 내미는) 저 귀국 기념 독창회가 있을 거예요. 꼭 와주세요.

소복　(티켓 받아 드는) 그럼, 꼭 가야지. (영서 향해) 오랜만에 언니 왔는데 같이 시간 좀 보내고 와.

영서　(어쩔 수 없이) 네.

#19 파스텔 다방 안. 낮

커피 마시는 영인과 영서. 주변에 앉은 손님들, 영인을 알아보고 수군대더니 그중 젊은 남녀 커플, 영인 쪽으로 온다. 영서, 익숙한 일이라 무표정한.

남　저, 소프라노 허영인 씨죠?

영인　(웃는) 네.

여　(좋아서 어쩔 줄 몰라 하며 손수건 건네며) 여기 사인 좀.

영인　여기다 사인하긴 손수건이 너무 아깝다.

여　아니에요, 항상 갖고 다니면서 자랑하고 다닐 거예요.

영인, 사인해주면 커플, 좋아하며 자리 뜨는. 영서, 불편한 표정.

영인　얼굴 좀 펴라.

영서　언니랑 다니면 난 꼭 투명인간이 된 기분이란 말이야.

영인　너도 나중에 국극 스타로 뜨면 밖에서는 얼굴근육에 쥐가 나게 웃고 다녀야 돼. 지금 이 순간을 즐겨둬.

영서　…….

영인　너 연구생 공연 주연했단 기사 봤어. 기립 박수도 받고 반응 아주 좋았다면서?

영서　(좋아서 순간 표정 풀렸다가 얼른 표정 관리하면서) 언니에 비교하면 아무것도 아냐.

영인　어머, 왜 나한테

비교하니. 네 성과는 오롯이 너만의 것인데.

영서 (투정 부리듯) 나 혼자 뿌듯하면 뭐 해, 어머니 눈에는 안 찰 거 아니야.

영인 (잠시 영서 보다가) 넌 엄마가 만족하는 때가 있다고 생각하니?

영서 언니한텐 만족하시잖아.

영인 (씁쓸한) ……그래, 그렇게 보이면 됐고.

영서, 영인의 어두운 표정에 의아한. 그때 손님들의 박수 소리가 들리고 안쪽에서 정년이 나온다. 정년, 이제 익숙한 듯 손님들에게 웃으며 인사하는. 영서, 무심코 무대 쪽을 보다가 정년 얼굴을 보고 놀라는. 정년, 아직 영서를 보지 못한. 전주가 흘러나오자 정년, 리듬에 맞춰 몸을 흔들며 분위기를 탄다. 무대 자체를 능숙하게 즐기고 있는 정년, 밴드 반주에 맞춰 목포의 눈물을 부르기 시작한다.

정년 *사공의 뱃노래 가물거리면 삼학도 파도 깊이 스며드는데—*

정년, 노래 부르다가 영서와 눈이 마주치고 순간 멈칫하는. 영서, 무표정하게 정년을 보는. 정년, 이내 표정 관리하고 계속 노래 부르는.

정년 *부두의 새악시 아롱젖은 옷자락 이별의 눈물이냐 목포의 설움—*

영인 (감탄하는) 노래 잘 부르네.

영서 (일어나는) 가자.

영인 왜, 노래 다 듣고 나가지.

영서, 개의치 않고 나가버리는. 영인, 어쩔 수 없이 같이 자리 뜨는. 정년, 그런 영서 쪽을 보며 뭔가 마음이 불안해지는.

#20 매란국극단 마당. 낮

도앵, 옥경과 목검으로 칼싸움 연습을 하는데 소복, 잔뜩 화가 나서 빠르게 지나가는. 옥경과 도앵, 어리둥절해서 서로를 보는.

#21 매란국극단 춤 연습실 안. 낮

정년, 영서, 주란 포함한 연구생들, 군무 연습하는데 문이 벌컥 열리고 소복이 들어온다. 연구생들, 어리둥절해서 소복을 보고 소복, 정년 쪽으로 거침없이 다가가는. 정년, 영문 모른 채 소복을 보고.

소복 윤정년, 밖에서 노래를 부르고 돈을 번단 말이 사실이냐?

정년 (들켰구나, 가슴이 철렁 내려앉아서 소복 보는)

주란, 하얗게 질려 소복을 보고 영서, 무표정한 얼굴로 정년 쪽을 보는.

소복 사실이야, 아니야.

정년 (떨리는 목소리로) 단장님, 실은요,

소복 감히 매란국극단 연구생이 노래를 팔아? 매란국극단 이름에 흙탕물을 끼얹어도 정도가 있지!

정년 (아무 말 못 하는)

소복 예인의 자존심도 없는 놈! 당장 나가!

정년, 깜짝 놀라 소복을 보는. 연구생들, 놀라고 무서워서 아무 소리도 못 하고 정년 쪽만 보고 있는. 주란, 덜덜 떤다. 영서만이 표정 변화 없이 침착한. 소복, 그대로 연습실을 나가버리고 정년, 멍하니 서 있는.

#22 매란국극단 춤 연습실 앞&안. 낮

소복, 연습실 나오면 그 앞에서 다 듣고 있었던 옥경과 도앵, 굳은 표정으로 소복을 보는.

옥경 단장님, (뭔가 말하려는)

그때 정년, 소복을 쫓아 나온다. 정년, 소복 앞에서 무릎을 꿇는.

정년 단장님, 잘못했어라. 지가 용돈이 부족해서 짧은 생각에 잠깐 눈이 뒤집혀갖고 그랬습니다.

소복 일어나. 무릎만 꿇으면 세상만사가 다 해결되는 줄 알아?

정년 자세하게 말씀드릴 순 없지만 다방에서 일하게 된 건 피치 못할 사정이 있었구만이라. 잠깐 서빙만 하고 그만둘라고 했는디 일이 꼬이다 봉께 어쩌다 노래까지 부르게 됐어라. 절대 첨부터 돈 벌라고 노래를 부른 것이 아니란 말이어라!

소복 그럼 그 피치 못할 사정이 뭔지 말해봐라.

정년 (말문 막히는) 그건,

정년, 주란과 눈이 마주치는. 주란, 덜덜 떨며 정년을 보는.

정년 (기운 없는) 그건 말씀드릴 수가 없는디요…….

소복 (더 말할 거 없다는 듯이 가려고 하면)

정년 (매달리며) 단장님, 지가 뭘 하면 용서해주시겄어요? 뭐든 할 테니까,

소복 (잠시 차갑게 정년을 보다가) 난 처음에 분명히 얘기했었다. 연습에 성실히 임할 것, 매란국극단 이름을 팔아 돈 벌지 말 것. 넌 기본부터 안 된 놈이다. 배우로서도, 예인으로서도 가능성이 없다는 뜻이야.

정년 …….

소복 (배신감과 실망감에 눈빛 흔들리는) 날 실망시키는 일 만들지 말라고 했었지. 너한테 기회는 두 번 다시 주어지지 않을 거라고 말했었는데 기어이 사고를 치는구나.

정년, 고개를 떨군다. 주란, 하얗게 질려 정년 보는. 영서, 냉정하게 그런 주란과 정년을 번갈아 보는. 소복, 자리를 뜨고 정년, 멍하니 그 자리에 남겨진. 옥경, 그런 정년을 안타깝게 보다가 소복 쪽으로 따라가는. 연구생들, 웅성거리기 시작하고 주란, 울 것 같은 표정으로 정년을 본다. 정년, 사태를 지켜보던 영서와 눈이 마주친다. 둘의 시선이 한순간 강하게 부딪치는. 영서, 외면하고 연습실로 도로 들어가버리고 정년, 그렇게 얼어붙은 듯 서 있는.

#23 매란국극단 숙소 정년 방 안. 낮

정년, 기운 없이 짐 정리를 한다. 주란, 죄책감과 미안함에 어쩔 줄 몰라 하며 정년을 울면서 보는. 문간에서 수군거리며 정년을 훔쳐보는 연구생들. 정년, 문득 짐 정리 하던 손을 멈춘다. 이대로 쫓겨날 수 없다, 정년 눈빛이 한순간 날카로워진다. 정년, 구경하는 연구생들 헤치고 방을 뛰쳐나간다.

주란 [소리] 정년아!

#24 매란국극단 단장실 안. 낮

소복, 서류를 보고 있는데 밖이 소란스러워진다. 소복, 의아하게 문 쪽을 보는데 문이 벌컥 열린다. 막으려는 도앵을 뚫고 기어이 문을 열고 들어오는 정년. 소복, 냉랭하게 정년을 본다. 정년, 그 자리에 무릎 꿇고 앉는다.

소복 (동정 한 조각 보이지 않는

차가운 시선)

정년　(절박하게, 떨리는 목소리로) 무르팍 꿇어갖고 빈다고 용서받을 일 아니란 걸 저도 아는디요, 하지만 이대로 나갈 수가 없어갖고 결례를 무릅쓰고 다시 한번 빌러 왔습니다.

소복　…….

정년　(간절한) 전 여기 말고 갈 곳이 없응께요. 아시잖어요. (처절한) 엄니 가슴에 대못 쳐감서 국극을 하겄다고 남았는디 이라고 끝날 수 없단 말이어라!

소복　넌 어차피 유예기간 동안 스스로의 자격을 증명해 보여야 하는 반쪽짜리 연구생이었다. 그리고 오늘로 유예기간은 끝났어.

사형선고 같은 그 말에 정년, 가슴 무너지는. 정년, 입술이 덜덜 떨려온다.

정년　(간신히) 연구생이 아니라 허드렛일을 하는 인부로라도 있을 테니께 매란에 붙어 있게만 해주세요, 네?

소복　말로 해서는 안 되겠구나. (도앵 향해) 당장 윤정년 끌어내라고 해!

#25 매란국극단 대문 앞. 낮

인부 둘 손에 끌려 나오는 정년. 정년, 순순히 끌려 나오지 않으려고 버티며 발버둥 치지만 기어이 바닥에 내동댕이쳐지는. 따라서 달려 나온 주란, "정년아!" 어쩔 줄 몰라 하며 정년을 일으켜준다. 정년, 다시 일어나서 대문 쪽으로 달려가지만 인부 둘, 정년을 막아버리는. 정년, 막혀서 꼼짝도 못 하는. 주란, 인부들한테 들여보내 달라고 사정하며 울고불고하고 정년, 몸부림치며 실랑이 벌이는데 도앵, 정년 짐을 들고 나오는. 도앵, 정년 앞에 짐을 던진다. 정년, 심장이 뚝 떨어지는.

도앵　단장님께서 예외를 두고 널 받아준 건 네가 두 배, 세 배 더 조심해야 한다는 뜻이었어. 근데 반대로 넌 규율을 어겼다. 최소한 네 행동에 책임을 져. 그게 사람의 도리야.

정년　(도앵을 망연자실해서 보는)

도앵, 들어간다. 정년 앞에서 닫히는 문. 정년, 절망감으로 그 자리에 뿌리박힌 듯 서 있는. 정년 뺨 위로 눈물이 흐른다.

주란　(억장이 무너져서 우는) 정년아, 미안해.

정년　(애써 슥슥 눈물 닦고) 됐어, 너까지 안 들켜서 다행이여.

주란　괜히 나 때문에…….

정년　됐당께. 너는 하지 마라고 했는디 내가 고집부려서 한 거잖어. (주란 눈물 닦아주며) 왜 자꾸 울어쌓냐, 나까지 울고 싶어지게.

주란　(미칠 것 같은) 차라리, 차라리 내가 단장님께,

정년　너 행여라도 단장님께 너 거기서 일했다고 얘기할 생각 말어. 그럴 거 같았으면 내가 진작 말씀드렸어. 거기다 노래를 부른 것은 나여.

주란　(가슴이 미어져서) 너 갈 데도 없잖아.

정년　(안심시켜주려고 애써 웃어 보이는) 불러주는 디는 없어도 갈 데는 많어야. 기달려, 뭔 수를 써서든 다시 매란에 돌아올 방법을 찾을란께.

정년, 짐을 주워 들고 자리 뜨는. 주란, 눈물 흘리면서 그런 정년 뒷모습을 보는.

#26 길거리. 낮

정년, 터덜터덜 걷는데 빵빵 클랙슨 소리 들리는. 정년, 놀라서 돌아보면 옥경이 운전하는 차가 정년의 옆에 와서 선다.

#27 옥경 집 대문 앞. 낮

차에서 내리는 정년과 옥경. 옥경, 앞장서는데 선뜻 따라가지 못하는 정년. 옥경, 정년을 의아하게 보는.

정년 이라고 신세를 끼치면 안 되는디…….
옥경 내가 널 이 국극단에 끌어들였잖아. 당연히 이 정도는 해줘야지.

옥경, 어서 들어가라고 눈짓한다. 정년, 망설이다 대문 안으로 들어가는.

#28 옥경 집 식사 공간. 낮

옥경, 혜랑, 정년이 같이 밥을 먹는다. 어색한 침묵이 가득한.

옥경 단장님 화 좀 가라앉으시면 내가 다시 말씀드려볼게. 근데 다방에서 일은 왜 했던 거야?
정년 (선뜻 말 못 하고 망설이는데)
혜랑 사정이 뭐든 거기서 노래 부른 건 사실인데 단장님이 용서해주시겠어? 다른 건 다 참으셔도 매란국극단 이름 팔고 다니는 건 용납 못 하시는 분이야.
정년 (고개 떨구는)
옥경 정 안되면 내가 다른 국극단 연결시켜줄게. 매란국극단 아니라도 서울에 다른 국극단들 많아.
정년 ……아니요. (눈빛 단호한) 저 무슨 일이 있어도 매란국극단에 다시 들어갈라요. 이렇게 암것도 증명 못 한 채로 끝날 수는 없어라.

혜랑 무슨 수로? 그리고 너 무슨 돈이 있어서 서울에서 버티려고?

정년 (당황해서) 그건,

옥경 됐어, 방법 생각날 때까지 우리 집에 얼마든지 있어도 돼. (시계 보고) 나 잠깐 나갔다 올 테니까 편히 쉬고 있어.

옥경, 자리 떠서 식당 나가는. 정년, 자신의 처지에 심란해지는 표정. 혜랑, 그런 정년을 흘끔 보다가,

혜랑 너, 이 집에 언제까지 있을 생각이니?

정년 예?

혜랑 너도 눈치란 게 있으면 생각해봐. 매란국극단에서 쫓겨난 네가 이 집에 있다는 게 단장님 귀에 들어가면 옥경이 입장이 얼마나 난처해지겠니? 너 설마 옥경이가 맘 편히 있으랜다고 계속 눌러앉을 생각은 아니지?

정년 (위축되는) 그럼요. 폐 끼치는 일 없도록 하겠구만이라.

#29 매란국극단 단장실 안. 낮

소복에게 사정하는 옥경.

옥경 단장님.

소복 윤정년 용서해주란 얘기면 꺼내지도 마. 갠 규칙을 어겼어.

옥경 정년이가 돈 욕심에 국극단 이름 팔고 다닐 애는 아니잖아요. 우선 왜 그랬는지 이유부터 들어보시고,

소복 이유가 뭐건! 내가 왜 밖에서 노래를 부르지 말라고 했는데! 국극하는 우릴 업수이 여기는 놈들이 아직도 수두룩해! 그러니 노류장화처럼 아무 데서나 노래 팔고 다녀서는 안 된다는 말이야!

스스로 격을 지키고 보호할 줄 알아야지!

옥경 저렇게 재능 있는 애를 다른 곳에서 가만둘 거라고 생각하세요? 정년이 이대로 내쫓으면 다른 국극단에 뺏길지도 몰라요.

소복 재능보다 중요한 건 예인으로서의 마음가짐이야! 이번에 봐주면 너도나도 밖에 나가서 국극단 이름을 팔아 돈을 벌겠지. 그럼 우리 국극단 위신은 바닥으로 떨어질 거고, 그 꼴은 못 본다.

가차 없는 소복을 보며 암담해지는 옥경.

#30 옥경 집 거실. 낮

혜랑, 잡지책을 보면서 차를 마시는데 외출에서 돌아와 거실로 들어오는 옥경. 옥경, 주위를 둘러보는데 정년 보이지 않는.

옥경 정년이 방에 있어?

혜랑 윤정년 갔어.

옥경 뭐?

혜랑 자기가 알아서 하겠대.

옥경 (좀 화나서) 그냥 보내면 어떡해? 붙잡지 좀.

혜랑 걔 성격이 남의 말 듣는 애니?

옥경 (속상한)

#31 길거리. 저녁

해가 지기 시작해서 어두워지는 거리를 이리저리 헤매고 다니는 정년. 심란하다. 길가 쇼윈도에 비친 자신의 모습을 본 순간 정년, 울컥 눈물이 나온다.

정년 (혼잣말로) 인자 어디로 가야 하는 거여. 서울 바닥에 아는 사람도 없는디.

슥슥 눈물을 닦은 정년, 길가 가판대에서 파는 찐빵을 본다.

정년, 꼬르륵거리는 배를 보는. 서러웠던 것도 잠시, 허기에 찐빵을 넋 놓고 보다가 돈이 든 봉투를 꺼낸다. 찐빵을 몇 개 사서 의자에 앉곤 맛있게 먹는 정년. 찐빵 먹다가 교복 입은 여학생들이 웃고 떠들며 찐빵 사 먹는 것을 보는.

[플래시백 - 3부 #46]
주란과 찐빵 먹고 영서 통명스럽게 눈치 주던 행복한 한때.

정년, 그때 생각에 눈물 나는. 정년 옆에 서서 찐빵을 먹는 젊은 남자, 정년 주머니 속의 삐져나온 봉투를 흘깃거린다. 정년, 눈물 훔치느라 정신없어서 모르는.

[시간 경과]

찐빵을 다 먹은 정년, 봉투를 꺼내려고 하는데 없다. 정년, 당황해서 양쪽 주머니를 이리저리 뒤지지만 봉투는 온데간데없는. 주인, 냉랭하니 정년을 보는.

정년 (당황해서) 어? 분명히 있었는디?
주인 돈도 없이 찐빵을 그렇게 많이 먹은 거야? 이거 완전히 작정한 사기꾼이네?
정년 아니, 그것이 아니고, 분명히 돈이 있었는디,
주인 (손사래 치는) 여기서 이럴 거 없이 지서 가서 얘기하자!
정년 (난감한)

#32 경찰 지서 안. 밤

경찰 앞에 앉은 정년과 주인.

정년 (답답한) 아니요, 지가 내기 싫어서 안 내는 게 아니라요, 지도 거기서 누가 날치기를 해 갔는지 돈이 없어졌단께요. (빈 주머니 보여주며) 보세요, 한 푼도 없당께요.

주인 돈이 없어졌는지 애초에 돈도 없으면서 먹었는지 알 게 뭐야!

정년 (버럭) 아니, 누굴 사기꾼 취급하요?

경찰 (들고 있던 서류철로 책상 탕탕 내려치고 눈 부라리며 윽박지르는) 이 쪼끄만 놈의 새끼가 지금 감히 어디서 소리를 버럭버럭 질러. 죄를 지었으면 싹싹 빌어도 모자랄 판에.

정년 (움찔) 아니, 앞뒤 사정 들어보도 않고 몰아붙잉께,

경찰 시끄럽고, 당장 찐빵값 변통해 와.

정년 서울에 연락할 만한 사람이 없는디……

경찰 떼어먹은 돈 변상 안 하면 넌 콩밥 먹어야지, 별수 없어.

정년 (화들짝) 콩, 콩밥이요? (갑갑해지는) 저…… 저, 그럼 전화 한 통만 쓰게 해주실랍니까?

#33 매란국극단 단장실 안. 밤

단장실 전화기가 울리지만 아무도 없는.

#34 경찰 지서 안. 밤

아무도 전화를 받지 않자 점점 더 초조해지는 정년. 옆에서 찐빵집 주인은 팔짱 낀 채 정년을 노려보고 경찰, 날카롭게 정년을 보다가 혀, 혀를 찬다. 정년, 암담해지는.

경찰 시간 끌려고 전화 거는 척을 해? 너 같은 놈은 유치장 신세를 져야 정신을 차려. 일어나!

정년 (새파랗게 질리는)

#35 경찰 지서 유치장 안. 밤

초라하고 좁은 유치장 안. 걸인, 취객 등 남자들과 한곳에 갇힌 정년, 한구석에 불편하게 웅크리고 앉아 있다. 대자로 뻗어서 자고 있던 취객, 정년 쪽으로 팔을 뻗는. 정년, 움찔 놀라서 일어나는. 심란해 죽겠는 정년, 주머니에서 종국의 명함을 꺼낸다. 명함에 적힌 '박종국' 이름을 보고 고민에 빠지는.

정년 (고민하다가 밖을 향해) 저기요.

#36 매란국극단 일각. 밤

혜랑에게 이야기하는 도앵. 혜랑, 표정 굳어서 도앵 보는.

혜랑 뭐? 애들이 밖에서 돈을 버는 게 고 부장 때문이라니?

도앵 사업부 고 부장, 아무래도 극단 돈을 빼서 노름판을 드나드는 거 같아요.

혜랑 갑자기 그게 무슨 소리야?

도앵 정년이 말고도 이 국극단에 밖에서 돈을 버는 연구생들이 있어요. 그 애들이 연습 시간도 부족한데 밖에서 돈을 버는 건 연구생들한테 주는 용돈이 부족하기 때문이에요.

혜랑 (애써 모르는 척) 한창 멋 부리고 꾸밀 나이라서 그런 거 아냐?

도앵 아녜요, 걔네들 용돈 몇 주 치 모아봤자 겨우 커피 한 잔을 사 먹을 수 있을 정도예요.

혜랑 (어떻게 넘어가지, 머리 굴리면서 걱정하는 척) 그래? 그 정도인 줄은 몰랐네…….

도앵 아무래도 고 부장이 극단 돈을 몰래 빼돌리는 거 같은데 단장님도 아셔야 하지 않을까요?

혜랑 단장님은 돈 문제 신경 쓰기 싫어하셔. 사업부는 고 부장한테 일임하신 거 알잖아.

도앵 그래서 더 문제예요. 고 부장이 그 점을 악용해서 자기 맘대로 하는 거 같아요. 제가 단장님께 말씀을 드릴까 싶은데요.

혜랑 아냐, 안 그래도 정년이 때문에 화나 계신데 지금 돈 얘기 꺼냈다간 본전도 못 찾아. 내가 단장님 기분 봐서 적당한 때에 말씀드릴게.

#37 매란국극단 대문 앞. 밤

혜랑, 대문 나서는데 고 부장, 휘파람 불면서 대문 쪽으로 오는. 혜랑, 표정 굳는.

고 부장 이야, 우리 공주님.

혜랑 노름판 드나드는 거 적당히 해.

고 부장 뭐?

혜랑 이상하다고 눈치챈 애가 있어. 단장님 귀에 들어가기 전에 당분간 몸 좀 사리라고요.

고 부장 (고개 끄덕이는) 알았어.

혜랑 그리고 연구생 애들 용돈 좀 올려줘요.

고 부장 아니이, 먹여주고 재워주고 하면 됐지 뭘 더 얼마나?

혜랑 (날카로운 표정) 연구생 애들 입에서 자꾸 불만 나오면 사업부 장부 뒤져보잔 소리가 나올 텐데, 그래도 좋아?

고 부장 (어쩔 수 없는) ……알았어. (히죽 웃는) 혜랑이한테까지 불똥 안 튀게 내가 잘할 테니까 마음 놓아.

혜랑, 가볍게 한숨 쉬고 자리 뜨는. 고 부장, 실실 웃는.

#38 경찰 지서 앞. 새벽

경찰서에서 나오는 종국, 뒤따라 나오는 정년.

정년 (고개 숙이는) 이런 일로 연락드려서 죄송하구만이라. 찐빵값은 제가 조만간 꼭 갚을게요.

종국 찐빵값은 됐고, 앞으로 어쩔 작정이야? 국극단에서 쫓겨났으면 당장 오늘 밤 잘 곳도 없을 텐데.

정년 (망설이는)

종국 (눈치채는) 할 얘기 있으면 뭐든 해.

정년 ……저 키워주겠다는 그때 얘기 아직도 유효하신가요?

종국 (반가운) 그럼. 내 생각은 변함없어.

정년 (결심하고 종국을 보는) 그러시다면, 절 가수로 키워주실랍니까?

종국 (웃는) 듣던 중 반가운 이야기네. 어떻게 생각이 바뀌었어?

정년 당장 목포로 내려갈 거 아니면 서울에서 버틸 방법은 이거밖에 없어서요. (오기에 찬 눈빛) 이런 꼴로는 죽어도 못 내려가거든요.

종국 (재밌다는 듯) 그래, 좋은 생각이야. 성공하겠다고 서울로 올라왔으면 여기서 끝장을 봐야지.

정년 대신 조건이 있어요. 매란국극단 들먹여갖고 가수할 생각은 없소.

종국 (고개 끄덕이는) 좋아, 지금부터 넌 내가 발굴해서 키워낸, 혜성같이 나타난 신인 가수일 뿐이야.

정년 근디 판소리 말고 대중가요 부르는 방법은 잘 몰라서요.

종국 걱정 마. 그때 다방에서 부른 것처럼 마음껏 무대를 즐기기만 하면 돼. 그럼 내가 널 최고의 스타로 만들어줄게.

정년 예.

종국, 정년에게 손 내민다. 정년,

종국이 내민 손 잡는다. 악수하는 두 사람.

#39 방송국 스튜디오 안. 낮

정년, 종국과 스튜디오로 들어선다. 곳곳에 설치된 조명, 커다란 카메라, 바쁘게 오가는 사람들. 방송 준비하는 스튜디오 안을 신기하게 둘러보는 정년. 지나가던 스태프들, 종국에게 깍듯이 인사하고 종국, 인사받는다. 종국, 조연출이 가져다주는 큐시트 보고 잠시 뭐라고 지시하는. 정년, 신기하게 종국 보는. 조연출 자리 뜨고 종국, 정년을 보고 웃는.

종국　여기가 방송국 스튜디오야. 이 안에서 방송을 만들면 각 가정에 있는 텔레비존으로 송출이 되는 거야.

정년　그러면 지가 여기서 노래를 부르면 그게 고대로 나가게 되는 거여라?

종국　맞아. 아직은 녹화 장비나 기술이 부족해서 실시간으로만 방송하게 될 거야. 그러니까 너도 나중에 무대 서면 엔지 나더라도, 아니, 실수하더라도 그냥 계속 노래를 불러야 돼.

정년　근디…… 아직 라디오도 없는 집이 많은디, 텔레비존은 몇 집이나 갖고 있을랑가요. 솔찬히 비쌀 것 같은디.

종국　아직 많지는 않지. 수상기 하나 값이면 쌀 몇십 가마를 살 수 있으니까.

정년　예? 아니, 그라면 방송을 한다 해도 볼 사람이 없겄네요.

종국　미래를 내다봐야지, 정년아. 머지않아 텔레비존의 시대가 올 거다. 방송을 보려고 거리가 텅 비는 날이 올 거고, 너도나도 방송에 나가고 싶어서 환장하는 날이 올 거야. 너는 미래의 주인공이 되는 거야.

정년 (얼떨떨한) 지가 뭘 하면 되는디요?
종국 네가 제일 잘하는 거. (무대를 가리키며) 저 무대에서 네 마음껏 노래를 부르면 돼. 국극을 하면 그 극장으로 오는 사람만 네 노래를 들을 수 있지만, 카메라 앞에 서면 전국에서 다 네 노래를 들을 수 있어. 넌 전국구 스타가 되는 거야.
정년 (얼떨떨해서 무대를 보고, 어쩐지 붕 뜨는 듯 표정 밝아지는) 전국구 스타…….

#40 방송국 종국 사무실 안. 낮

종국과 정년, 마주 앉아 있다.
정년, 계약서를 읽는.

정년 뭔 말인지 참나…… 뭔 놈의 한자가 이라고 많다요?
종국 (웃는) 출연 계약서야. 대충 네가 방송에 나와서 노래를 부르면 우리 방송국은 너한테 얼마를 지급하고, 그런 내용이야. 끝에 지장 찍어.

정년, 계약서 끝에 종국이 가리키는 대로 엄지손가락에 인주 묻혀서 꾹 찍는. 종국, 계약서 넘겨받는.

종국 텔레비죤에 나오려면 우선 머리끝부터 발끝까지 바꿔야 돼. 우선, 그 옷부터 새로 사 입자. 그리고 미용실 가서 머리도 요즘 유행하는 모양으로 바꾸고.
정년 그런 걸 다 할라면 돈이 겁나게 들어갈 텐데요이.
종국 우리는 네가 있던 국극단하고는 달라. 네 재능에 이 정도는 투자해야지. (곰곰이 생각하는) 그리고 그 사투리는,
정년 (무뚝뚝한) 설마 사투리 없애라고 그 말 하실라고라?
종국 아니야, 그 사투리는

그대로 놔둬도 돼. 오히려 그 날것의 사투리가 네 매력을 살릴 거야.

정년 (어리둥절한) 예?

종국 (씩 웃는) 무대 아래에서는 천부적인 재능 하나만 갖고 서울로 올라온 순박한 시골 처녀, 하지만 무대 위에서는 모두를 홀리는 당돌한 매력의 여가수, 그게 정년이 네 매력이야. 어때, 네 노래로 시청자들을 홀릴 수 있겠어?

정년 (자신만만하게) 예, 완전히 자신 있구마이라.

밝은 표정의 정년.

#41 패트리샤 김 자택 거실. 낮

정년, 호기심에 찬 표정으로 주변을 둘러보는. 벽에 걸린 패트리샤의 사진들을 보던 정년, 피아노 건반을 슬쩍 건드리는데 소리가 땅, 하고 크게 울리자 깜짝 놀라서 뚜껑을 덮는다. 패트리샤, 종국과 거실로 들어오는.

종국 인사드려. 앞으로 널 가르쳐주실 패트리샤 김 선생님이셔.

정년 안녕하세요, 윤정년이라고 하는디요. 앞으로 잘 부탁드리겄습니다.

패트리샤 (정년을 빤히 보는) 누군가 했더니…… 너 파스텔 다방에서 노래 부르던 애지.

정년 예? 예.

패트리샤 (종국 흘끔 보고 웃는) 어쩐지…… 박 피디가 그때부터 관심 많더라니.

종국 (웃는) 제가 다른 건 몰라도 될성부른 떡잎 알아보는 눈은 정확하지 않습니까. 저는 빠질 테니까 잘 부탁드리겠습니다. (정년 향해) 앞으로 데뷔할 때까지 선생님 댁에서 지내면 돼. 어려운 일 있으면 바로 나한테 연락하고.

정년 예.

종국, 나간다. 패트리샤, 초라하고 볼품없는 옷차림의 정년을 평가하듯 훑어보다가 인상 쓰는. 정년, 절로 긴장하는.

정년 뭣이…… 잘못됐소?

패트리샤 아냐, 우선 레슨부터 하자. 어디, 목도 풀 겸 한 곡 불러보자구.

패트리샤 김의 피아노 반주에 맞춰 목포의 눈물을 부르는 정년. 고개 끄덕이며 정년의 노래를 중간에 끊는 패트리샤.

패트리샤 스돕스돕. 오케이, 알겠어. 미스 윤은 음색이 매력이야. 아직 좀 다듬어야 할 부분이 있고, 무대 매너나 표정 연기, 이런 것도 배워야 하겠지만 그건 나중에 하기로 하고, 이거부터 봐. (악보를 정년에게 건네는)

정년 (어리둥절해서 제목을 보는) 목포의 청춘? 처음 듣는 노랜디요.

패트리샤 당연하지. 아직 세상에 나온 적이 없는 노래니까. 박 피디가 미스 윤을 위해서 유명한 작곡가 선생님한테서 받아 온 노래야.

정년 (놀라는) 절 위해서요?

패트리샤 악보 볼 줄은 아니?

정년 아니요…….

패트리샤 잘 들어. 딱 한 번만 불러줄 테니까 듣고 외워. (피아노 반주하며 부르는)

목포항 사뿐사뿐 사랑 찾는
항구의 처녀. 석양빛 붉은 뺨
사랑스러워 바다에 사네.

정년, 패트리샤 김의 낭랑한 노래를 감탄하면서 듣는.

패트리샤 *오늘은 언제 올까, 먼바다로 간 내 님아, 돌아오는*

뱃머리만 보아도 수줍은 이 내 마음 가눌 길 없어, 사뿐사뿐 숨는 걸음 항구의 처녀.

정년 (우와, 감탄하며 박수 치는) 아따 선생님, 참말로 명가수시네요.

패트리샤 (귀엽게 잘난 척하는) 당연하지, 왕년에는 서로 날 모시지 못해서 난리였는데. 자, 이제 한 소절씩 따라 불러. (피아노 반주하며) *목포항 사뿐사뿐 사랑 찾는 항구의 처녀.* (하다가 뚝 멈추고 한숨 쉬는, 그러고는 벌떡 일어나는)

정년 (놀라서 보는) 왜, 왜 그러시는디요?

패트리샤 안 되겠어. 내가 참고 해보려고 했는데 미스 윤 꼬라지가 너무 심란해서 내가 집중을 할 수가 없어. 레슨이고 뭐고, 우선 미스 윤 스타일부터 확 바꾸자.

#42 정년 변신 몽타주. 낮

– 정년, 양장점에서 옷을 맞춘다. 생전 처음 입어보는 투피스를 영 민망해하며 입고 나오는 정년. 패트리샤, 정년과 안 맞는 스타일이라고 고개를 내젓는. 패트리샤, 양장점 직원에게 뭐라고 상세하게 지시하는. 잠시 후 정년, 처음에 어색해하던 모습과 달리 각종 원피스, 투피스, 블라우스에 스커트를 점점 자신감 넘치게 입고 나오는. 패트리샤, 비로소 만족한 듯 고개 끄덕인다. 정년, 점점 더 신이 나서 전문 모델처럼 한 바퀴 빙 돌기까지 하는. 패트리샤, 웃으며 만족스러운 듯 박수 친다.

– 생전 처음 구두를 신어보는 정년, 높은 힐을 신고 기우뚱거리며 걷다 쓰러질 뻔하고 패트리샤, 깜짝 놀라서 얼른 정년을 잡아준다. 정년, 재밌어하며 웃음 터뜨리는.

– 미용실에 앉은 정년. 미용사의 머리 손질이 끝나고 세련되게 탈바꿈한다. 패트리샤, 거울 속의

정년을 보고 흐뭇해하는. 정년, 이게 자신의 모습인가 얼떨떨해서 거울을 보다 신기해하며 웃는.

#43 명동 시내. 낮

새 옷과 새 구두, 새로운 헤어스타일을 하고 완전히 세련되게 탈바꿈한 모습으로 거리에 나서는 정년. 정년과 패트리샤, 쇼핑한 물건들을 잔뜩 손에 들고 있다. 변신한 자신에게 만족해서 어깨 펴고 다소 도도하게 고개 쳐들고 의기양양 걸어가는 정년. 지나가던 남자들, 예쁘게 꾸민 정년을 한 번씩 돌아보는. 정년, 왠지 우쭐해지는.

#44 양식당 안. 밤

호화로운 양식당 안. 정장 차림의 잘 꾸미고 온 남녀들이 익숙한 듯 대화 나누며 식사한다. 제대로 식기와 포크와 나이프까지 갖춰놓은 식사 자리가 그저 낯설고 어색한 정년. 웨이터, 스프 두 그릇을 가져와서 각자 앞에 놓는. 정년, 배고팠던 차에 스프를 보자 눈이 번쩍 뜨이고 표정 밝아지는.

패트리샤 미스 윤도 이제 높은 사람들 만나서 식사할 자리가 있을 텐데 제대로 배워둬야지. (시범 보여주는) 왼손에는 포크, 오른손은 나이프야. 포크랑 나이프가 몇 개가 있든 맨 바깥쪽부터 안쪽 방향으로 쓰면 돼.

정년 (패트리샤 따라서 집어 들며 구시렁) 걍 하나로 통일해서 쓰제만…….

패트리샤 (씁, 하는) 너 식사 매너까지 완벽하게 배우기 전까진 데뷔 못 시켜.

정년 알겄어라…… (눈치 보는) 배고픈디 인자 먹어도 돼요?

패트리샤 (고개 끄덕이는)

정년 (수프를 떠먹는) 겁나

맛있네요이. 근디 설마 이 멀건 죽 쪼까 먹고 끝나는 거요?

패트리샤 죽이 아니라 스프. 따라 해봐, 스프.

정년 (어색하게 따라 하는) 스, 스프…… (구시렁) 영락없이 죽인디…….

패트리샤 (어이없고 귀여워서 웃음 나는)

[시간 경과]

스테이크 썰어 먹는 정년과 패트리샤. 정년, 서툴게 나이프 다루는.

정년 스테끼란 거 징하게 맛있네요. (맛있게 먹다가) 근디 선생님은 그라고 노래를 잘 부르시는디 왜 다시 가수로 복귀 안 하세요?

패트리샤 하고 싶어도 이혼녀 꼬리표를 달고 있으니 써주는 데가 있어야지.

정년 (화들짝 놀라는) 이혼이요……?

패트리샤 뭘 그렇게 놀래.

정년 아니…… 이혼이란 거 말만 들어봤제, 실제로 한 사람은 첨 봐요.

패트리샤 촌스럽게…… 뭐, 이혼녀는 머리에 뿔이라도 났을 줄 알았니? (한숨) 하긴…… 나도 내가 이혼을 하게 될 줄은 몰랐다. 남편이 딸뻘 되는 여자랑 바람날 줄도 몰랐고.

정년 바람이요? (별거 아니라는 듯) 아, 우리 동네 아짐들 말로는 남자들은 다 한두 번씩 바람 안 피우는 놈이 없다고, 당연히 참고 살아야 한다고 하던디요. 선생님도 좀 참지 그러셨소.

패트리샤 어떻게 참아, 다른 여자랑 내 남편을 나누고 사는 건데.

정년 아, 일도 안 풀리신담서요. 그때 좀 참을걸, 후회 안 되세요?

패트리샤 넌 국극단에서 쫓겨난 뒤로 서울로 올라온 거 후회되니?

정년 (멈칫해서) ……아니요.

패트리샤 왜, 결국 이렇게 국극도 못 하게 됐는데 애초에 올라오지 않았으면 이런 고생도 할 일 없었잖아.

정년 그래도…… 어쩔 수 없지요. 돌아가도 똑같은 선택을 할 거니까요.

패트리샤 나도 마찬가지야. 결과를 다 알고 돌아간대도 어쩔 수 없어. 난 나로 살 수밖에 없어. 나답지 않은 선택을 하면서 사는 건 나 스스로를 속이면서 사는 거니까.

정년 (가슴이 쿵 해서 패트리샤를 보는)

패트리샤 (지그시 정년 보다가) 나야 두 번 다시 가수로 사람들 앞에 못 설 수도 있지만…… 널 가수로 잘 키워내면 난 제2의 인생을 살 수 있는 거야. 우리 잘해보자.

정년 (웃는) 예.

#45 매란국극단 연습실 안. 낮

다른 아이들은 수다 떨면서 모여 있는데 혼자 맥없이 앉아 있는 주란. 초록과 복실과 연홍, 그런 주란 들으라는 듯이 떠드는. 영서, 셋한테서 좀 떨어져 앉아 교재를 보는.

복실 누구 없으니까 연습실 분위기가 너무 좋네.

초록 내가 언제 그 촌닭이 사고 한번 칠 줄 알았다. 돈이 필요하다고 노래를 팔다니, 역시 우리랑 격이 안 맞아.

주란 (둘을 쏘아보는) 박초록, 서복실, 너넨 둘 다 아버지가 부자라서 늘 집에서 용돈도 넉넉하게 받잖아. 돈에 쪼들려본 적도 없으면서 남 일에 대해서 함부로 말하지 마.

초록 아유, 무서워라. 네 얘기도 아닌데 왜 화를 내? 너도 다방에서 일해?

주란 (순간 굳어버리는)

연홍 어머, 진짠가 봐.

영서 (날카로운) 곧 수업 시작이야. 다들 조용히 해.

초록, 복실 (영서를 보면)

영서 이미 없는 애 험담을 뭐 하러 하는 거야. 그럴 시간 있으면 차라리 연습을 해. 월말 평가에서 너네 셋이 제일 점수 낮았던 건 알아?

초록, 복실, 연홍, 입 삐죽대며 멀리 가서 앉는.

주란 ……고마워.

영서 너한테 고맙단 소리 듣고 싶어서 한 거 아냐.

주란 ……그래도 고마워.

영서 …….

주란 (눈물 글썽이는) 도대체 단장님께서 어쩌다 정년이가 다방에서 일한 걸 아시게 된 건지 모르겠어. 누가 말한 거야, 진짜.

영서, 무표정한 얼굴로 교재만 보는.

#46 패트리샤 김 자택 거실. 낮

패트리샤 반주에 맞춰 노래를 부르는 정년. 능숙하게 율동을 하며 부르는. 이마를 찌푸리며 듣더니 정년의 노래를 중간에 끊어버리는 패트리샤.

패트리샤 스돕스돕.

정년 (긴장해서 보면)

패트리샤 방금 네가 부른 노래, 스스로 점수를 준다면 몇 점 줄래?

정년 (자신만만하게) 그야 당연히, (하다가 피식 웃는) 빵점이요.

패트리샤 왜?

정년 악보 그대로 음정, 박자 맞춰서 부를 수는 있는디 아직 지 노래라고 안 느껴진당께요. 부른 사람이 아무 감흥이 없는디 듣는 사람은 뭣이 느껴지겄나 싶어갖고요.

패트리샤 스스로 잘 알고 있네. 너 다방서 노래 부를 때는 가슴에 사무치게 노래 부르더니 지금은 그런 게 안 느껴져.

정년 …….

패트리샤 지금 미스 윤은 기본기는 다 됐어. 근데 가요, 유행가라는 건 말이야, 단순히 노래 잘 부른다고 끝나는 게 아니야. 듣는 사람의 귀를 현혹시키고 발끝까지 짜릿짜릿하게 만들 수 있어야 돼.

정년 그런 걸 어떻게 하는디요?

패트리샤 너만의 색깔을 입혀야지. 윤정년, 하면 아, 목포의 청춘! 하고 연상될 정도로. 명심해, 네 노래 첫 소절만 듣고도 사람들을 텔레비존 앞으로 끌어모을 수 있어야 돼.

정년 네.

그때 띵동, 초인종 소리 들린다.

#47 패트리샤 김 자택 대문 앞. 낮

주란, 대문 앞을 서성이며 안쪽을 들여다보는. 대문이 열리고 패트리샤가 나온다.

패트리샤 누구니?

주란 (얼어서) 저…… 혹시 여기 윤정년이라고……

정년 (대문 쪽으로 나오다가 주란을 보고 환해져서) 주란아!

주란, 정년을 보자마자 뿌엥, 어린애처럼 울어버리는. 정년, 그런 주란을 웃으며 언니처럼 안아주는. 패트리샤, 어리둥절해서 보다가 피식 웃는.

#48 패트리샤 김 자택 정년 방 안. 낮

주란, 주위 둘러보다가 화장대 위에서 자신이 준 브로치를 발견하는. 주란, 울컥하며 정년이 짠해지는. 브로치를 매만지다가 인기척이 들리자 얼른 내려놓는다. 정년, 차를 갖고 들어오는.

정년　(주란 보며 웃는) 잘 지내고 있제?

주란　너는? (한숨) 당연히 잘 못 지내고 있겠지. 이게 다 나 때문에, (또 울먹이는)

정년　아 스돕스돕, 인자부터 눈물 금지. 나 진짜 국극단 잊어불고 잘 지낸당께. 요새 이것저것 배우니라고 정신없이 바빠. 며칠 전에도 양식 먹는 법까지 배웠당께.

주란　(애써 태연한 척하는 정년을 짠해서 보는)

정년　국극단은 다들 오디숀 준비하니라고 정신없이 바쁘겄네?

주란　그렇지 뭐…….

정년　영서 고 가시나는 보나 마나 니마이로 오디숀 준비한다고 할 거 같은디, 맞제?

주란　신경 쓰이는 거 보니까 너도 아직 국극단에 미련 남은 거잖아.

정년　(질색하는) 아니라니까? 난 인자 가수로 성공할 건디? (약간의 허세를 섞어서 장담하듯) 앞으로는 텔레비죤이 세상을 지배할 거래. 난 별천지에서 성공할 거여.

주란　(기분 묘해지는) 그래?

정년　근디…… 너는 이번 오디숀 뭐 준비할 거여.

주란　나야 당연히 춧대지. 지금까지 정기공연에서 춧대 이상으로 뭘 맡아본 적이 없는데? 단장님이 시켜주시지도 않을 거고.

정년 뭔 소리대, 되는지 안 되는지는 부딪혀봐야 알제. 꿈을 높게 갖고 도전을 해야 실력이 손톱만치씩이라도 늘 것 아니여. 거기다 너, 혜랑 선배 같은 여역 되고 싶다고 했냐 안 했냐.

주란 그거야…… 근데 무대 서봤자 이제 봐줄 사람이 없잖아.

정년 음마? 없긴 왜 없어야. 너 무대 서면 내가 젤 먼저 티켓 구해갖고 보러 갈 건디.

주란 진짜?

정년 속고만 살았나…… 참말이제, 그럼.

주란, 해맑게 웃는 정년 보다가 심란해져서 눈물 참는.

#49 매란국극단 단장실 안. 낮

소복, 고 부장이 갖고 온 서류를 대충 넘기며 본다. 고 부장과 혜랑, 애써 태연한 척하지만 긴장해서 소복의 눈치를 살피는.

소복 생각보다 지난달에 들어간 돈이 많네요?

고 부장 아, 네, (너스레 떨면서 넉살 좋게) 아시잖습니까, 요즘 저도 예산 짤 때마다 죽을 맛입니다. 물가도 예전 같지 않게 많이 올랐고, 거기다 지방 순회공연도 생각보다 비용이 더 오바돼서요.

소복 (잠시 고민하듯 서류를 보는)

고 부장과 혜랑, 소복이 눈치 못 채게 재빨리 서로 시선을 교환한다.

혜랑 그나마 우리 국극단은 표가 늘 매진돼서 사정이 나은 거예요. 다른 국극단들은 표가 안 팔려서 난리래요.

고 부장 아이고, 말도 마십쇼. 다른 국극단 사업부장들 만나면 다들 우는소립니다. 우리 매란은 그나마 다행인 거죠. (소복 눈치 슬슬 살피며) 어떻게, 정 마음에 걸리시면 제가 장부를 가져오겠습니다. 예산 줄일 수 있는 부분이 있나 단장님께서 한번 살펴보시는 건,

소복 (귀찮은 듯) 됐습니다, 제가 장부 본다고 뭐 아나요. 어디에 사인하면 되죠?

고 부장 (그럴 줄 알았다, 씩 웃으며 얼른 서류 맨 끝장을 가리키는) 여기에 사인하시면 됩니다.

소복 (사인하면서) 돈 문제는 고 부장님만 믿고 있겠습니다.

고 부장 (웃으며) 아아, 그럼요! 우리 강소복 단장님은 그저 아무 염려 마시고 저한테 일임하시고, 공연에만 전념하시면 됩니다. 이런 비즈니스는 제 전문이니까요.

고 부장, 아주 희희낙락. 혜랑, 안심한 듯 슬쩍 미소 떠오르는.

#50 패트리샤 김 자택 거실. 밤

종국, 정년을 기다리는. 정년, 근사하게 옷 차려입고 2층 계단에서 내려오면 종국, 흡족한 듯 고개 끄덕인다.

#51 도로&종국 차 안. 밤

종국이 운전하는 차가 도로를 달린다. 종국, 조수석의 정년에게 티켓 건네는. 정년, 종국이 건넨 티켓을 보는. '소프라노 허영인 귀국 기념 독창회'라고 쓰여 있다. 정년, 종국을 보면.

종국 요새 아주 유명한 소프라노야. 너도 이제 문화생활 좀 해야지.

정년 허영인이라고 하면…… 혹시 소프라노 한기주 딸 허영인 말이어라?

종국 너도 알아?

정년 (심란한) 예, 그 집 둘째 딸을 쪼까 알아요.

종국 그 집에 딸이 또 있었나? 팔자 좋은 집안이야. 그 집 바깥양반인 허인성 선생은 대대로 만석꾼 집안 아들에다 지금은 의과대학 학장이고, 한기주 여사는 저기 종로에 가면 청암 병원이라고 큰 병원 있거든. 거기 병원장 외동딸이야. 둘 다 한평생 돈 걱정 없이 왕족처럼 고고하게 살았지. 이따 그 집 가보면 깜짝 놀랄 거다.

정년 (난처한) 그 집에도 가야 돼요?

종국 그럼. 오늘 진짜 목표는 그 집 가서 사람들 만나는 거야.

정년 (난감한) 워메…….

종국 아 참, 정년이 너 살던 동네가 목포 어디라고 했지?

정년 해안동인디요. 왜요?

종국 아, 너 방송 나올 때 쓸 자료 화면 좀 찍으려고. 풍경 몇 커트 나올 거야.

정년 (아무것도 눈치 못 채고 웃는) 우리 동네 경치가 기가 맥힌께 어디서나 찍어도 절경일 것이요.

종국 (흘끔 정년 보는)

#52 국제극장 앞. 밤

현수막에 '소프라노 허영인 독창회'라고 쓰여 있고, 각계각층에서 보낸 화환들이 즐비한. 상류층 귀부인들과 잘 차려입은 남자들이 끊임없이 극장 안으로 들어간다. 정년, 종국과 극장으로 들어가다 멈칫한다. 소복, 옥경, 혜랑과 마주친. 정년, 셋을 보자 굳었다가 이내 꾸벅 고개 숙이는. 소복, 흘끔 보고 그대로 들어가버리는. 옥경, 정년 향해 살짝 고개 끄덕이고 혜랑과 들어가는.

종국 아하…… 뭐는 외나무다리에서 만난다더니 매란국극단 총출동이구나. 당당하게 어깨 펴고 다녀라. 이제 넌 방송계의 샛별이 될 거니까.

정년 (애써 웃는) 당연하제라.

하지만 매란국극단 사람들을 다시 돌아보는 정년 표정, 쓸쓸하고 어두운.

#53 국제극장 공연장 안. 밤

티켓을 보며 자리를 찾던 정년, 멈칫한다. 공연장에 들어오던 영서와 눈이 마주치는. 영서, 예상치 못한 정년의 등장에 놀란 듯 잠시 멈춰 서는. 하지만 영서, 이내 기주가 있는 자기 자리 쪽으로 가버리고. 정년, 영서를 본다. 기주, 영서를 주위 귀부인들에게 인사시키는. 영서, 인사하고 자연스럽게 어울리는. 정년, 자기와 다른 세계에 사는 듯한 영서를 물끄러미 보는.

[시간 경과]

영인, 화려하게 차려입고 오페라 '하바네라'를 부르는. 정년과 종국, 매란국극단 사람들 모두 영인의 목소리에 매료돼서 노래 듣는. 영서, 영인을 보다가 옆에 앉아 있는 기주를 본다. 기주, 만족한 듯 만면에 미소를 띠고 영인을 지켜보고 있는. 영서, 그런 기주를 씁쓸하게 보다가 고개 돌리는. 영인의 노래가 끝나자 우레와 같은 박수가 터지는. 기주, 누구보다 열렬하게 박수를 친다. 눈가에 이슬까지 맺힌 기주. 영서, 같이 박수 치지만 표정 굳어 있는.

#54 영서 집 정원. 밤

애프터파티 중인 정원. 잘 차려입은 사람들이 서로 담소 나누며 파티를 즐기는. 한쪽에서는 연주자들이 은은하게 클래식 음악을 연주하고 있다. 인성과 기주, 손님들을 맞아들이며 인사하는.

종국 (사람들이 모인 곳으로 정년 데리고 가서) 김 국장님. 이 친구가 제가 말씀드린 윤정년입니다.

정년 (꾸벅 인사하는) 안녕하세요.

김 국장 아아, 그래, 정년 양, 이야기 많이 들었어요. 우리 박 피디가 기대를 많이 하고 있던데, 잘 부탁해요. (손 내미는)

정년 (얼떨결에 악수하며 고개 숙이는)

종국 여긴 월간 파라다이스 손재덕 기자님.

정년 (꾸벅 고개 숙이는) 안녕하세요.

손 기자 아, 이 친구가 박 피디가 말한 야심작이야? 생각했던 것보다 훨씬 어리네.

종국 텔레비죤은 무조건 시각이 중요합니다. 어리고 예쁜 친구들을 내세워야죠. 앞으로 좋은 기사 많이 부탁드리겠습니다.

화기애애한 분위기. 하지만 낯선 사람들 속에 어려운 정년, 곤혹스럽지만 애써 웃으려고 하며 그 사이에 서 있는. 그 모습을 지켜보고 있는 소복, 옥경, 혜랑.

혜랑 정년이 옆에 있는 사람, 방송국 피디라고 하더라고요. 정년이가 노래 부르는 모습을 내보내려고 하나 봐요.

소복 밖에서 맘대로 노래 부르라고 했더니, 정말 활개 치고 다니는구나.

소복, 싸늘하게 외면하고 자리 뜨는. 옥경, 무표정하게 정년을 지켜보는.

[시간 경과]

정년, 음식을 잔뜩 쌓아 올린 접시를 갖고 앉을 자리를 찾지만 비어 있는 자리가 보이지 않는.

옥경　정년아!

정년, 옥경 쪽을 보면 한 테이블에 옥경과 영서가 앉아 있고 의자가 하나 비어 있다. 정년, 잠시 망설이다가 가서 앉는. 영서, 정년 쪽 보지 않고 와인만 마시는.

옥경　우리 정년이 아주 몰라보겠네. 잡지에 나오는 모델이 따로 없는데?

정년　(쑥스러워서 웃는)

옥경　그때 왜 말도 안 하고 갔어.

정년　(얼버무리는 웃음) 벼룩도 낯짝이 있제, 어떻게 폐를 더 끼치겄소.

옥경　가수 준비는 잘돼가?

정년　그럼요. 태어나서 첨으로 좋은 옷이랑 구두도 걸쳐보고 유명한 선생님한티서 노래 교습도 받고 재밌던디요.

영서　(비웃듯 작게 흥, 코웃음 치는)

정년　(찌릿 영서를 째려보며 입 모양으로 '뭐' 하는)

옥경　국극에서는 마음 뜬 거야? 난 네가 너무 멀리 가지 않았으면 좋겠는데.

정년　(움찔해서 옥경을 보는)

옥경　넌 타고난 무대 체질이니까 물론 가수도 잘해내겠지. 하지만 난 소리할 때의 네가 제일 좋았어.

정년　(가슴 쿵 해서 옥경을 보는, 뭐라 할 말을 못 찾는)

옥경　(가만히 정년을 보는)

혜랑　(다른 사람과 애기하다가

그런 옥경을 보고 굳어서) 옥경아!

옥경 잠깐만. (혜랑 있는 쪽으로 가는)

옥경이 떠나자 정년과 영서만 남은 테이블, 잠깐 어색한 침묵이 흐르는. 영서, 여전히 정년에게 눈길 주지 않은 채 와인만 마시는. 정년, 막 먹으려고 하는데.

영서 너 데리고 온 사람, 너를 아주 최상품으로 만들려고 하나 봐?

정년 (영서 보는) 최상품? 그럼 내가 물건이란 말이여?

영서 몰랐어? 좋은 옷, 좋은 구두 사주고, 선생님 붙여서 노래 훈련시키고 하는 거, 다 텔레비죤에 내보낼 좋은 상품을 만들려고 하는 거야.

정년 (투덜대는) 하여간 그놈의 말뽄새는 예나 지금이나.

정년 먹는데 영서, 그런 정년을 물끄러미 보다가,

영서 너 혹시 내가, (외면하는) ……아니야.

정년 (잠시 영서 보다가 다시 먹기 시작하는) 네가 말 안 한 거 알아.

영서 (멈칫해서 정년 보면) 뭐?

정년 나 다방서 일한 거 말이여. 네가 안 일렀다는 거 알고 있다고.

영서 (혼란스러워서 보는) 날 믿는다는 거야?

정년 믿는 게 아니라 네 됨됨이를 알아. 네가 말을 싹수없이 해서 그라제, 남의 비밀 뽀르르 달려가서 이르는 위인은 아닌께로. 그 정도는 알고 있다니까.

정년, 맛있게 먹고 영서, 의외의 말에 혼란스러워서 정년 보는.

#55 영서 집 응접실. 밤

응접실 안도 손님들로 북적인다. 인성과 기주, 영인과 영서를 잘 차려입은 중년 부부에게 인사시키는.

인성 여긴 다 아시겠지만 우리 큰딸, 영인이, 그리고 이 애는 작은딸, 영서입니다. (딸들 향해) 인사드려, 정일손 의원님 부부시다.

영인, 영서 (꾸벅 인사하는) 안녕하세요.

일손 아, 영인 씨, 노래 아주 잘 들었어요. 이제 영인 씨는 우리나라뿐 아니라 아시아를 대표할 성악가가 될 거야.

영인 (웃으며) 과찬의 말씀이십니다.

일손 처 (영서 보며) 작은 따님도 성악을 배우나요?

영서 전 국극을 배우고 있습니다.

일손 처 (어리둥절한) 국극? (무시하는 투로) 아, 그 판소리하고 춤추고 정신 사나운 음악극 말이에요?

영서 (표정 굳는)

기주 (살짝 표정 굳었다 이내 상냥하게 웃으며) 어머, 사모님께선 역시 문화 전반에 모르는 게 없으시네요.

영서 (화나는 것 누르고 차분하게) 춤, 노래, 연기가 들어간 종합예술이에요. 사모님도 한번 직접 보시면 좋아하시게 될 겁니다.

일손 처 (시큰둥한) 뭐, 우리 예술도 잘 살리면 좋죠.

일손 그래, 이 댁 따님이면 역시 비범한 재능을 가졌을 텐데 주연을 맡고 있겠군요?

기주 (얼른) 그야 당연하죠, 의원님.

영서 아직 주연은 연구생 공연에서만 해봤고, 지금 정기공연에서도 주연을 따내려고 노력하는 중입니다.

기주 (싸늘하게 표정

식어내리는)

영인 (웃음이 터지려는 걸 꾹 참는)

일손 아아, 그래요. 고생이 많겠어요. (인성과 기주 향해) 따님들이 출중하셔서 열 아들 부럽지 않으시겠습니다.

기주, 속이 부글부글 끓어오르는 거 참고 애써 웃어 보이는. 영서, 엄마의 기색을 눈치채는.

#56 영서 집 정원 일각. 밤

정년, 하이힐에 익숙하지 않아 발이 아픈. 인상을 찌푸리고 아무 데나 걸터앉아 구두를 벗는다. 발을 주무르는 정년, 주변을 둘러보는.

정년 아따, 부잣집은 부잣집이네. 뭔 놈의 마당이 뭔 운동장처럼 크대.

기주 [소리] 너 제정신이야? 거기서 아직 주연도 못 맡고 있단 얘기는 왜 해!

정년 (놀라서 소리 난 쪽을 보는)

나무에 가려져서 잘 보이지 않는. 정년, 고개 빼고 보면 기주와 영서가 다투는 것이 보이는.

영서 사실이잖아요.

기주 (답답한) 맡을 거잖아. 너 오디숀 봐서 주연 맡을 거라면서!

영서 아직은 아니에요.

기주 안 그래도 국극 같은 거 하고 있다고 표정이 싹 달라지는 게 보였는데, 거기다 대고 주연도 못 맡고 있다고 말을 해버렸으니…… 이 망신을 어떡할 거야.

영서 (표정 굳는) 국극 같은 거……요? 어머닌 제가 창피하세요?

기주 말꼬리 돌리지 마. 지금 잘못한 건 너야.

영서 (허탈한 쓴웃음) 어렴풋이 짐작은 하고 있었는데…… 어머닌 제가 국극을 하고 있다는 것부터가 창피하신 거네요. (원망스러운) 국극은 오페라가 아니라 그러세요?

기주 사람 매도하지 마라. 이게 나 혼자만의 생각이니? 세상 사람들 전부 다 직업에 귀천이 있다고 생각해. 예술에도 급이 있는 거야.

영서 (눈물 날 것 같은, 그러다 울컥해서) 세상 사람들 전부 다 그래도 상관없어요! 어머니만 절 자랑스럽게 생각해주시면, (자기도 모르게 목이 메어 잠시 가다듬고 간절하게) 하나뿐인 제 엄마잖아요. 그냥 제 편이 돼주시면 안 돼요?

기주 (싸늘한) 집 뛰쳐나가서 국극단 들어갔을 때 절연하지 않은 건 그나마 네가 내 딸이라서였어. 거기다 아직까지 니마이를 못 맡는 것도 기다려주고 있어. 이제 네가 내 체면을 세워줄 차례 아니니?

영서, 할 말 잃어버리는. 기주, 자리 뜨는. 영서, 멍히 그 자리에 서 있는. 정년, 안타깝기도 하고 화도 나고 복잡미묘한 기분으로 영서를 보면서도 절대 들키면 안 된다는 생각에 숨죽이고 가만있는. 영서, 마음을 추스르려는 듯 심호흡을 하고 정년, 발이 저려 죽겠어서 오만상을 찌푸리는. 정년, 발을 살짝 뻗다가 나뭇가지를 밟아버린다. 유난히 크게 울리는 소리. 순간 일 났음을 직감한 정년, 그대로 굳어버리고 그런 정년 시야 안으로 걸어 들어오는 영서의 구둣발. 정년, 간신히 용기 내서 고개 들어보면 영서, 흡사 저승사자처럼 서 있는. 정년, 어색하게 일어서는. 이 순간을 그저 빨리 모면하고 싶은 정년. 가장 들키고 싶지 않은 모습을 들키고 싶지 않은 상대에게 들켜버린 영서, 분노와 모멸감, 수치심에 속이 확 뒤집히고 독이 오르는.

영서 (죽일 듯이 쏘아보는) 너 다 들은 거야?
정년 (당황하는) 일부러 들을라고 했던 게 아니라 큰 소리가 나서 우연히,
영서 (코웃음) 우연히? (이성 잃고 부들부들 떠는) 아까는 내가 고자질 안 했다는 거 아니 어쩌니, 사람 환심 사더니 이런 식으로 바로 뒤통수를 쳐? 남의 말 엿듣는 못된 버르장머리까지 있는 줄은 몰랐네?
정년 뭐? (욱해서) 야, (꾹 참는) 아니, 됐다, (애써 누르고) 그래, 고의는 아니었지만 내가 잘못했다. 미안하다.

정년, 자리 뜨고 영서, 더 약이 올라 어쩔 줄 모르는. 영서, 정년 쫓아가서 팔 잡아채서 못 가게 막는.

영서 어디 가! 사람 속 뒤집어놓고 도망가면 다야?!
정년 (손 뿌리치는) 너 지금 나한테 화나는 거 아니잖어, 네 엄니한테 화나는 거잖어! 왜 네 엄니한티 무시당해놓고 엉뚱하게 나한테 화풀이여!

제대로 아픈 데 찔린 영서, 발끈해서 정년 뺨 후려치는. 꾹꾹 참던 정년, 폭발해버리는. 정년, 영서 뺨을 맞받아 세게 쳐버리는. 영서, 아픈 것보다 태어나서 처음 맞아본 충격에 멍……

영서 너 지금 날 쳤어?

영서, 분에 못 이겨 다시 손을 치켜드는데 정년, 그 손을 확 잡아버리는.

정년 너만 성질 있고 자존심

있는 거 아니여. 앞으로는 나도 당한 만큼 너한티 고스란히 갚아줄 거여. 나도 인자 너 참아줄 이유가 없은께.

팽팽하게 서로를 죽일 듯이 노려보는 정년과 영서에서 4부 엔딩.

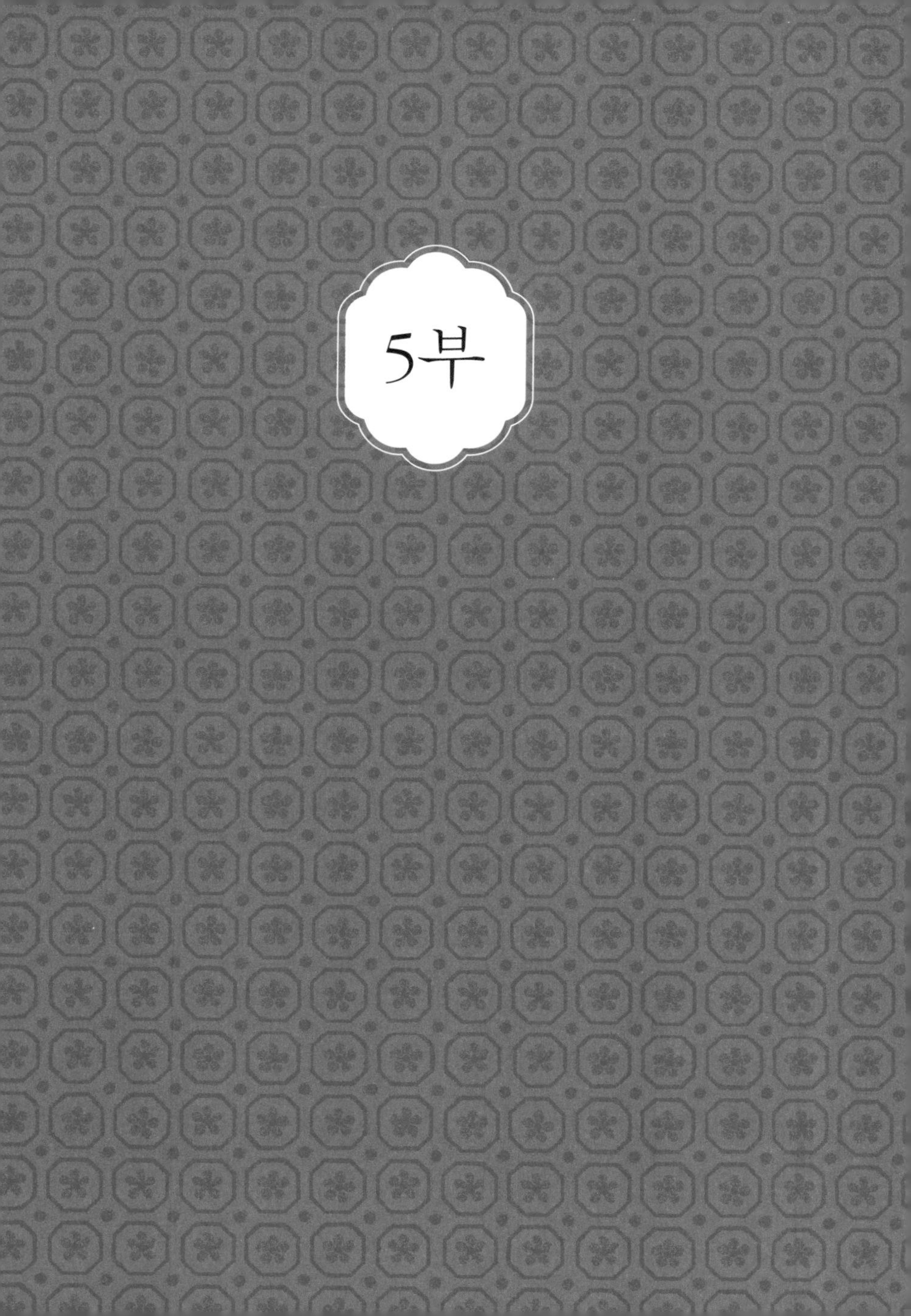

5부

(주란) (정년 잠시 보다가 용기 내서) 나 꿈도 하나 생겼어.

(정년) 뭔디?

(주란) (간절한 소망을 담아서) 언젠가 너는 남자 주인공으로, 나는 여자 주인공으로 무대 위에 마주 보고 서서 연기해보자.

#1 영서 집 정원 일각. 밤 (4부 엔딩 이어서)

영서 손을 붙들고 있는 정년.
서로를 죽일 듯이 노려보는 정년과 영서.

영서 (정년 손 확 뿌리치고) 안 참으면 네까짓 게 뭐 어쩔 건데.

정년 온실 속 화초로 귀하게 커서 그란지 요만한 일도 못 참는 게 참말로 가관이네. 엄니헌티 야단맞은 것 좀 들켰다고 이 난리를 치고.

영서 (이 악무는) 넌 당연히 내 기분을 모르겠지. 하나뿐인 엄마한테 부정당하는 기분이 어떤 건지, 아무 생각 없이 사는 네가 어떻게 알겠어.

정년 엔간치 해라, 뭔 맘고생은 혼자 다 한 것맨치로 유세는. 네가 유명하고 잘난 엄니 둔 덕에 지금까지 덕을 봤으면 봤지, 손해 본 게 뭐가 있는디!

영서 (발끈하는) 지금 내 실력은 오로지 내가 노력해서 얻어낸 거야, 내 배경 때문이 아니라! 내가 엄마 덕 봤단 소리 안 들으려고 얼마나 노력했는지 알아?!

정년 이란께 네가 호강에 초 쳐서 요강에 똥 싸는 소리를 한단 거여. 국극단에 있는 애기들 중 상당수가 돈이 부족해갖고 바깥에서 용돈벌이를 헌디 넌 한 번이라도 그런 걱정해본 적 있냐? 이미 출발점이 다른디 지금 네가 가진 실력이 순전히 네 노력으로 얻어낸 거라고 생색내는 거여?

영서 (씩씩거리며 노려보는)

정년 (지긋지긋한) 됐다, 싸워서 뭣 하겄냐. (자리 뜨려고 하면)

영서 오늘 본 거 남들한테 말하면 너 죽여버릴 거야.

정년 (코웃음 치는) 나 그 정도로 네 일에 관심 없어야. 오늘 이후로 두 번 다시 만날 일 없응께 서로 관심 끄고 살자고!

정년, 자리 뜨는. 영서, 그런 정년 뒷모습 쏘아보는.

#2 도로&종국 차 안. 밤

종국이 운전하는 차 타고 가는 정년.

종국 아까 인사한 분들이 너 좋게 본 모양이다. 투자도 더 해주시기로 했어. 무대도 좀 더 화려하게 꾸미고 밴드도 잘하는 사람들을 불러서 대대적으로 큰 규모의 무대를 만들 거야.

종국, 잔뜩 신나서 설명하는데 정년, 정신이 딴 곳에 뺏겨 있는. 정년, 심란하게 창밖을 보는.

#3 영서 집 2층 발코니. 밤

어둠 속에 서서 1층 환한 파티장을 내려다보는 영서. 영인을 자랑스럽게 옆에 끼고 사람들과 웃고 떠드는 기주를 본다. 영서, 꼼짝도 않고 서서 그런 기주를 표정 없는 얼굴로 보는.

#4 방송국 종국 사무실. 낮

정년 (노크하고 들어오는) 피디님, 저 왔는디요,

하는데 종국, 소파에 앉아 사진들을 보고 있다가 깜짝 놀라는. 정년, 의아하게 종국을 보는.

종국 (탁자 위 수십 장의

사진들을 다급하게 서류봉투 안에 쓸어 담으며) 어어, 정년이구나. 연락도 없이 웬일이야.

정년 오늘 사전 인터뷰 있응게 시간 맞춰 오라고……

종국 (생각난 듯) 아아, 그게 오늘이었지. 내일이라고 날짜를 착각했어.

정신없이 사진을 치우는 종국을 의아하게 보는 정년, 선뜻 소파에 앉지도 못하는.

종국 (봉투 한쪽으로 밀며) 얼른 와 앉아.

정년 (자리에 앉고, 웃으며) 뭐를 그라고 감추요, 사람 궁금하게.

종국 (태연한 척) 감추기는, 별거 아냐. (정년 관심 돌리려) 구성 작가 금방 올 거야. 과자 먹을래? 저번에 미국에서 왔다는 귀한 양과자를 선물 받았는데.

종국, 책상으로 가서 서랍을 뒤지는. 정년, 무심코 주변을 둘러보다가 바닥에 떨어진 사진 한 장(종국이 다급하게 치우다 떨어트린)을 발견하는. 정년, 사진 속 얼굴을 보고 멈칫한다. 정년, 사진을 들어 올려서 본다. 목포에 있는 용례가 마당에서 빨래 너는 사진이다. 정년, 깜짝 놀라는. 종국, 서랍에서 쿠키 상자를 찾아서 정년이 있는 쪽으로 온다.

종국 먹어봐. 암시장에서도 못 구하는 거랜다.

하다가 정년의 굳은 표정과 정년 손에 들린 사진을 보는 종국. 종국, 안색이 변하는. 정년, 테이블 위에 있는 봉투에 시선이 멎는다. 종국, 당황하고 봉투를 치우려는데 정년, 한발 앞서서 거침없이 봉투를 열어 탁자 위에 내용물을 쏟는. 테이블 위에 쏟아지는 수십 장의 사진들.

종국　어어, 정년아!

정년, 사진들을 보고 충격받는다. 수십 장이 모두 다 용례의 사진이다. 동네에서 아낙네들과 이야기하는 모습, 시장 보는 모습, 바닷가에서 조개 캐는 모습, 텃밭에서 농사짓는 모습 등 다양한 모습들이 찍힌. 자신이 찍힌 것을 모르는 듯 용례는 카메라를 보고 있지 않다. 정년, 혼란스러워서 사진들을 보고. 종국, 난감해지는.

정년　왜, 우리 엄니 사진이 여기 있다요?
종국　(얼버무리는) 그 저번에 너네 고향 내려가서 자료 화면 좀 찍어 오겠다고 했잖아, 그때 겸사겸사 찍은 거야.
정년　(기가 막힌) 시방 그것도 해명이라고…… 그때 분명히 풍경만 몇 장 찍겄다고 안 했소? 이건 순 우리 엄니 사진뿐인디, 풍경 사진이 어딨소!
종국　…….
정년　말하란께요! 우리 엄니 사진을 뭣 할라고 찍었소!
종국　(잠시 정년을 보다가 결심한 듯) 그래, 너도 언젠간 알아야 하니까.

종국, 책상으로 가 서랍에서 오려낸 기사를 하나 꺼낸다. 정년에게 기사를 내미는 종국. 정년, 경계심 가득한 눈빛으로 종국을 보다가 기사를 낚아채서 읽는다. 기사 타이틀 '천재 소녀, 조선팔도 명창대회에 나타나다'. 사진에 열여덟 살 앳된 용례의 사진이 실려 있다. 정년, 혼란스러워서 종국을 본다.

종국　그게 너희 어머니야, 채공선.
정년　예전에 소리를 했단 얘긴 들었는디…….
종국　너희 어머니는 그냥 소리꾼이 아니야. 어느 날

느닷없이 나타나서 난다 긴다 하는 명창들을 다 제치고 판소리 대회에서 우승을 차지한 소녀 명창 채공선. 그게 너희 어머니야. 그날 나도 네 어머니가 소리를 하는 걸 봤었어. 불세출의 천재가 나타난 순간이었지. 그런 광경은 이전에도, 이후에도 본 적이 없어.

정년 (충격받아서 멍하니 종국을 보는)

종국 그런데 채공선은 국제극장 개관 공연을 망치고 갑자기 자취를 감췄어. 그 뒤로 소식을 들은 사람도 없고. 전쟁 중에 죽었을 거란 얘기도 있었어. 나도 그런 줄 알았지.

정년 (분노로) 근디 다방에서 저를 만났다 이건가요.

종국 그래, 처음엔 내 귀를 의심했어, 목소리가 영락없는 채공선이었거든.

정년 (충격과 분노에 정신을 차릴 수 없는) 그럼, 첨부터 저한테 관심 보이신 것도 지가 채공선 딸이란 걸 알고 그런 것이었네요이?

종국 (잠시 정년을 빤히 보다가) 맞아.

정년 (분노, 어이없는) 그랬음서 뻔뻔시럽게 거짓말을 했소? 또 뭐를 숨기고, (멈칫하는) 혹시, 국극단에 나 다방에서 일한다고 알린 사람이 피디님이요?

종국 (시선 피하는)

정년 (폭발하는) 피디님이었냐고 물었소!

종국 (마지못해 인정하는) ……그래, 맞아.

정년, 충격받아서 종국 쏘아보는.

정년 순 사기꾼이구만…… 이라고 나를 감쪽같이 속여놓고 뭐? 내 재능에 투자하겠다고?

종국 너 재능 있어. 너 키워주겠다고 한 말도

사실이야. (사정 조로) 들어봐, 내가 계획이 있어. 우선 널 방송에 내보내서 화제를 불러일으킨 다음 사실은 네가 채공선 딸이라고 기자들한테 흘릴 거야. 그럼 그때 네 어머니가 딱 방송에 출연해서 그 전설 속의 추월만정을 부르면 되는 거야.

정년 (코웃음 치는) 나는 엄니를 불러낼 미끼다 이건가 본디, 그것이 계획대로 될 거 같소? 텔레비존? 그만 때려치울라요. (자리 뜨는, 문 막 열려고 하는데)

종국 여기서 때려치우면 위약금 무는 건 알고 있냐.

정년 (멈춰 서는)

종국 너 저번에 날인한 계약서, 거기에 그런 항목이 있어. 약속을 이행하지 않을 시 방송국에게 위약금을 문다.

정년 (노려보는) 그런 말은 없었는디요.

종국 그러게 계약서를 잘 읽었어야지. 위약금 물 자신 없으면 방송국에 나와서 노래를 불러. 처음부터 그렇게 하기로 약속한 거였잖아?

정년과 종국, 험악한 분위기 속에 서로를 쏘아보는.

#5 길거리&레코드숍 앞. 낮

충격받은 채 길거리를 헤매고 다니는 정년. 레코드숍 앞에서 걸음을 멈춘다.

#6 레코드숍 안. 낮

정년에게 추월만정 앨범을 건네는 주인. 정년, 떨리는 손으로 레코드판을 받아 들어서 본다.
정년, 레코드판 표지에 나와 있는 '채공선'이란 이름을 뚫어져라 보는.

주인 이 음반 찾는 사람 오랜만에 보네. 젊은 사람인데 채공선을 알아요?

정년 유명했습니까?

주인 유명했다뿐이겠어요. 이 음반이 십만 장 넘게 팔릴 정도였는데요. 그 당시에 채공선 하면 추월만정, 추월만정 하면 채공선, 다들 채공선이 부르는 추월만정 한번 직접 들어보겠다고 난리였으니까요.

정년 ……부탁이 있는디요. 이것 좀 지금 들어볼 수 있을까요?

[시간 경과]

가게 안에 울려 퍼지는 공선의 추월만정. 정년, 처음 듣는 엄마의 노랫소리에 멍해지는.

[플래시백 - 4부 #12]

노래를 마친 정년과 눈이 마주친 용례, 그때 용례의 이루 말할 수 없는 복잡하고 슬픈 표정.

정년, 추월만정을 듣다가 눈물이 고이는. 차마 자신한테 과거를 말할 수 없었던 엄마의 깊은 상처와 아픔이 이제서야 이해되면서 가슴이 아파온다. 비로소 자신을 그토록 말렸던 엄마의 마음을 조금은 알 것 같은. 정년, 그렇게 엄마의 노랫소리를 들으며 오래오래…….

#7 길거리&국제극장 앞. 밤

길거리 배회하며 엄마 생각하던 정년, 헤매다가 어느새 극장 앞까지 온. 정년, 포스터를 본다. 매란국극단 공연 홍보 포스터와 옥경과 혜랑의 사진을 보는. 정년, 심란하게 사진을 보는데 극장 안에서 영서, 주란, 초록, 복실, 연홍, 원철, 필순 등 연구생 무리가 우르르 나오는. 정년, 화들짝 놀라 몸을 숨기는. 연구생 무리 왁자지껄하게 떠드는.

초록 우리가 훨씬 낫던데?

복실 맞아. 노래도, 춤도 우리가 훨씬 나았어.

원철 우리가 저런 수준으로 공연했으면 단장님 당장 다 내쫓는다고 했을걸.

초록 (소복 흉내 내는) 그걸 지금 연기라고 한 거니?

연구생들, 웃고 떠드는. 영서와 주란은 자기들끼리 뭐라고 얘기하는. 정년, 연구생들을 복잡한 마음으로 보는. 주란, 뭔가 이상한 기분에 돌아보는. 정년, 얼른 몸을 숨기는.

영서 왜?

주란 ……아냐.

영서와 주란, 자리 뜨는. 정년, 멀어지는 아이들 보다가 자신은 저들 사이에 낄 수 없음을 깨닫고 돌아서는.

#8 옥경 집 거실. 밤

혜랑, 소파에 앉아 대본 보는데 술에 취한 옥경 들어와서 혜랑 무릎에 드러눕는.

혜랑 또 그 친구들 만난 거야?

옥경 …….

혜랑 넌 대본 안 봐?

옥경 보나 안 보나 뻔하잖아. 비슷비슷한 줄거리, 이름만 달라졌지 똑같은 캐릭터. 오디숀 봐도 기껏 가다끼나 조연들 얼굴이나 달라질까, 남자 주인공은 나, 여자 주인공은 너.

혜랑 그럼 너랑 나 말고 주인공 맡을 사람이 누가 있어. 너 요새 이상하다, 진짜?

옥경 (멍하니 허공을 보다가) ……혜랑아. 나 국극 그만둘까.

혜랑, 멈칫해서 옥경을 보는.

혜랑 ……진심으로 하는 소리야?
옥경 (혜랑 보는)

혜랑, 굳은 표정. 옥경, 혜랑을 빤히 보다가 풀썩 웃는다.

옥경 한번 해본 소리야. (혜랑 머릿결을 쓰다듬으며 더할 나위 없이 다정하게) 내가 널 두고 어디 가.

그런 옥경의 다정함에도 여전히 불안한 혜랑, 눈빛이 흔들리는. 눈 감는 옥경. 그런 옥경을 불안하게 보는 혜랑.

#9 패트리샤 김 자택 정년 방 안. 아침

밤을 꼬박 새운 정년, 엄마의 얼굴이 들어간 추월만정 레코드판과 목포의 청춘 악보를 나란히 놓고 생각에 잠겨 있는.
정년, 결심한 듯 표정 단호해지며 목포의 청춘 악보를 챙긴다.

#10 패트리샤 김 자택 대문 앞. 아침

종국, 불안한 듯 왔다 갔다 하는데 방송국 갈 채비한 정년, 나오는.
정년과 눈 마주치자 순간 안심한 기색이 순간 얼굴에 스치는 종국.

정년 (헛웃음) 나 도망갈지 모른께 지키고 있었소?
종국 위약금이 무섭긴 했나 보구나?

정년, 종국을 똑바로 본다. 종국, 정년의 눈빛에 움찔하는.

정년 위약금 때문도, 엄니 때문도 아니요. 이 무대는 내 무대여라. 내 무대 서기 전까지는 어디로 도망갈 생각 없응께요.

단호한 정년의 눈빛에 종국, 내심 놀라서 보는.

#11 방송국 스튜디오 안. 낮

생방송 준비를 하는 스튜디오 안. 스태프들과 조명 점검하고 무대장치 체크하며 바쁜 종국.

#12 방송국 분장실 안. 낮

정년, 무표정한 얼굴로 거울 앞에 앉아 있는. 분장실 직원들, 정년의 머리와 화장을 바쁘게 손봐준다. 정년, 화장대 위에 놓인 주란이 준 브로치를 본다.

[플래시백 – 3부 #3]
주란 우리 우정 변치 않기로, 그리고 꼬부랑 할머니 될 때까지 같이 국극하기로!

정년, 브로치를 만지작거리면서 생각에 잠겨 있다가 브로치를 옷에 단다.

#13 방송국 스튜디오 안. 낮

무대 위에서 긴장한 채 마이크 앞에 서 있는 정년. 정년을 주시하는 방송국 스태프들. 정년의 화장을 마지막으로 체크해주는 스태프. 패트리샤, 정년 쪽으로 다가오는.

패트리샤 이번엔 리허설이니까 편하게 하면 돼. 대신 이따 생방송에서는 실수해도 무조건 그냥 끝까지 가야 돼, 알았지?
정년 예.
종국 자, 리허설 찍습니다. 셋, 둘, 하나, 큐!

밴드가 목포의 청춘을 반주하기 시작한다.

정년　*목포항 사뿐사뿐 사랑 찾는 항구의 처녀, 석양빛 붉은 뺨 사랑스러워 바다에 사네.*

살랑살랑 몸을 흔들며 나긋나긋하게 노래를 부르는 정년. 흐뭇하게 지켜보는 종국.

종국　잘하네요. 오늘 무대 잘되면 다 패트리샤 덕입니다.

패트리샤　가르쳐준 대로 잘하기는 하는데……

종국　(의아한) 왜요.

패트리샤　정년이 진짜 모습은 아직 못 본 거 같아서요.

종국　(흐뭇한) 저 정도만 해줘도 전 만족입니다.

정년　*돌아오는 뱃머리만 보아도 수줍은 이 내 마음 가눌 길 없어 사뿐사뿐 숨는 걸음 항구의 처녀.*

밴드 간주에 이어 2절을 부르는 정년. 정년, 자기도 모르게 흥이 나서 씩씩하게 몸동작을 넣어가며 목소리도 약간 굵게 낮추는.

정년　*목포항 성큼성큼 사랑 찾는 항구의 청년, 매서운 바닷바람 용맹하게 바다에 사네.*

종국　컷, 컷. (정년 쪽으로 오는)

정년　(어리둥절해서 종국을 보는)

종국　정년아, 너 여가수야. 무대 위에서는 요염하고 고혹적이어야 한다고 했잖아. 지금까지 연습한 거 다 잊었어?

정년　근디 여기 2절은 남자가 답하는 가사인디요.

종국　이건 국극이 아니야. 쓸데없이 남자 연기를 하려고 목소리를 굵게 만들 필요가 없어. 그냥 넌 내가 시키는 대로만 하면 돼.

정년　(표정 굳는)

종국　그리고 몸동작을 넣을 거면 1절에서처럼 살짝살짝 힙만 흔들고 어깨만 움직여.

국극에서 연기할 때처럼 괜히 큰 동작 넣지 말고. 보는 사람 애간장 좀 녹게 하는 법 몰라?

정년 (자조적인 헛웃음) 술자리에서 웃음 팔고 사내 홀리는 기생처럼요? 나가 기생이요?

종국 (짜증 나서 픽 웃는) 삐딱하게 나오시겠다. (언성 높이지 않지만 살벌한 눈빛) 윤정년, 너 예전에 매란국극단 있을 때처럼 자존심 세울 생각하지 마. 넌 그냥 내가 부르라면 부르고, 웃으라면 웃고 그러면 되는 거야.

정년 (노려보는) 그럼 난 그쪽 꼭두각시요? 내 무대 내 맘대로 못하는 거면 나도 때려치울라요. (무대 뒤로 가버리는)

화가 난 종국, 쫓아가려고 하는데 패트리샤, 종국 잡는.

패트리샤 내가 따라갈게요.

#14 방송국 분장실 안. 낮

분장실 문을 거칠게 닫는 정년, 마음을 가라앉히려고 숨을 몰아쉬는.

[플래시백 - 2부 #31]

소복 그 어떤 순간에도 너네가 예인임을 잊지 말고 행동해라.

정년 (허탈해지며 헛웃음) 예인…….

정년, 거울을 본다. 거울 속에 비친 자신의 모습이 낯설고 짜증이 나는. 정년, 휴지를 거칠게 뽑아 들고 입술을 문질러 닦아버린다. 패트리샤, 분장실로 들어온다.

패트리샤 정년아!

정년 (자기 짐 챙기며) 지도 할 만큼 했어라! 이라고 손발을 꽁꽁 묶어두고 꼭두각시처럼 서는 무대가 뭔 의미가 있다요. 그럴 거면 차라리 인형을 무대에 세우면 될 일이제!

패트리샤 (앞을 가로막는) 그럼 약속은 어쩌고.

정년 (울컥하는) 약속이요? 박 피디는 첨부터 날 속였는디 저만 끝까지 계약서에 묶여갖고 약속을 지키라 그 말이요?

패트리샤 계약서 얘기가 아냐. 네가 무대에 서서 노래 부르겠다는 건 너를 볼 시청자들과의 약속이야. 네 기분이 좋다고 부르고, 나쁘다고 맘대로 파기할 수 있는 약속이 아니야.

정년 (멈칫하는)

패트리샤 박 피디는 잊어. 지금 이 무대는 다른 누구도 아닌 네 거야. 내가 그때 말했었지, 너만의 색깔로 노래를 부르라고. 네 무대 끝까지 지켜볼 테니까 나한테 어떤 무대를 보여주고 싶은 건지 그것만 생각해.

정년, 그 말에 조금 진정돼서 패트리샤를 본다.

#15 방송국 부조실 안. 낮

양복 입은 사오십 대의 방송국 간부들, 부조실 안에서 잔뜩 기대감 갖고 모여 있는. 종국, 간부들 앞에 서는.

종국 지금부터 드디어 채공선의 딸 윤정년이 무대에 서서 노래를 부를 겁니다. 모두가 깜짝 놀랄 만한 무대가 될 테니까 기대해주십시오.

#16 방송국 스튜디오 안&방송국 부조실 안. 낮

어두웠던 무대를 조명이 환히 비춘다. 정년, 똑바로 카메라를 본다. 단단한 눈빛. 종국, 손으로 3, 2, 1 신호를 보낸다. 밴드의 반주가 시작된다. 부조실 한쪽에서 정년을 지켜보는 패트리샤.

정년 *목포항 사뿐사뿐 사랑 찾는 항구의 처녀,*

#17 매란국극단 춤 연습실 안. 낮

연구생들끼리 안무 연습하는데 문이 벌컥 열리고 복실이 들어온다.

복실 야, 윤정년 지금 텔레비죤에 나온다는데?

연구생들 뭐, 뭐? 하다가 우르르 뛰쳐나가는. 주란, 멍하니 서 있다가 쫓아 나가는.

#18 매란국극단 휴게실 안. 낮

영서, 혼자 대본을 보는데 연구생들, 우르르 몰려들어 와 텔레비전을 켠다. 연구생들, 텔레비전에 나오는 정년을 신기해하며 보는. 영서, 의아하게 보다가 정년이 나오는 걸 보고 다시 대본을 보는.

정년 *돌아오는 뱃머리만 보아도 수줍은 이 내 마음 가눌 길 없어 사뿐사뿐 숨는 걸음 항구의 처녀.*

복실 야, 잘 부르네.

연홍 윤정년 저렇게 꾸며놓으니까 진짜 예쁘다. 꼭 딴사람 같아.

초록 (심술궂게) 이쁘긴 어디가!

주란, 심란하게 방송에 나오는 정년을 보는. 영서, 관심 없다는 듯 대본만 보는. 단원들, 호기심에 차서 텔레비전 보고 있고 도앵, 휴게실에 뒤늦게 들어와 같이 보는.

#19 방송국 스튜디오 안. 낮

밴드 간주 끝날 무렵 정년, 작정한 듯 신었던 하이힐을 벗어 던진다. 지켜보던 스태프들, 당황해서 정년을 보고 정년, 결심한 듯 카메라를 단호한 눈빛으로 본다.

#20 매란국극단 휴게실 안. 낮

보던 연구생들, 어리둥절해지는.

복실 재, 지금 뭐 하는 거야? 구두를 왜 벗어?

영서 (그제야 대본에서 눈 떼고 텔레비전의 정년을 보는)

그때, 휴게실로 들어와서 애들과 떨어져서 텔레비전을 보는 소복과 옥경. 화면 안의 정년을 보는 소복의 냉정한 표정.

#21 방송국 스튜디오 안. 낮

정년 (남자처럼 씩씩하게 몸동작을 넣어가며 목소리도 약간 굵게 낮추는) *목포항 성큼성큼 사랑 찾는 항구의 청년, 매서운 바닷바람 용맹하게 바다에 사네.*

국극에서 연기할 때처럼 신명 나게 연기를 하며 노래를 부르는 정년, 표정이 점점 풀리며 활기차진다. 스튜디오 안에서 지켜보던 스태프들, 자기도 모르게 정년의 동작을 따라 리듬을 타며 몸을 조금씩 들썩인다.

#22 매란국극단 휴게실 안. 낮

정년 지켜보던 무표정하던 영서, 웃을 듯 말 듯 한 표정. 연구생들과 단원들, 까르르 웃는.

소향 2절은 남자가 답하는 건가 봐.

원철 (뾰로통해서 흉보는) 저게 뭐야, 선머슴처럼.

도앵 　근데 재밌다. 정년이 연기랑 노래 가사가 잘 어울려서 좋은데?

원철 　좋긴 뭐가 좋아! 누가 유행가에 대해서 알지도 못하면서,

하면서 확, 소리 난 쪽을 보던 원철, 도앵인 걸 알고 기겁하는. 아이들도 도앵을 보고 놀라는. 원철, 어쩔 줄 몰라 하면 더 민망해진 도앵, 입 모양으로 '됐어, 됐어,' 하면서 보라고 손짓하는. 텔레비전 안의 정년, 계속 씩씩하게 몸동작 하며 노래 부르는. 소복, 그저 정년을 무표정하게 보다가 얼굴에서 희미하게 미소가 떠오르는.

옥경 　(정년 보다가 웃는) 결국 사고를 치네요.

#23 방송국 스튜디오 안&방송국 부조실 안. 낮

아예 국극할 때처럼 연기를 하듯 동작을 넣어가며 노래 부르는 정년.

정년 　*흩날리는 치맛자락 보아도 두근대는 이 내 마음 가눌 길 없어—*

지켜보던 종국, 표정이 일그러지는. 얼른 옆에 방송국 간부들 눈치를 보는 종국. 간부들, 고개 갸우뚱하며 못마땅한 기색으로 정년을 보며 자기들끼리 뭐라고 수군거리는. 종국, 미치겠는. 종국, 무대 위의 정년을 쏘아보는. 젊은 스태프들은 감탄하며 정년을 보다가 들썩들썩 리듬을 타는. 스태프들, 웃으면서 리듬을 살짝 타다가 도끼눈을 뜬 종국과 시선이 마주치자 당황해서 얼른 아무것도 안 한 척.

간부1 　박 피디 이거 뭐야, 방송 사고 아니야?

간부2 생방송이라서 끊을 수도 없는데 이거 어떻게 할 거야! 저 친구 지금 맘대로 날뛰고 있잖아!

종국 (난감해서 어쩔 줄 모르는) 죄송합니다. 신인이라 아직 방송이 뭔지 잘 몰라서 저러는 거 같습니다.

간부1 기대하라더니 이게 뭐냐고!

정년 (계속 신나게 노래 부르는) *성큼성큼 숨는 걸음 항구의 청년.*

정년의 무대를 보던 패트리샤의 얼굴에 미소가 번진다.

#24 매란국극단 휴게실 안. 낮

정년의 노래가 끝나자 사회자가 나온다.

사회자 예, 지금까지 윤정년 양의 목포의 청춘이었습니다. 윤 양은 목포에서 올라온 금년 19세의 아리따운 처녀로서 보시다시피 탁월한 노래 실력을 가지고 있습니다.

소복, 자리를 뜬다. 옥경도 뒤따라 자리 뜨는.

소향 야, 재밌다. 텔레비죤이 이렇게 재밌는 거였네.

금희 윤정년 잘했는데 담번에 또 방송에 나오겠지?

도앵 정년이 다시 나오기 힘들 거 같은데.

금희 왜요?

도앵 2절을 지 맘대로 불렀잖아. 방송국에서 윤정년한테 요구하는 이미지는 저런 게 아니었을 텐데.

주란 (겁먹는) 그럼 또 쫓겨나는 거예요?

도앵 쫓겨나는 게 문제가 아니라 저런 데는 위약금도 있을 거야.

주란 (표정 굳어버리는)

영서, 묵묵히 이야기 듣고 있는.

#25 방송국 무대 뒤. 낮

무대 끝나고 나오는 정년. 정년을 기다리던 패트리샤와 마주치는. 정년, 그동안 마음고생한 것이 일시에 터지며 울컥하는.

정년 죄송해요. 선생님이 가르쳐주셨던 가수로서의 무대는 결국 할 수 없었어요.
패트리샤 (아까의 흥분이 가라앉지 않은 눈으로 보며) 아니, 미안해하지 마. 난 최고의 무대를 봤어.
정년 (표정 환해지는) 참말이요?
패트리샤 그래, 내가 가르쳐준 대로만 했으면 그런 무대가 나오지 않았겠지. 그 무대는 오직 윤정년만이 보여줄 수 있는 무대였어. 그러니까 자랑스러워해도 돼.
정년 (순간 울컥해 패트리샤를 보는) 그때 선생님 말씀 뭔지 알겄어요. 인자 저도 제 스스로를 속이지 않고 살라고요. 윤정년은 윤정년으로 살 수밖에 없은께요.
패트리샤 그래, 어떤 순간에도 스스로 납득할 수 없는 선택은 하지 마. 멋진 무대를 보여줘서 고맙다. 넌 내가 본 가수들 중에서 남바완이었어.

#26 매란국극단 단장실 앞. 낮

머뭇머뭇하며 단장실 앞으로 오는 주란. 왔지만 막상 용기가 나지 않는. 겁먹은 표정으로 두드릴까 말까 고민하다가 정년을 생각하고 결심한 듯 크게 심호흡하고 노크하는.

소복 [소리] 들어와.

잔뜩 긴장한 주란, 단장실 안으로 들어간다.

#27 매란국극단 단장실 안. 낮

소복과 옥경 앞에 선, 모든 사실을 고백한 주란. 싸늘한 분위기. 소복, 주란을 차갑게 보고 주란, 떨리는 손을 꽉 맞잡는.

소복 그럼…… 정년이가 너 대신 다방에서 잠깐 일한 거란 말이지.

주란 네.

소복 너를 감싸주겠다고 끝까지 말 안 한 거고.

주란 (정년을 향한 죄책감과 미안함) ……네.

옥경 (정년이답다 싶어 희미한 미소 떠오르는)

주란 (떨면서도 용기를 내 똑바로 소복을 보는) 쫓겨나야 하는 건 저였어요, 단장님. 어떤 벌을 내리신다고 해도 달게 받겠습니다. 하지만 정년이는 다시 받아주세요.

소복 (냉랭한) 다방에서 일한 이유가 뭐니.

주란 언니가…… 폐병을 앓고 있어요. 약값이라도 보태고 싶었습니다.

소복 (마음이 조금 누그러져 잠시 주란을 보다가) 어떤 벌이든 받겠다고?

주란 ……네.

소복 알았다, 나가봐라.

주란, 꾸벅 고개 숙이고 나가는.

#28 매란국극단 단장실 앞. 낮

방에서 나오는 주란, 모든 걸 털어놓자 차라리 후련해서 표정 가벼워지는. 주란, 아까와는 사뭇 다른 표정으로 자리를 뜬다.

#29 매란국극단 단장실 안. 낮

옥경 어쩐지…… 무슨 사정이 있을 줄 알았어요.

소복 …….

옥경 제가 왜 정년이를 우리 국극단으로 데려오고 싶어했는지 아세요?

소복 (옥경을 보는)

옥경 남들은 저더러 정점에 선 국극배우라고, 뭐가 부족하냐고 하겠지만 사실 저 많이 지쳐가고 있었어요. 정해진 레퍼토리의 공연들, 비슷한 성격의 역할, 지난번과 다를 게 없는 연기, 더구나 저한테 라이벌이 될 만한 상대도 없다 보니 아무 자극이 될 만한 것도 없었고요.

소복 …….

옥경 정년이 노래 부르는 거 봤을 때 이 애라면 언젠가 저한테 도전을 할 거라고 생각했어요. 빠른 속도로 성장해서 제 자리를 위협할 거라고요.

소복 그렇게 해서 너한테 자극이 될 만한 걸 찾고 있었니?

옥경 ……아시잖아요. 전 지루한 걸 제일 견디지 못해요.

소복 …….

옥경 저만큼이나 이 국극단도 정년이 같은 아이가 필요하잖아요. 정년이처럼 새로운 재능을 끊임없이 수혈하지 않으면 다들 안주할 거고 점점 고인 물처럼 썩어갈 거예요. (희미하게 웃는) 이건 저보다 단장님이 더 절박하게 느끼고 계시죠?

소복, 표정 무거워지며 골똘히 생각에 잠기는.

#30 방송국 스튜디오 안. 밤

생방송이 끝난 스튜디오 안. 스태프들, 뒷정리하면서 종국과 정년 쪽을 흘끔거리는. 잔뜩 화가 난 종국, 정년을 몰아세우는.

종국 너 이 상황을 어떻게 수습할 거야. 날 믿고 투자한 분들도 그렇고 방송국에서도 나는 완전 묵사발이 될 텐데 이제 어떡할 거냐고!

정년 (그저 무덤덤한 표정)

종국 너 나 엿 먹이려고 일부러 그런 거지!

정년 약속을 지킬라고 그랬소.

종국 뭐?

정년 애초에 약속한 것이 그거 아니었소? 내 실력껏 무대에서 노래를 부르겠다고. 그래서 내 실력껏 한바탕 놀았는디 뭐가 잘못됐소?

종국 (기가 막힌) 이 자식이, 너 나랑 장난해! 야, 다 필요 없고 앞으로는 내가 시키는 대로 노래 불러.

정년 (단호하게) 그라고는 못 하겄는디요?

종국 (버럭) 그럼 네 어머니를 방송에 출연시키든가, 아님 위약금을 물어내든가!

소복 [소리] 그 위약금이 얼맙니까.

정년, 놀라서 돌아보는. 소복, 서늘한 표정으로 서 있다.

종국 (소복의 카리스마에 눌려서 움찔) 당신이 여, 여긴 왜 왔어.

소복 우리 연구생이 여기 있다길래 데리러 왔습니다.

정년 (표정 환해지는)

소복 얘 어머니 채공선은 내가 잘 아는데 이런 데 나와서 소리할 일은 없을 겁니다. 그러니 내가 위약금을 내고 이 애를 데려가겠습니다. 위약금이 얼맙니까.

#31 길거리. 밤

앞장서서 걷는 소복. 정년, 그런 소복을 좀 뒤처져서 따라가는. 정년, 소복의 뒷모습 보면서 기대와 불안감에 표정 복잡한.

소복, 정년 쪽을 돌아보고 가까이 다가오는. 정년, 긴장하는.

소복 네가 주란이 대신 잠깐 다방에서 일을 했던 거라고 얘기 들었다.

정년 (놀라서 소복을 보는)

소복 아직도 국극을 하고 싶니?

정년 (간절하게) ……예! 하고 싶어요. 정말…… 하고 싶어요.

소복 (가만히 정년을 보다가) 네가 국극단 이름 팔아서 돈을 벌었다는 건 내 오해였으니 널 다시 받아주마.

정년 (표정 환해지는)

소복 하지만 다방 드나들면서 노래를 판 것에 대해서 벌은 받아야 된다.

정년 예, 뭔 벌이든 달게 받겠구만이라.

소복 (다시 돌아서서 발걸음 떼는)

정년 혹시 단장님도 처음에 절 받아주신 게 저희 엄니 때문이었소?

소복 (표정 굳어서 걸음 멈추고 돌아보는) 그걸 왜 물어보니.

정년 그냥 알고 싶구만이라. 저는 제 엄니가 겁나 유명한 소리꾼이란 것을 얼마 전에야 알았는디, 제 목소리를 들은 사람들은 진즉부터 다 제 엄니를 떠올렸다고 한께요.

소복 네 어머니가 채공선인 걸 알았니?

정년 예. 저도 몰랐던 제 엄니 그늘 속에 있었다고 생각하니 속이 쪼까 깝깝혀요. 제가 앞으로 뭣을 해도 어머니랑 비교당하는 거 아닌가 싶어갖고요.

소복 바보 같은 소릴 하는구나. 너는 너야. 쓸데없이 네 어머니 허상이랑 경쟁하면서 스스로를 괴롭히지 마라. 그리고 내가 널 처음에 왜 받아줬는지는 중요하지 않아. 기회를 잡고 나서 네가 어떻게 하느냐가 중요한 거지.

정년 (고개 끄덕이는) ……예.

소복 (정년에게 말하는 동시에 스스로에게도 되뇌듯) 넌 네 엄마랑 달라. 내가 너한테 바라는 건 단 하나, 도중에 꺾이지 말고 끝까지 네 갈 길을 가라는 거야.

소복, 앞장서서 가는. 정년, 걸음 재촉해 소복 따라가는. 이번에는 나란히 걸어가는 두 사람.

#32 매란국극단 단장실 안. 밤

소복, 사진을 본다. (18세 공선과 18세 소복이 사진관에서 같이 찍은, 1부 #32에서 용례가 보고 있던 사진과 같은 사진)

#33 사진관 안. 낮 (회상)

18세 공선과 18세 소복, 사진관 안에서 사진 찍을 준비를 하는. 18세 소복, 18세 공선의 옷매무새를 만져주는.

공선 (좋으면서도 조심스러운) 근디 우리 이렇게 찍어도 되는 거여? 사진 찍는 게 한두 푼이 아닐 것인디.

소복 이런 날 사진 찍지 언제 찍냐? 무려 네 첫 번째 음반을 녹음한 날이잖아. 오늘 같은 날 사진을 찍어서 후대에 길이길이 남겨야지.

공선 (웃는) 후대씩이나 필요 없어야. 난 너랑 아버지만 있으면 된께로.

소복과 공선, 마주 보고 행복하게 웃는다. "자, 찍습니다" 소리에 정면을 보고 사진을 찍는 열여덟 공선과 소복.

#34 매란국극단 단장실 안. 밤 (현재, #32 이어서)

소복, 사진을 보고 눈에 그리움이 가득한.

소복 인생 참 알다가도 모르겠구나. 너하고의 인연은 오래전에 끝났다고 생각했는데, 네 딸을 두 번이나 내 손으로 받아주다니…….

만감이 교차하는 표정인 소복.

#35 매란국극단 춤 연습실 안. 밤

다 같이 안무 연습하는데 문 벌컥 열리더니 정년, 들어오는.

정년 아그들아! 나 왔다!
주란 (표정 환해지는) 정년아!

아이들, 정년 쪽으로 몰려가는. 초록도 순간 반가운 기색 띠었다가 얼른 표정 관리하는.

주란 (반가워 어쩔 줄 모르는 와중에 반신반의) 어떻게 온 거야? 단장님이 다시 받아주신 거야? 아님, 잠깐 들른 거야?
정년 네가 다 말했담서? 아니, 넌 네가 쫓겨나면 어쩌려고 그걸 덜컥 단장님한테 말해부렀냐.
주란 (눈물 핑 돌아서) 진작 그렇게 했어야 하는 거잖아. 미안해, 정년아.
정년 또, 또 울라고! 으이구, 이 울보야아! 우리 주란이 나 땜에 맘고생만 오살나게 해불고. 덕분에 단장님이 용서해부러주셨어.
주란 (표정 환해지는) 진짜? 그럼 다시 전처럼 우리랑 같이 있는 거야?
정년 그란당께.

주란, 악, 기뻐하며 정년을 안고 아이들, 같이 기뻐하는. 복실과 연홍도 반가워하는.

복실　방송물 좀 먹더니 얼굴이 훤해졌네. 더 이뻐졌다, 야.

연홍　너 방송 나온 거 다들 봤어. 그렇게 노래 부르는 건 어디서 배웠어? 처음엔 너 아닌 줄 알았어.

초록　(퉁명스러운) 그게 뭐냐? 유행가는 간드러지고 예쁘게 불러야 하는데 선머슴처럼 구두까지 벗고. 눈 버릴 뻔했네.

정년　그래도 보긴 다 봤는갑네.

초록　애들이 다 봐서 나도 어쩔 수 없이 본 거야.

정년　나 가고 시비 걸 사람 사라진께 심심했냐 안 했냐. 나 다시 온께 반갑제?

초록　웃겨. 세상 조용하고 얼마나 좋았는데.

정년　아닌디, 지금도 좋아하는 거 같은디.

아이들, 왁자지껄 떠들고 웃으면서 좋아하는. 다시 돌아온 정년, 아이들 속에서 행복한.

#36 매란국극단 정년 방 안. 밤

이불을 까는 정년. 정년, 간만에 자기 방에 돌아와서 좋은. 이불 위에서 좋다고 뒹구는데 영서, 들어온다. 둘, 그때 싸움의 뒤끝이 남아 어색한 분위기.

[플래시백 - 5부 #1]

정년　이미 출발점이 다른디 지금 네가 가진 실력이 순전히 네 노력으로 얻어낸 거라고 생색내는 거여?

정년, 표정 흐려지는. 영서, 수건 챙겨서 도로 방을 나가려고 하는데,

정년　저기,

영서　(돌아보면)

정년　(어색해하며) 있냐, 내가 최근에 알게 된 게 있는디, 우리 엄니가 옛날에 유명했던 명창이라 하더라. 내 출발점도

이미 남들이랑 달랐드라고.

영서 (빤히 정년을 보는)

정년 너처럼 유명한 엄니를 두면 마냥 좋을 줄 알았는디, 나가 막상 겪어봉께 그게 아니드만. 갑자기 나가 작게 느껴지고 비참하고 그러드라고. 그래갖고…… 접때 내가 멋모르고 한 얘기는 너한티 사과,

영서 (사정없이 자르는) 사과 따위 안 해도 돼. 이미 지나간 얘기 하나하나 되짚는 거 딱 질색이야. (수건 들고 찬바람 나게 나가버리는)

정년 (허탈해져서) 고 가시나 사람 말 자르는 버릇은 여전하네.

#37 매란국극단 숙소 정년 방 안. 아침

정년, 대자로 뻗어 정신없이 자고 있는. 영서, 거울을 보면서 머리 빗고 단정하게 묶는. 영서, 책상 위 달력을 본다. 날짜마다 위에 X 표시가 돼 있다. 닷새 후 날짜에 동그라미가 쳐져 있고 '오디숀'이라고 쓰여 있는. 영서, 결의를 다지며 거울 속의 자신을 본다. 영서, 나간다. 영서가 방문을 탁 닫는 소리에 정년, 깜짝 놀라 잠이 깨는. 정년, 잠이 덜 깨 눈을 끔벅거리다가 환한 햇살에 놀라는.

정년 워메, 늦어부렀네! 허영서 이놈의 가시나! 또 지만 가부렀구만! (서둘러 일어나는)

#38 매란국극단 일각. 아침

정년, 허겁지겁 서둘러서 뛰어가는데 옥경, 목검으로 혼자 검술 연습하다가 정년을 발견하는.

옥경 윤정년!

정년 (밝게 웃으며 다가가는) 선배님! (꾸벅 인사하는)

바깥세상 경험 잘해불고 왔습니다.

옥경 해보니까 어때?

정년 카메라 앞보다는 관객들 앞에서 공연하는 것이 더 재밌던디요. 단장님이 절 용서해주셔 갖고 얼마나 다행인지 모르겄어라.

옥경 (의미심장하게 웃는) 단장님은 어차피 널 다시 받아주는 것 말고는 다른 방법이 없었을 거야.

정년 (어리둥절) 예?

옥경 (웃는) 아무튼 잘 돌아왔어. 근데 너 어디 가고 있었던 거 아니야?

정년 (화들짝 놀라는) 내가 이라고 있을 때가 아닌디! 선배님! 저 먼저 가보겠구만이라!

정신없이 뛰어가는 정년.

#39 매란국극단 단장실 앞. 아침

정년과 주란, 물이 든 양동이 들고 무릎 꿇고 벌서 있는. 양동이가 무거운 주란, 옆으로 자꾸 양동이가 기우는. 양동이의 물이 조금 넘치자 화들짝 놀라서 얼른 바로 하는 주란.

정년 (소곤거리는) 무거우면 아무도 안 볼 때 살짝 내려놔. 누가 오면 내가 알려줄랑께.

주란 (웃는) 괜찮아. 너랑 같이 벌서니까 안 힘들어.

도앵, 둘 쪽으로 오는. 둘, 얼른 자세를 바로 하는.

도앵 내려놔.

정년, 주란 (얼른 양동이 내려놓고 팔 주무르는)

도앵 단장님이 내리신 벌이야. 정년이 넌 오디숀 끝날 때까지 연습실 청소, 설거지, 빨래를 한다. 주란이 넌 변소랑 숙소 청소하고. 둘 다 일 다 하기 전에는 수업 들어오지 말란 단장님 엄명이시다.

정년, 주란 (시무룩) 예.

도앵 (가려다가 정년 쪽을 돌아보는) ……잘했다.

정년 예?

도앵 친구 감싸주려고 끝까지 입 다문 거 말이야, 잘했다고.

도앵, 자리 뜨고 정년, 잠시 어리둥절해 있다가 표정 밝아진다. 정년과 주란, 눈이 서로 마주치자 웃음 번지는.

#40 매란국극단 연습실 안&앞. 낮

영서 포함한 연구생들, 소리 연습하는. (주란, 정년은 없다.) 정년, 연습실 앞 복도를 걸레로 박박 문질러 닦다가 노랫소리 듣고 멈추는. 정년, 연습하는 연구생들이 부러운.

#41 매란국극단 식당. 밤

연구생들, 밥 먹는데 정년, 지쳐서 식판 갖고 주란 옆에 앉는.

주란 (안쓰럽게) 지금 끝난 거야?

정년 응. (한숨) 벌받는 거는 괜찮은디, 보나 마나 오디숀은 떨어지겄어.

주란 (걱정스러운) 왜 떨어진다는 건데.

정년 아, 하루 왼종일 죽자고 일만 하고 수업도 못 들어가잖어.

영서 수업에 참석 못 해도 개인 연습을 하면 되잖아. (코웃음 치는) 아, 어차피 이번에 떨어질 거 같으니까, 아예 핑계부터 만들어두는 거네.

정년 (발끈하는) 뭐여?

영서 그런 나약한 마음가짐으로는 해봤자 떨어질 거야. 차라리 시간 낭비하지 말고 오디숀을 보지 마.

영서, 식판 갖고 자리 뜨는. 정년, 황당하고 짜증 나는.

정년 (열받아서) 좌우당간 저놈의 가시나하고는 길게 말을 섞을 수가 없구만.

주란 (정년 토닥이며) 영서 저러는 거 처음 아니잖아.

씩씩거리던 정년, 영서의 말을 곱씹어 생각하다 의아해지는.

정년 근디 저 가시나 나보고 열심히 안 한다고 성질낸 거여? 왜? 지하고 뭔 상관인디?

#42 매란국극단 식당 앞. 밤

식당을 나온 영서, 고개 갸웃하며 멈추는.

영서 (혼잣말로) 내가 방금 왜 그랬지?

#43 매란국극단 정년 방 안. 밤

정년, 책상 앞에 앉아 〈자명고〉 대본을 보면서 골똘히 생각에 잠긴다. 정년, 결심한 듯 대본을 펼쳐서 읽기 시작하는.

#44 정년&영서 〈자명고〉 오디션 준비 몽타주

- 영서, 노래 연습실 안에서 홀로 소리 연습하는. 정년, 창밖에서 빗자루로 마당을 쓸다가 영서가 소리 연습하는 걸 들으며 나지막이 중얼중얼 따라 부르는.
- 아침에 일어난 영서와 정년, 서로 먼저 달력에 X를 긋겠다고 달력으로 달려가는. 간발의 차로 빠른 정년, X 표시를 하고 영서를 보며 약 올리는. 영서, '이씨……' 정년 보는.
- 정년, 뒤뜰에서 홀로 설거지하면서 소리 연습을 하는. 영서, 목검을 들고 지나가다가

그런 정년을 잠시 보는.

– 모두가 잠든 밤에 영서, 땀 흘리면서 혼자 목검으로 칼싸움 연습하는. 연습하다가 지친 영서, 멈춰서 숨을 고르다가 다시 자세를 잡고 연습하는.

– 정년, 빨래를 하려는데 물이 꽝꽝 얼어 있다. 꽝꽝 언 물을 깨면서 소리 연습을 하는 정년.

– 또다시 아침, 정년이 달력에 X를 그으려고 하는데 영서, 슥 나타나서 얼른 먼저 표시를 해버리는. 정년, 약 올라서 영서를 보는데 영서, 그러거나 말거나 쌩하니 방을 나가버리는. X 표시된 날짜 위에 써 있는 '오디숀 D-1'.

#45 매란국극단 부엌 안. 밤

정년, 아궁이 앞에 앉아 불 때는데 주란, 보자기 들고 들어오는.

주란　(보자기에 싼 주먹밥을 꺼내는) 먹고 해. 너 저녁도 못 먹었잖아.

정년　역시 나 생각해주는 건 주란이 너밖에 없어야.

(받아먹는)

주란　천천히 먹어. 아직도 할 거 많이 남았어?

정년　불 다 때면 소품 창고 정리해야 돼. 그것까지 해놔야 내일 아침에 오디숀을 볼 수가 있어. 너는?

주란　난 다림질만 하면 돼. 끝나고 나면 창고 정리 내가 도와줄게. 거기 안에 물건들이 얼마나 많은데.

정년　됐어. 너도 오디숀 볼 거람서. 일 끝나면 빨리 연습부터 해.

주란　너는.

정년　괜찮애, 오늘 밤 꼬박 새면 시간 맞춰 갈 수 있을 거여.

주란　그니까 내가 도와주면 더 빨리 끝나고 좋잖아.

정년　넌 네 연습이나 하랑께.

(눈 부릅뜨는 시늉) 너 내 말 안

듣고 기언치 오면 나 화낸다. 알았제?

주란 (못 이기고 웃는) 알았어…….

#46 매란국극단 소품 창고 안. 밤

잡동사니가 엉망진창으로 뒤엉켜 있는 소품 창고 안. 정년, 열심히 소품들 정리하는.

#47 매란국극단 소품 창고 밖. 밤

소품 창고 문 자물쇠를 조심스럽게 채우는 누군가의 손. 혜랑이다. 초록, 복실, 연홍은 소품 창고 근처 지나다가 혜랑이 문을 잠그는 것을 보고 의아해서 멈추는. 혜랑, 주위를 살피고 초록, 복실, 연홍이 자길 보고 있다는 걸 눈치채지 못한 채 서둘러 자리 뜬다.

복실 혜랑 선배잖아? 이 시간에 창고에서 뭐 하는 거지?

초록 (대수롭잖게) 뭐 찾을 거라도 있었나 보지, 가자. (자리 뜨는)

#48 매란국극단 대연습실 앞. 낮

단원들, 모두 모여 있는.

소복 지금부터 〈자명고〉 오디숀을 시작한다. 오디숀 심사위원으로는 극본을 쓰신 권영섭 선생님, 안무를 맡아주실 조수연 선생님, 그리고 고수 이용근 선생님이 참석하실 거다. 호명하는 사람부터 한 사람씩 들어와 오디숀을 보도록.

주란, 빈 옆자리를 보며 초조해하는. 영서, 주란의 빈 옆자리를 무표정하게 본다.

#49 매란국극단 소품 창고 안. 낮

말끔하게 정리된 소품 창고 안.
정년, 소품 창고 한쪽 구석에서 기대 정신없이 잠들어 있는. 정년, 몸 뒤척이다 소품을 건드려서 요란한 소리가 나자 그제야 깜짝 놀라 일어난다. 정년, 눈 끔벅거리다 밖이 환한 걸 보고 정신이 번쩍 나는.

정년 워메, 오디숀! (벌떡 일어나는)

정년, 소품 창고 문손잡이 잡아당기는데 문은 꼼짝도 하지 않는. 정년, 갸우뚱하고 다시 잡아당기지만 여전히 꼼짝 않는. 정년, 놀라서 문 마구 흔들다가 문을 두들기기 시작하는.

정년 저기요, 저기요! 여기 사람 있어라! 저기요! 거기 아무도 없소?!

#50 매란국극단 소품 창고 밖. 낮

정년의 고함 소리 새어 나오지만 주위에는 아무도 없는.

#51 매란국극단 대연습실 안. 낮

영서, 안으로 들어가는. 영서, 소복과 심사위원들에게 인사하는.

소복 어떤 배역을 연기할 거니.
영서 고미걸입니다.
소복 (의아한) 호동왕자가 아니고 가다끼를 하겠다고?
영서 네.
소복 (잠시 영서 보다가) 그래, 시작해봐라. 내가 대사 맞춰줄게.

#52 매란국극단 대연습실 앞. 낮

연습실 문 앞에서 귀 바짝 대고 있던 원철, 깜짝 놀라 애들을 보는.

원철 야야! 허영서 고미걸로 오디숀 보겠대!

도앵 (대본 보다가 놀라서 보는)

필순 가다끼로 본다고?
호동왕자로 안 보고?
호동왕자는 어차피 안 될 거
뻔하니까 가다끼로 보나 보네.

원철 가다끼는 쉽냐? (도앵을
흘끔거리며 소근소근) 가다끼
전문 도앵 선배를 놔두고
허영서를 뽑을 리가 없는데.

아이들, 도앵 쪽 보고 수군거리는.
도앵, 표정 굳어서 대본을 보는.

#53 매란국극단 대연습실 안. 낮

오디션 중인 영서. 영서, 날카로운
표정으로 심사위원들 쪽을 보는.

영서 호동과 목련이 혼인을
약속해? 아니 된다. 고구려와
낙랑은 앙숙이어야 하거늘……
(걷기 시작하는) 둘이 티격태격
싸워서 힘이 빠져야 우리 대
한나라가 꿀꺽 집어삼키지
않겠는가. (걸음을 멈추는)
이러다 화친이라도 하면 큰일,
어쩌면 좋을꼬…….

심사위원들, 만면에 흐뭇하게
미소 띠며 자기들끼리 뭐라고
수군거리는.

#54 매란국극단 대연습실 앞. 낮

영서, 대연습실에서 나오는.
아이들, 영서가 나오자 호기심
어린 눈빛으로 보면서 수군거리는.
도앵, 가만히 영서를 본다. 용근,
대연습실에서 나와 리스트 보며
이름 부르는.

용근 다음, 백도앵.

도앵, 대연습실로 들어간다. 영서,
도앵도 고미걸을 할 것임을 알기에
순간 긴장해서 보는.

#55 매란국극단 대연습실 안. 낮

오디션 보는 도앵.

도앵 (영서보다 훨씬 더 노련한 어른 남자 같은 느낌으로) 오늘도 어여쁘구나. 목련이 없었더라면 너를 첩으로 들였을지도.
구슬아기여, 목련과 호동이 혼인한다는 소문을 들었는가?
소복 저잣거리의 뜬소문일 뿐입니다.
도앵 (비웃으며) 가련한 구슬아기, 어여쁜 구슬아기!
(유혹하듯) 자, 이 밀서를 목련공주에게 전하거라. 나는 목련을, 너는 호동왕자를 원하고 있지 않았더냐? 밀서만 전하면 두 사람은 결코 혼인할 수 없다.

심사위원들, 과연 하며 감탄하는.

수연 역시 가다끼 전문답네. 이 역할 전에도 해봤었지?
도앵 네.

도앵, 어쩐지 표정 밝지 않은.
소복도 그런 도앵 보며 영서한테 밀렸다는 것 알고 표정 어두운.

#56 매란국극단 대연습실 앞. 낮

주란, 초조하게 밖을 자꾸 보는.

영서 (주란 쪽으로 오는) 윤정년은?
주란 아직…… 소품 창고 정리하고 온다고 했는데 뭐가 이렇게 오래 걸리지? 잠들었나?
영서 …….
주란 아무래도 안 되겠어, 가서 정년이 불러와야지.
용근 (대연습실에서 나오는) 다음, 홍주란.
주란 (당황하는데) 어, 어떡하지? (원철 붙잡고) 원철아, 미안한데 소품 창고 가서 정년이 좀 불러와주라. 나 지금 들어가봐야 돼서.
원철 야, 나도 언제 들어갈지

모르는데 어떻게 가.

주란 (미치겠는) 아, 그렇지.

(안절부절못하는)

영서 (주란을 무표정하게 보는)

용근 홍주란, 안 들어갈 거냐!

주란 (어찌할 바를 모르고) 저기, 잠깐만 기다려주세요, 저 얼른 가서 정년이 좀,

영서 넌 들어가.

주란 (놀라서 영서 보면)

영서 윤정년은 내가 가서 찾아올게. (자리 뜨는)

주란 (반가우면서도 얼떨떨한. 영서 뒤에 대고) 고, 고마워, 영서야.

#57 매란국극단 소품 창고 안&밖. 낮

정년, 톱으로 나무 창살 써는. 마지막 창살을 베고 나자 정년 몸 하나가 간신히 빠져나갈 공간이 생긴다. 정년, 표정 환해지면서 창문으로 몸 끼워 넣어 빠져나가려고 하지만 엉덩이 부분에서 딱 걸리는.

정년 뭐여, 또! (몸부림을 치지만 쉽게 빠지지 않는)

영서, 소품 창고 쪽으로 오다가 창문에 끼어서 몸부림치고 있는 정년과 눈이 마주치는.

정년 아, 허영서, 아따 너 잘 왔다. 나 좀 빼주라.

영서 (정년 양쪽 팔 잡아당겨서 빼려고 하며) 아니, 멀쩡한 문 놔두고 왜 창문으로 나오는 거야!

정년 아, 문이 잠겼응께 이라지! 잘 좀 잡아땡겨봐!

영서, 있는 힘껏 잡아당기고 정년, 몸이 쑥 빠지는. 영서, 뒤로 자빠지고 정년, 영서 위로 엎어지는.

정년 나왔다! 나왔어!

영서 아우, 무거워, 좀 일어나봐!

정년, 영서 (몸 일으키는)

정년 (너무 좋아서 영서 끌어안는) 고맙다, 허영서! 덕분에 살아부렀다!

영서 (정년 떼어내며) 너 지금 이러고 있을 때가 아니야. 오디숀 좀 있으면 다 끝나!

둘, 정신없이 뛰기 시작하는.

#58 매란국극단 대연습실 앞. 낮

용근, 리스트의 마지막 남은 이름인 정년 부르는.

용근 마지막, 윤정년!

단원들, 주위를 둘러보는. 주란, 초조하게 문 쪽을 보는.

용근 윤정년 없어? 없으면 이걸로 오디숀을 끝낸다.

주란 (놀라서) 아니에요! 정년이 지금 오고 있어요! (하는데)

정년 윤정년 여깄어라!

주란 (표정 밝아져서 돌아보면)

정년과 영서, 정신없이 연습실 앞으로 뛰어오는.

정년 (헐떡이면서) 윤정년 왔는디요.

용근 얼른 들어가.

정년, 들어가고 주란, 안도의 한숨 내쉬는. 영서, 헐떡이며 숨 고르는.

#59 매란국극단 대연습실 안. 낮

정년, 심사위원들 앞에 서 있는.

소복 윤정년 넌 어느 역할로 오디숀을 볼 거냐.

정년 군졸이요.

소복 군졸? 전쟁 났다고 알리는 병사 역할 말이냐?

정년 예.

소복 그 역할은 비중이 작은 거 알고 있니?

정년 예, 알고 있는디요.

소복 그 역할을 하려는 이유는?

정년 〈자명고〉에서 다른 사람들이 어떻게 연기를 하는지 잘 볼라면 그 역할이 딱인 거 같아서라.

소복 (잠시 생각하다가) 그래, 그럼 시작해봐. (대본 보며) 군졸들 씬부터. 내가 대사 맞춰주마. (서글프게) 오늘도 저녁을 굶고 자게 생겼네.

정년 군량이 얼마 안 남아서 하루 한 끼밖에 줄 수 없다고 하오. (가라앉으며) 고향의 부모님들은 어쩌고 계실지 걱정이 태산이오.

소복 이를 말인가. 집 떠나올 때 걸음마를 시작하던 우리 아들은 지금쯤 아비 얼굴도 까맣게 잊었을 터인데…….

정년 (울분에 찬) 이렇게 배를 굶고 어찌 전쟁에서 잘 싸울 수 있겠소! 도성에 계신 그 잘난 나라님은 이런 상황을 알고나 있냔 말이오!

소복 조심하게, 이러다 누가 듣겠네.

정년 들을 테면 들으라고 하시오! 전 윗분들을 위해 싸우는 것이 아니외다. 고향에 두고 온 내 가족을 지키기 위해 싸우는 거란 말이오!

소복 (대본 몇 장 넘기고) 자, 그다음 대사.

정년 (우렁차게) 장군님! 고구려 군사가 밀려들고 있습니다!

우렁찬 목소리에 심사위원들, 순간 깜짝 놀라는. 소복, 순간 웃음 참는.

소복 됐어, 거기까지.
단역이라도 준비를 해서 무대에 서야 한다는 거 알고 있지. 무대에 서는 이상, 어느 역할이라도 준비를 소홀히 해서는 안 돼.

정년 예, 그러믄이라.

소복 나가봐.

#60 매란국극단 대연습실 앞. 낮

문을 열고 나오는 정년. 기대에 찬 눈으로 쳐다보는 주란.

주란 어땠어?

정년 (웃는) 글쎄에…… 최선은 다했는디.

영서, 밖으로 나가는. 정년, 영서를 눈으로 좇는.

#61 매란국극단 일각. 낮

영서, 걸어가는데 쫓아오는 정년.

정년 허영서!

영서 (그냥 계속 걷는)

정년 (영서 앞 가로막고 서는) 아까…… 고맙다이. 덕분에 살았어야.

영서 너 도와주려고,

정년 한 거 아니야, 그래, 나도 알어. 그래도 고맙다고.

영서 …….

정년 왜 도와준 거여?

영서 (잠시 정년 보는) ……내 눈으로 다시 봐야겠으니까.

정년 뭐를?

영서 그날 〈춘향전〉 공연에서 네 연기 말이야. 그냥 운 좋게 얻어걸린 건지, 진짜 실력인지, 네가 연기하는 걸 다시 봐야겠다고.

정년 (어리둥절한) 뭔 소리대?

영서 ……됐다. (사이) 창고 문은 왜 안 열렸던 거야?

정년 모르겄어. 누가 밖에서 잠가버린 거 같던디, 내가 안에 있는 걸 모르고 잠갔나 봐.

영서 (생각에 잠기는)

#62 매란국극단 소품 창고 앞. 낮

초록, 복실, 연홍, 자물쇠로 잠긴 소품 창고 문을 보는.

초록 봐, 잠긴 거 맞잖아.

복실 그럼 그때 진짜 잠근 건가 봐.

겁에 질려 서로를 마주 보는 초록, 복실, 연홍.

복실 안에 정년이 있다는 거 알고 일부러 그런 건가?

초록 당연히 일부러 그런 거지. 야, 이거 우리끼리 비밀로 해야 된다, 알았지?

영서 뭘 비밀로 하는데?

초록, 복실, 연홍 (헉, 놀라서 돌아보면)

영서 (냉랭한 표정으로 셋 보는) 너네가 윤정년 오디숀 못 보게 문 잠근 거지.

초록 (기겁해서) 아냐! 우리도 정년이 갇혔었다는 거 방금 들었어!

연홍 그래, 이번엔 우리가 그런 거 진짜 아냐!

영서 그럼 방금 무슨 얘기 하고 있었어.

초록, 복실, 연홍, 말해도 되나? 머뭇거리며 서로를 마주 보는.

영서 안 되겠다, 그냥 다 같이 단장님 앞에서 얘기하자. (자리 뜨려는)

초록 (식겁해서) 야, 야! 진짜 우리가 한 거 아니라니까! 저기, 사실은…….

영서 (미심쩍게 초록을 보는)

#63 매란국극단 대문 앞. 낮

옥경, 대문을 나서는데 영서, 쫓아 나오는.

영서　저, 선배님!

옥경　(돌아보는)

[시간 경과]

옥경　(심각한 표정으로 듣고 있다가) 이 얘기 또 누가 알고 있니?

영서　그 애들하고 저만 알고 있습니다.

옥경　……그래, 말해줘서 고맙다.

영서, 고개 숙이고 자리 뜨는. 영서, 가다가 돌아보면 옥경, 심란한 표정으로 생각에 잠겨 있는.

#64 매란국극단 단장실 안. 낮

소복, 심사위원들(영섭, 용근, 수연)과 회의 중.

소복　다음은 고미걸 역할을 정해야 합니다.

수연　가다끼 연기로 보자면 백도앵이 남성적이고 카리스마가 넘쳤습니다. 왜 가다끼 연기로 최고라고 하는지 알 것 같았어요.

용근　물론, 백도앵 연기 잘하죠. 하지만 허영서 연기도 그에 비해서 전혀 뒤지지 않았습니다. 아, 아주 참신한 해석이었지 않습니까, 그냥 악당이 아니라 지략가인 고미걸.

수연　(흥, 비웃는) 허영서가 연기를 잘한다고 해도 백도앵의 노련함을 따라오려면 아직 멀었습니다. 가다끼라면 모름지기 백도앵처럼 뇌리에 팍 꽂히는 게 있어야죠.

용근　(답답하다는 듯) 노련함이야 경험 쌓이면 느는 거죠. 거기다 소리를 봐야죠, 소리. 소리까지 종합해서 보면 허영서가 훨씬 앞서지 않습니까. 아, 권영섭 선생님, 어떻게 생각하십니까? 제 말이 틀렸습니까?

영섭 두 분 말씀대로 백도앵의 연기와 허영서의 연기 각각 개성이 뚜렷했고 달랐습니다. 다만 백도앵의 가다끼 연기는 유명해서 이미 충성도 높은 팬들이 있지 않습니까. 허영서의 연기가 그들의 마음까지 돌려세울 수 있을지 그게 좀 걱정이 되는군요.

소복 (생각에 잠기는)

영섭 모두의 의견이 갈리니 단장님의 생각이 중요할 것 같은데요.

모두의 시선이 소복에게 쏠린다.

소복 여러분들 모두 일리 있는 말씀이라고 생각합니다. 제 생각에는,

#65 매란국극단 마당. 낮

단원들, 모두 모여 있는. 소복, 종이 갖고 단원들 앞에 선다. 단원들, 긴장해서 소복을 보는.

소복 지금부터 〈자명고〉 오디숀 결과를 발표하겠다. 먼저 주연인 호동왕자, 문옥경.

단원들, 당연히 그럴 줄 알았다는 듯 박수 쳐주고 혜랑, 웃으며 기쁘게 박수 치는. 옥경, 단원들에게 무덤덤한 표정으로 목례하는.

소복 다음은 목련공주에 서혜랑.

단원들, 박수 치고 혜랑, 밝게 웃으며 목례하는.

소복 다음은 고미걸.

영서, 도앵 (긴장하는)

소복 고미걸에는 허영서.

순간 놀라는 단원들. 영서, 안도하며 눈 질끈 감았다 뜨는. 도앵, 어느 정도 예감하고 있었던 듯 무덤덤한 표정. 단원들, 박수 치지만 다들 얼떨떨한 표정. 정년과 주란만이 대단한데, 하는 표정으로 진심으로 박수 쳐주는.

소향　영서라고? 도앵 선배가 아니고?

봉선　가다끼는 항상 도앵 선배가 해왔잖아.

금희　도앵 선배 보겠다고 전 회차 다 표 구해서 보는 애들도 꽤 많은데, 허영서가 고미걸을 한다고 하면 개들이 올까?

영서, 순간 그 소리에 움찔하는.

소복　자, 다음은 구슬아기에 홍주란.

아이들, 놀라서 박수 칠 생각도 못 하고 주란 보는. 주란, '제가요?' 얼떨떨한 표정.

정년　(좋아하며 박수 쳐주는) 뭐여! 난 네가 구슬아기로 오디숀 본 줄도 몰랐는디.

주란　(얼떨떨한) 나도 내가 붙을 줄 몰랐어.

소복　호동왕자 친구 바우에는 임숙영, 망치 송소영, 낙랑왕 김윤숙, 고구려왕 김연이. 낙랑장군 유미래, 고구려장군 손가연, 군졸1에 윤정년,

정년　(자기도 모르게) 됐다!

단원들, 뭐 그런 걸로 좋아하냐는 듯 뜨악한 표정으로 정년 보는. 정년, 민망해져서 입 다무는.

소복　군졸2 신원철, 군졸3 우미금…….

정년, 주란과 손잡고 좋아하는. 영서, 그런 정년을 골똘히 생각에 잠겨서 보는.

소복　내일부터 바로 대본 연습을 시작한다. 다들 준비 잘해오도록.

단원들　네!

#66 매란국극단 일각. 밤

도앵, 〈자명고〉 대본을 본다. 심란한 도앵, 한숨을 쉬는. 소복, 그런 도앵을 안쓰럽게 보다가 다가가는.

도앵　(벌떡 일어나는) 단장님.

소복　나랑 차 한잔할래? 단장하고 단원 말고 이모랑 조카 사이로.

도앵　(의외의 말에 놀라서 보는)

#67 매란국극단 단장실 안. 밤

차를 앞에 놓고 마주 앉은 두 사람.

소복　너 처음에 무작정 국극 하겠다고 우겼을 때 내가 그랬었지. 매란에 들어오면 이모 조카 사이는 없을 거라고.

도앵　(웃는) 그래서 저도 특별 취급 받지 않겠다고 말씀드렸잖아요.

소복　단장으로서…… 너처럼 괜찮은 가다끼 배우 떨어뜨리기 아까웠어.

도앵　이모도 어쩔 수 없었다는 거 알아요. 저하고 영서 소리는 비교할 수 없으니까요. (눈가가 벌게져서) 앞으로도 계속 이러겠죠? 저보다 더 잘하는 후배들이 절 밀어낼 거고, 전 점점 더 작은 역할로 가야 할 거고. (입술 떨리는) 근데 이모, 그래도 전 국극이 포기가 안 돼요.

소복　(마음 아픈) 그럼 계속하면 되는 거야.

도앵　(눈물 흘리는) 근데…… 가다끼가 아닌 다른 역할을 잘해낼 수 있을지 모르겠어요. 너무 오랫동안 가다끼만

해가지고…… (눈물 닦는) 죄송해요, 우는소리 안 하려고 했는데…….

소복　(마음 아파서 조카를 보다가) 넌 네 재능이 가다끼를 연기할 때만 있다고 생각해?

도앵　……네?

소복　다른 아이들은 대본 받으면 늘 자기 역할만 분석했는데, 넌 연구생일 때부터 모든 역할을 분석했었어. 그 극이 말하고자 하는 바, 대사의 숨은 뜻까지 다 잡아낼 줄 알았잖아. 너한텐 연출자로서의 재능이 있어.

도앵　(놀라는) 이모…….

소복　너만 각오가 됐다면, 이번 〈자명고〉부터 조연출로 나를 도와. 앞으로는 연출자로서 걸어가면 되는 거야.

도앵　(놀라서 소복을 보는)

#68 연습실 안. 밤

정년, 대사 연습하는. 주란, 옆에서 조용히 대본 읽는.

정년　장군님! 고구려 군사가, 아냐, 또 사투리처럼 들려. 이건 방자하고 달라갖고 사투리가 들어가면 안 되는디…….

주란, 정년을 보는.

주란　근데 왜 비중도 작은 군졸 역으로 오디손을 본 거야? 네 실력이면 더 큰 역으로 봐도 되잖아.

정년　허영서 말이, 내가 저번에 방자를 잘한 게 지가 연기를 잘 받아줘갖고 그런 거라고 하대. 그 말이 자꾸 마음에 걸려. 그래서 큰 역할부터 덤비지 말고 작은 역할부터 함서 다른 사람들은 연기를 어떻게 하는지 배워야겄다 싶더라고.

주란　(웃는) 하긴 단장님도 연구생들 촛대부터 세우는

이유가 있으니까.

정년 너야말로 그때는 춪대로 오디숀 볼 것처럼 하더니 어떻게 구슬아기에 붙은 거여? 네가 그 역할로 오디숀 보는지 다들 몰랐다고 하든디?

주란 (가만히 정년을 보며) 사실 너 때문에 할 수 있었어.

정년 (어리둥절) 나?

주란 그동안 내가 춪대 이상으로 뭘 할 수 있을까 확신이 없었거든. 근데 네가 그때 그랬잖아. 부딪혀봐야 안다고…… 그리고 사실 너 저번에 방자 연기하는 거 보고 나도 좀 욕심이 생기기 시작했어.

정년 (얼떨떨해하며 웃는) 나 땜시라니 영광이네.

주란 (정년 잠시 보다가 용기 내서) 나 꿈도 하나 생겼어.

정년 뭔디?

주란 (간절한 소망을 담아서) 언젠가 너는 남자 주인공으로, 나는 여자 주인공으로 무대 위에 마주 보고 서서 연기해보자.

정년 지금 옥경 선배랑 혜랑 선배맹키로?

주란 응.

정년 (환히 웃는) 나는 좋제. 그럼 내가 지금부터 더 분발해야 쓰겄네.

주란 약속한 거다? (새끼손가락 내밀며) 자, 그럼 손가락 걸어.

정년 참말로 이 가시나, 맹세하고 약속하고 그런 거 겁나게 좋아해.

주란 빨리!

정년 아, 알았어.

정년과 주란, 새끼손가락 걸고 웃는.

#69 매란국극단 대연습실 안. 낮

대본 연습하려고 다 같이 모인 단원들. 소복, 연습실로 들어온다.

바로 뒤를 따라 들어오는 도앵.

단원들, 모두 소복에게 집중하는.

소복 〈자명고〉 공연은 우리 매란국극단의 대표적인 흥행작이다. 특히 이번 〈자명고〉는 무대미술, 의상, 소품을 다 새롭게 손보고 최고의 완성도로 올릴 생각이다. 기념비적인 공연에 어울릴 만한 최고의 연기들을 보여주길 바란다.

단원들 네!

소복 도앵이는 이번에 조연출을 맡아서 나를 도와 연출 전반적인 부분을 감독하기로 했다.

단원들 네!

도앵 (한결 편해진 표정)

소복 자, 바우 대사부터 시작한다.

숙영 아이들이 노래를 부르는구나, 참으로 흥겹도다.

소영 이것이 다 우리 전하의 은덕 덕분 아닌가.

옥경 (위엄 있는) ……정녕 태평성대인가? 위에서는 한나라가 쳐들어오고 동에서는 낙랑국 견제해오니 내 나라 신세 가련타.

단원들, 감탄하는. 영서, 진지한 표정으로 옥경의 연기를 놓치지 않고 보는.

옥경 낙랑의 보물 자명고를 부술 수만 있다면…….

숙영 스스로 울려 적군을 막는다는 그 북 말씀이옵니까.

원철 왕자마마! 왕자마마! 구슬아기가 돌아왔사옵니다!

주란 (밝게) 소인 구슬아기, 첩자의 임무를 마치고 돌아왔사옵니다.

소복 잠깐. 구슬아기는 임무 중에 치명상을 입고 돌아왔다, 그렇게 목소리가 밝아선 안 돼.

주란 네.

소복　다음 고미걸.
영서　(비웃는 듯한 웃음을 얼굴에 띠며) 구슬아기여.
주란　당신은 고미걸! 한 나라의 재상인 당신이 어찌 왕자의 궁에!
영서　오늘도 어여쁘구나. 목련이 없었더라면 너를 첩으로 들였을지도.

단원들, 놀라서 영서 보는. 정년, 잔뜩 집중해서 영서의 연기를 보는.

영서　구슬아기여, 목련과 호동이 혼인한다는 소문을 들었는가?
주란　저잣거리의 뜬소문일 뿐이옵니다.
영서　(호탕하게 웃는, 도앵 따라 하듯) 가련한 구슬아기! 어여쁜 구슬아기! 자, 이 밀서를 목련공주에게 전하거라. 나는 목련을, 너는 호동왕자를 원하고 있지 않았더냐? 밀서만 전하면 두 사람은 결코 혼인할 수 없다.

단원들, "잘하네" "가다끼도 잘 어울려" 얘기하는. 하지만 정년, 영서 보다가 고개 갸웃하는.

필순　(소근) 나쁘지 않은데?
원철　(작게) 저 정도 갖고는 도앵 선배 좋아하는 팬들 마음 못 잡아. 도앵 선배 가다끼가 얼마나 카리스마 있었는데.
영서　(그 말 듣고 움찔하는)
소복　영서 계속 그 톤으로 연기할 거니?
영서　(긴장하는) 네? 네.
소복　그래? (잠시 사이) 그래, 다음.
정년　(그저 골똘히 생각에 잠겨 영서만 보고 있는)
소복　다음! 낙랑 군졸! 윤정년 뭐 하니!
정년　(화들짝 놀라는) 예, 예!

(대본 다급히 보며) 장군님!
고, 고려 군사가 밀려들고
있습니다!

소복 (호통) 고구려가 왜
고려가 됐어! 그 쉬운 대사도
제대로 못 읽어!

단원들, 폭소 터지는. 정년,
민망해하며 어색하게 웃는.

#70 매란국극단 연습실 앞. 밤

정년, 〈자명고〉 대본 갖고
들어가려고 하는데,

영서 (낮고 굵게) 가련한
구슬아기! 어여쁜 구슬아기!

정년, 멈칫하는.

#71 매란국극단 연습실 안. 밤

영서, 대본 보며 대사 연습하는.

영서 (낮고 굵게) 자, 이 밀서를
목련공주에게 전하거라.
(표정 일그러지는) 아냐, 이게
아냐…… 좀 더 제대로
위압감을 느낄 수 있게 낮고
굵게…… (더 톤을 낮춰서)
자, 이 밀서를 목련공주에게
전하거라.

정년 너 뭐 하고 있는 거여?

영서, 놀라서 돌아보면 정년이
문간에 서서 영서를 지켜보고
있는.

정년 그건 네 고미걸이
아니잖어. 도앵 선배
고미걸이제.

영서 (얼굴이 확 달아오르는 것
같은)

정년 아까 연습 때부터 왜
너답지 않게 남의 고미걸을
흉내 내고 있는 건디?

들키고 싶지 않은 모습을 들킨

영서, 분노와 부끄러움, 참담함 뒤엉켜 정년 외면하는.

영서 ……네가 뭘 알아. 도앵 선배 가다끼 연기가 정답이라고 생각하는 사람들은 내 연기를 보려고 하지 않을 수도 있어.

정년 (피식 웃는) 너 그때 〈춘향전〉 연습할 때 나보고 뭐라고 했냐. 나만의 방자가 없다고 겁나게 몰아붙였잖어. 근디 넌 인자 와서 도앵 선배 가다끼 연기를 흉내 내겄다고?

영서 (얼굴 화끈거리자 되레 버럭) 남 상관 말고 네 연기나 잘해. 그 짧은 대사도 틀려놓고 누구를 가르치려 드는 거야.

정년 (헛웃음) 그랬네이. 내 앞가림도 못 함서. 미안, 주제넘었다. 암튼지간에 너만의 고미걸을 즐겼으면 좋겄다고, 그 얘기를 하고 싶었어.

정년, 연습하려고 대본을 펼치고

영서, 뭔가 부글부글 끓어오르는 표정.

영서 도대체 뭘 어떻게 하면 즐길 수가 있는 건데?

정년 (영서 보는)

영서 옥경 선배도 저번에 그러던데. 나보고 즐기라고. 선배도 너도 그게 되나 봐? 이렇게 매번 공연을 앞둘 때마다 항상 불안한데 어떻게 즐길 수가 있어?

정년 …….

영서 그래, 넌 무대 위에서나 아래서나 네 맘대로 한가하게 즐기면서 살 수 있겠지. 근데 난 너랑 달라. 난 무대에서 매번 나를 증명해 보여야 한다고!

정년 뭘 그라고 증명해야 한다는 거여?

영서 내가 한기주 딸 자격이 있다는 거! 그걸 우리 어머니가 인정해야 할 거 아냐!!

악에 받친 영서를 보다가 정년, 눈빛이 날카로워지는.

정년 ……그거였구만, 네 진짜 약점이.
영서 (표정 굳어서 정년 보면)
정년 인자 봉께 넌 네 연기에 집중할 수가 없는 거여. 네 엄니한티 인정받을 생각에 마음이 급해 죽겄으니께.
영서 (아픈 데가 찔리자 부들부들 떨며 정년을 보는) 네까짓 게 뭔데 감히…… (정년을 잡아먹을 듯) 나에 대해서 함부로 아는 척하지 마.
정년 (도발하는) 왜, 나 같은 것한티 들킹게 속이 벌렁거리냐?
영서 (약이 올라 어쩔 줄 모르는, 어떻게 상처를 줄까 부들부들) 조금만 기다려, 곧 네 주제 파악하게 해줄게. 영원히 내 뒤통수나 쳐다보면서 군졸이나 백날천날 맡게 해줄 테니까.
정년 (완전히 화나서 금방이라도 폭발할 듯 다가가는) 주제 파악을 누가 하게 될지 길고 짧은 건 대봐야 알제. 누가 알겄냐? 언젠가 내가 네 앞에 있을 수도 있어.

영서, 이를 악물고 정년을 노려본다. 이미 가슴 한편에 정년에 대한 두려움이 있는 영서, 그것을 감추며 정년을 쏘아보는. 그런 영서를 맞받아치듯 보는 정년에서 5부 엔딩.

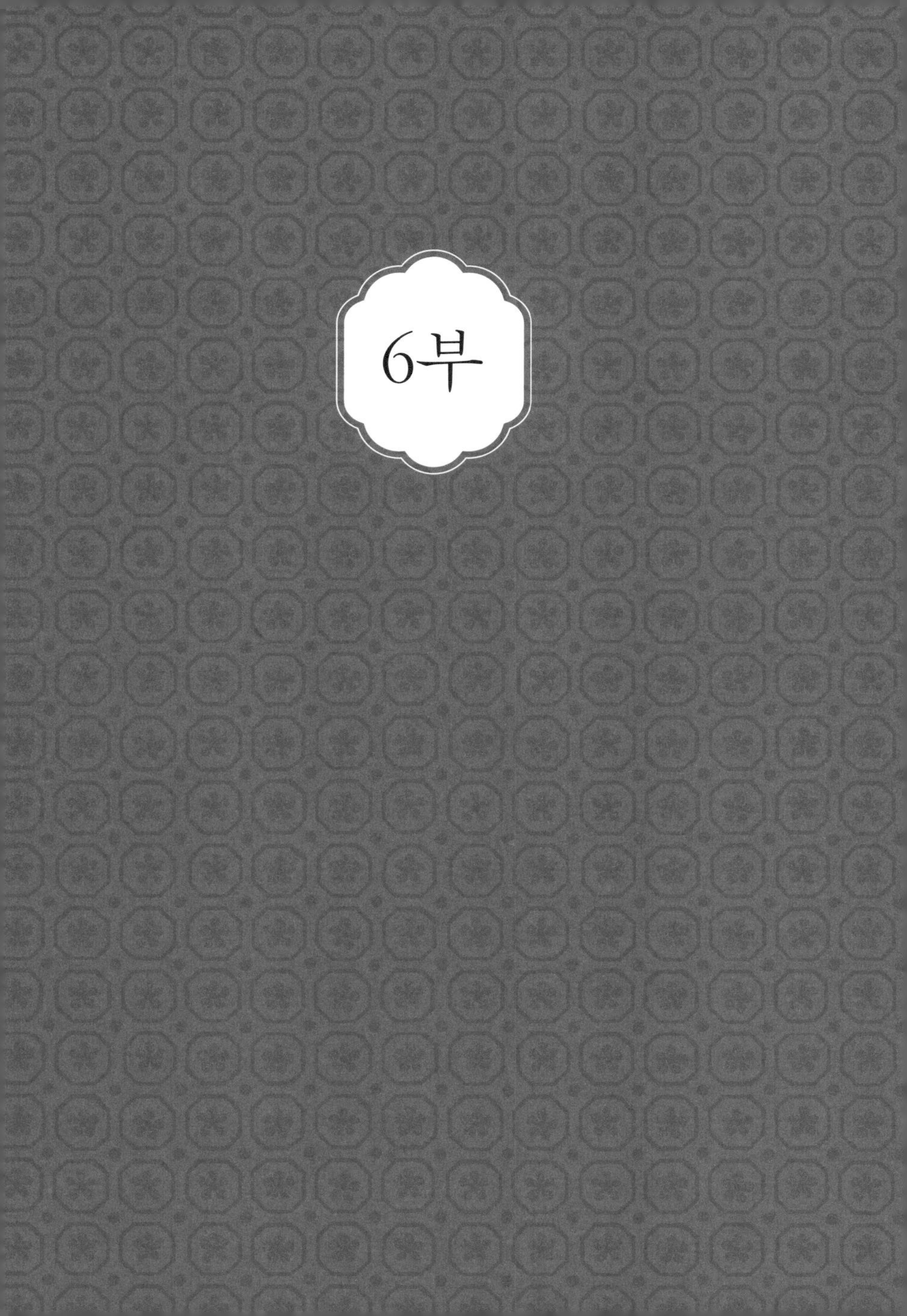

6부

(도앵) (담담하게) 그래도 해보는 데까지 해봤으니까 후회는 없어. 영서가 어떻게 나하고 다른 가다끼 연기를 할지 기대도 되고.

#1 매란국극단 대연습실 안. 낮

다 같이 모여서 대본 연습을 하는.

영서 구슬아기여. (잠시 사이) 귀여운 구슬아기, 오늘도 어여쁘구나. 목련이 없었더라면 너를 첩으로 들였을지도.

주란 아아, 더러운 말 듣기 싫어! 고미걸, 한나라의 재상이라지만 나는 당신이 싫습니다.

소복 잠깐! 고미걸, 구슬아기, 너네 둘 대사 안 맞춰봤니?

주란 ……아직 서로 시간을 못 맞춰서요.

소복 무슨 소리야, 지금쯤 되면 서로 눈빛만 봐도 대사가 줄줄 나올 정도가 돼야 하는데. 지금 서로 호흡이 하나도 안 맞고 따로 놀고 있잖아!

영서, 무표정한 얼굴이고 주란, 고개 숙인. 정년, 둘을 본다.

소복 이 〈자명고〉에서는 호동왕자랑 목련공주 다음으로 너네 둘의 호흡이 중요해. 고미걸과 구슬아기 연기에 설득력이 없으면 전체 〈자명고〉 얘기도 흔들린다고, 알았니?

영서, 주란 네.

소복 자, 다음은 목련공주가 자명고를 찢으란 서신을 받는 장면으로 넘어간다.

정년 저기, 단장님. 그라면 군졸 부분은 오늘 못 하는디요.

소복 시간 없으니까 오늘은 주연들 장면 위주로만 맞춰본다. 단역들 장면은 다음에 하자. 자, 목련공주.

혜랑 왕자님께서 자명고를 찢으라 하신다.

정년, 실망이 가득한 표정.

#2 매란국극단 대연습실 밖. 낮

영서, 굳은 표정으로 연습실을 나서는데 주란, 서둘러 따라 나오는.

주란 (조심스럽게) 저기, 영서야.
영서 (돌아보는)
주란 언제 나랑 대사 좀 맞춰줄 수 있어?
영서 나중에. (가려고 하면)

정년, 뒤에서 지켜보는.

주란 저기, 네 시간에 내가 맞출 테니까 오늘 밤이라도,
영서 (신경질적으로) 나중에 하겠다니까? 아직 준비도 안 됐는데 무작정 대사만 맞춰봐서 뭐 어쩌자는 거야? 호흡을 맞추는 건 각자 완벽하게 준비가 됐을 때 해도 늦지 않아!

영서, 확 돌아서서 가버리고 주란, 멍하니 영서 뒷모습을 보는. 정년, 의기소침한 주란을 보는.

#3 매란국극단 휴게실. 낮

의기소침한 주란을 위로하는 정년. 초록, 복실, 연홍, 옆에서 간식 나눠 먹는.

정년 아야, 기운내란께. 영서 성질 더러운 거 하루 이틀 일이 아니잖어.
주란 대사를 한 번도 못 맞춰봐서 불안해 죽겠는데 영서는 말도 못 꺼내게 하고…….
정년 어떡하냐, 진짜. 내가 영서 고 가시나 확 혼내줄까?

초록　윤정년, 네 걱정이나 해. 오늘 전체 연습에서 입도 못 떼봤으면서.

정년　오늘은 시간 없다고 어쩔 수 없이 주연들 위주로 한 거잖어.

초록　(여전히 틱틱대지만 이제 어느 정도 애정 담아서 까는) 착각도 자유야, 정말. 시간이 넘쳐나도 군졸을 연습에서 챙겨주겠냐? 극이란 건 철저히 주연들 위주로만 돌아가는 거야. 그러게 오디숀을 볼 거면 좀 큰 역할을 봤어야지.

정년　알도 못함서! 내가 군졸을 맡은 것은 다 이유가 있어서 그런 거여. 전체 극을 넓게 보기 위해서 비중이 작은 역할을 일부러 맡은 거라고.

초록　어머, 그러세요. 그래봤자 이 〈자명고〉 공연 본 관객들은 영서나 주란이는 기억해도 대사 몇 줄 안 되는 너는 극장에서 나가는 순간 기억에서 사라져버릴걸?

혀 낼름 내밀고 가버리는 초록과 복실, 연홍.

정년　(분한) 저 가시나, 어째 요새 사람 속을 안 뒤집는가 했다. 군졸이 뭐 어때서! 극에서 안 중요한 역할이 어딨대.

주란　맞아, 너도 〈자명고〉에서 중요한 역할이야. 저번에 방자를 찾은 것처럼 넌 너만의 군졸을 찾아서 관객들한테 각인시킬 거야.

정년　(반짝하는) 그라제? 내 군졸을 찾아갖고 보여주면 되겄제?

#4 매란국극단 연습실 안. 밤

영서, 대본 보면서 혼자 연습하는.

영서　가련한 구슬아기! 어여쁜 구슬아기! 자, 이 밀서를 목련공주에게 전하거라.

여전히 자신의 연기가 마음에 들지 않는 영서. 고개를 내젓는데.

[플래시백 – 5부 #71]
정년 주제 파악을 누가 하게 될지 길고 짧은 건 대봐야 알제. 누가 알겄냐? 언젠가 내가 네 앞에 있을 수도 있어.

영서, 눈빛에 오기가 가득해진다. 영서, 대본을 꽉 쥐고 구겨버리는. 심호흡하는 영서, 간신히 마음을 가라앉히고 대본을 바로 펴서 다시 보는.

영서 귀여운 구슬아기, 오늘도 어여쁘구나. 목련이 없었더라면 너를 첩으로 들였을지도.
주란 [작은 소리] 아아, 더러운 말 듣기 싫어!

영서, 깜짝 놀라 주위를 둘러보는. 아무 인기척도 없다. 영서, 내가 뭘 잘못 들었나? 고개 갸웃하고 다시 대본을 보는.

영서 목련이 없었더라면 너를 첩으로 들였을지도.
주란 [작은 소리] 아아, 더러운 말 듣기 싫어!

영서, 이번엔 잘못 들은 게 아니구나, 확신하고 문 쪽으로 다가가는.

#5 매란국극단 연습실 밖 복도. 밤

영서, 문을 나와보니 주란, 영서의 소리를 잘 듣기 위해 문에 바짝 붙어 앉아 열심히 대본을 보며 대사를 치는. 영서가 나온 줄도 모르고 구슬아기에만 집중한 주란.

주란 고미걸, 한나라의 재상이라지만 나는 당신이

싫습니다. 아냐, 다시 다시…….

영서　(주란의 모습이 불쌍하기도 귀엽기도 해서 어이없는 헛웃음)

주란　아아, 더러운 말 듣기 싫어! (고개 내젓는) 아냐, 너무 진저리를 치면 안 돼. 좀 더 구슬아기의 갈등을 느낄 수 있게 시선 처리를…… 아아, 더러운 말 듣기 싫어!

영서　왜 구슬아기가 갈등하는데?

주란　(식겁해서 돌아보는, 영서인 걸 알고 기절할 듯 놀라는) 영, 영서야. (변명하기 바쁜) 저기 나 있잖아. 너한테 방해 안 되려고,

영서　됐고, 왜 구슬아기가 갈등하냐고. 구슬아기는 당연히 고미걸이 진저리 나게 싫을 거 아냐. 구슬아기의 약점을 알고 협박하고 있으니까. 근데 그런 고미걸의 말을 듣고 구슬아기가 왜 갈등해?

주란　그야…… 머리로는 고미걸의 말을 들으면 안 된다는 걸 알지만, 마음으로는 고미걸의 제안이 너무 유혹적이니까…… 그리고 구슬아기는 고미걸을 겉으로는 싫어하는 것처럼 보이지만, 마음속 깊은 곳에서는 그에게 끌리고 있다고 생각해.

영서　왜?

주란　자기 자신이랑 너무 닮았으니까.

영서　어디가? 고미걸은 얼마든지 권력을 휘두를 수 있는 재상이고 구슬아기는 일개 첩자일 뿐인데?

주란　사랑받지 못해서 뒤틀린 점이…… 많이 닮았어.

영서　(순간 충격받아서 주란 보는)

주란, 대본 챙기고 일어서는.

주란　(머뭇머뭇) 방해해서 미안해. 나 그만 가볼게. (자리

뜨려는데)

영서 ……넌 찾았어?

주란 뭘?

영서 너만의 구슬아기를 찾았냐고. 그래서 완벽하게 연기할 준비가 됐어?

주란 (당황) 완벽? 전혀 아닌데. 아직 준비가 안 됐으니까 너랑 연습하고 싶었던 거야.

영서 아직 네 캐릭터를 어떻게 연기할지 답을 못 찾았는데 불안하지 않아?

주란 불안해, 근데 설레기도 해. (해맑게 웃는) 지금껏 아무도 연기하지 않았던 나만의 구슬아기를 찾아낼 수도 있으니까……

영서 (충격받아서 멍하니) 설렌다고……?

주란 (영서 마음 사려 깊게 헤아리는) 근데 영서 넌 나랑 다를 거야. 넌 완벽주의자잖아. 네가 완전히 준비됐다 싶을 때까지 남한테 절대 못 보여주는 마음…… 나도 조금은 알 거 같아.

영서 (표정 흔들리는)

주란 그니까 너 준비될 때까지 내가 기다릴게. (웃으며) 갈게. (자리 뜨는)

영서 (잠시 망설이다가) 내일부터 같이 연습하자.

주란 (놀라서 영서 보면)

영서 어차피 언젠간 대사 맞춰봐야 하잖아.

주란 (표정 환해져서 고개 끄덕이는) 알았어.

#6 매란국극단 숙소 정년 방 안. 밤

정년, 혼자서 대본 보는데 벌컥 문 열리더니 주란, 신이 나서 들어오는.

주란 됐어! 정년아! 영서가 대본 맞춰주겠대!

정년 (같이 좋아하는) 진짜? 잘됐네. (다음 순간 표정 좀 흐려지는) 근디 난 걱정이다. 연구생 공연 때 봐서 알잖어, 영서는 상대역이랑 호흡 잘 안 맞춰주고 자기 식대로 끌고 갈라고 할 텐디.

주란 그럼 내가 맞춰주면 되지 뭐. 구슬아기랑 고미걸이 붙는 장면은 어차피 고미걸이 살아야 되는 장면들이야.

정년 고미걸이 살아야 된다고? 그럼 니는? 구슬아기도 중요한 역할이잖어.

주란 구슬아기는 고미걸이 돋보이게 만들어주는 역할이라고 생각해. 가다끼인 고미걸이 살아야 극 전체가 살아날 수 있을 거야.

정년 (감탄하는) 대단하다이. 첨으로 큰 역할 맡은 건디 상대역 돋보이게 해줄 생각부터 하고…… 영서 요 가시나, 복이 터졌네, 복이 터졌어.

주란 (웃는)

#7 명동 시내&양장점 앞. 낮

옥경, 혜랑, 은재 다 같이 명동 시내를 구경하는. 옥경과 혜랑을 알아보는 행인들, 돌아보며 "문옥경이다" "서혜랑이야" 수군거리는. 은재, 양장점 앞을 지나다가 마네킹에 걸린 아동복에 흥미를 보이고 멈춰 서는. 사람들, 옥경과 혜랑을 보고 아예 본격적으로 소리를 지르며 모여드는. 옥경과 혜랑이 사람들을 향해 웃으며 인사하자 사람들 환호성이 터지는. 둘에게 사인해달라고 몰려드는 사람들. 옥경, 두세 사람에게 사인해주다가 얼른 은재를 안고 양장점 안으로 피신하듯 들어가는. 혜랑도 따라 들어가는.

[시간 경과]

사람들, 양장점 앞이 터져나가라 모여들어서 양장점 안쪽의 옥경과 혜랑을 보려고 기웃거리는.

#8 양장점 안. 낮

옥경, 앉아서 잡지를 보며 은재가 나오길 기다리는. 혜랑, 구두들을 이것저것 신어보다가 바깥쪽을 흘끔 보는. 사람들, 혜랑과 눈이 마주치자 와, 환호한다. 혜랑, 사람들을 향해 손 흔들어준다. 혜랑, 이 상황을 한껏 즐기는 들뜬 미소.

혜랑　(못 말린다는 듯) 사람들 참, 뭘 여기까지 쫓아와서 보고.
옥경　어디 멀리 별장으로 갈 걸 그랬나?
혜랑　됐어, 다들 좋아서 그러는 건데 뭐. 은재는 너랑 다 같이 나오니까 그저 좋은가 봐.
옥경　요새 우리 둘 다 바쁘다고 은재 혼자 노는 시간이 많았잖아.
혜랑　(괜히 투정 부리듯) 네가 너네 친구들 만나는 시간 절반만 우리한테 내줘도 되잖아.
옥경　(웃는) 알았어, 앞으로는 자주 시간 낼게.
혜랑　정말? 약속한 거다.

혜랑, 한껏 기분 좋아져서 콧노래까지 살짝 흥얼거리며 구두 신어보는.

옥경　(그런 혜랑 보다가) 오디숀 보는 날 말이야, 정년이가 소품 창고에 밤새 갇혀 있었대.
혜랑　(애써 관심 없다는 듯 구두 신어보는) 그래? 문이 고장 났나 보네, 설마 누가 일부러 가두기까지야 했겠어?
옥경　(혜랑 보며 심란해지는) 그래, 그런 건 아니었으면 좋겠어. 진짜 누가 가둔 거라면 슬플 거 같거든.

혜랑 (어리둥절) 응?

그때 은재, 마네킹에 입혀져 있던 옷을 입고 안에서 뛰어나온다.

은재 (옷태를 뽐내며 잔뜩 신나서) 이모, 이모, 나 봐봐!
혜랑 (호들갑) 어머, 세상에, 하늘에서 내려온 천사가 여깄었네.
은재 (의기양양하게 옥경을 보며) 왕자님, 나 어때?
옥경 (활짝 웃는) 예뻐, 너무 예뻐. 우리 은재 공주님은 누굴 닮아서 이렇게 예쁠까?

옥경에게 안기는 은재. 은재가 예뻐 죽는 옥경. 세 명의 단란하고 행복한 한때.

#9 매란국극단 연습실 안. 밤

영서와 주란, 대본을 보면서 연습하는.

영서 구슬아기여.
주란 당신은…… 고미걸! 한나라의 재상이라지만 난 당신이 싫습니다.
영서 귀여운 구슬아기, 어여쁘구나. 목련이 없었다면 널 첩으로 들였을지도.

영서, 대본에서 눈을 떼고 멈추는. 주란, 영서를 보면,

영서 넌 방금 내 고미걸 어땠어?
주란 ……솔직하게 말해도 돼?
영서 너한테 내 연기 보여준 건 솔직한 감상을 듣겠단 뜻이야.
주란 잘하긴 하는데…… 너답지 않은 고미걸 같아. 꼭…… 도앵 선배 고미걸 보는 것 같았어.
영서 (예상했지만 역시, 표정 굳는)
주란 애들 말로는 네가 오디숀 때 도앵 선배랑 전혀 다른

고미걸을 보여줬다고 들었어.

영서　그렇게 연기했다간 관객들이 외면할지도 몰라.

주란　그럴지도 모르지. 그렇지만 지금 이건 연습이잖아. 뭐든 실험해보고 망쳐도 된단 뜻이야. 네가 해석한 고미걸은 어떤 사람이야?

영서　(곰곰이 생각하다가) ……냉정한 지략가야. 원하는 것이 있으면 직접 나서지 않고 늘 뒤에서 누군가를 조종하지. 호동왕자와 목련공주 사이를 갈라놓으려고 구슬아기를 마음껏 이용하는 것처럼.

주란　구슬아기도 이용당한다는 걸 알고 있지만 구슬아기한테는 다른 선택의 여지가 없어. 이게 어쩌면 유일한 단 한 번의 기회일지도 모르니까…….

영서　어리석네.

주란　어리석지. 눈먼 사랑인 거야. 근데…… 원래 사랑하면 그렇게 되는 거 아니야? (사랑이 뭔지 아는. 멍하게 허공을 보면서) 머리로는 아닌 걸 알면서도…… 마음은 어쩔 수가 없는 거지.

영서, 주란을 보는 눈빛이 복잡해진다. 더 이상 평소의 그 차가운 표정이 아닌 영서.

영서　(가만히 주란을 보다가, 대본을 보지 않고 연기하는) 구슬아기여, 목련과 호동이 결혼한다는 소식을 들었느냐?

주란　(외면하며) 저잣거리의 뜬소문일 뿐이옵니다.

영서, 가만히 주란의 뺨 위로 손을 가져간다. 주란을 가엾어하는 듯, 유혹하는 듯 묘한 영서의 눈빛. 주란, 지금까지와는 다른 영서의 분위기와 연기에 흠칫 놀라 영서를 보는.

영서 아아…… 가련한 구슬아기, 어여쁜 구슬아기. (주란의 손을 펴 대본을 쥐여주며) 이 밀서를 목련공주에게 전하거라. 나는 목련을, 너는 호동왕자를 원하고 있지 않았더냐?

주란이 반사적으로 손을 빼려고 하면 영서, 주란이 손을 못 빼게 꽉 힘주어 잡는. 주란, 놀라서 영서를 본다.

영서 (은밀하게 속삭이는) 밀서만 전하면 두 사람은 결코 혼인할 수 없다.

주란, 흠칫 놀라 자기도 모르게 손이 덜덜 떨리는. 영서와 주란, 그렇게 서로를 잠시 보는. 주란, 손 빼고 한발 물러나는.

주란 너 대단하다.
영서 어?
주란 바로 달라진 연기를 보여줬잖아. 이게 바로 영서 네 고미걸이야. 너도 느껴지지 않아? 나 막 가슴이 찌르르 울리는 거 같았어!
영서 (쑥스러운) 아직 더 연습해야 돼. 다시 맞춰보자.
주란 (활짝 웃는) 그래!

주란을 보는 영서의 부드러운 표정.

#10 매란국극단 뒷마당. 밤

정년, 대본 보면서 혼자서 연습하는.

정년 (울분에 찬) 이렇게 배를 곯고 어찌 전쟁에서 잘 싸울 수 있겠소! 도성에 계신 나라님은 이런 상황을 알고나 있냔 말이오! (고개 갸웃하는) 뭔가가 빠졌는데…….

도앵, 정년 쪽으로 다가오는.

도앵　윤정년. 너 의상 치수 재야 돼. 내일 저녁 먹고 대회의실로 와.

정년　예. 아, 저기, 선배님!

도앵　(정년 보는)

[시간 경과]

정년　난 나라님을 위해 싸우는 것이 아니외다. 고향에 두고 온 내 가족을 지키기 위해 싸우는 거란 말이오! (조심스럽게 도앵 보는) 어떻게 들으셨어라?

도앵　뭔가 진짜 감정이 느껴지지가 않아…… 거기다 톤이 어설프게 하이톤이야.

정년　선배님도 그렇게 보셨제라? 아, 먼가 이상하당게요. 전쟁터에서 언제 목숨을 잃을지 모르는 군졸의 절박함이 느껴져야 하잖아요. 근디 그걸 당최 모르겄당께요.

도앵　그것도 그건데 우선 네 목소리부터가 너무 톤이 높고 불안정해. 방자 할 때는 무대 위에서 정신없이 까부는 연기를 하니까 그걸 모르겠던데 지금은 확실히 알겠어. 군졸 역은 남자잖아. 네 연기를 보면 누가 봐도 아, 남자구나 알 수 있어야지.

정년　아, 근디 또 옥경 선배님은 남자라는 거 너무 의식하지 말고 연기하라고…….

도앵　야, 그건 옥경 선배가 남역 연기에는 타고난 천재니까 그런 거고. 옥경 선배야 의식하지 않고 해도 이미 여자의 마음을 흔드는 남자를 연기할 줄 알지만, 넌 아직 그 정도가 아니잖아.

정년　그라네요…….

도앵　죽어라고 노력해야 옥경 선배 그림자라도 밟아볼 수 있을 거야. 열심히 연습해. 나처럼 밀려나고 싶지 않으면.

정년 (순간 멈칫해서 도앵 보면)

도앵 왜.

정년 너무 암시랑토 않게 말씀하셔갖고……

도앵 (피식 웃는) 나 오디손 볼 때부터 떨어질 거 알고 있었어. 내 노래 실력으로는 영서를 이길 수가 없거든.

정년 근디 선배님 가다끼 연기는 최고였잖아요.

도앵 연기나 춤으로 노래 실력 부족한 걸 메꾸고 있었던 거지. 근데 노력만으로는 타고난 재능을 따라잡는 데 한계가 있어. 그게 냉정한 예인의 세계인 거야.

정년 그래도 단장님이 이몬디 너무 매정하요. 저 같으면 겁나게 원망할 거 같은디…….

도앵 야, 국극단 안에서 이모 조카 사이가 어딨냐? (담담하게) 그래도 해보는 데까지 해봤으니까 후회는 없어. 영서가 어떻게 나하고 다른 가다끼 연기를 할지 기대도 되고.

담담하게 웃으며 얘기하는 도앵이 짠하기도 하고, 대단해 보이기도 해서 가만히 보는 정년.

#11 매란국극단 일각. 낮

주란, 정년을 찾아 여기저기 둘러보는. 주란, 복실과 연홍에게 다가가는.

주란 정년이 못 봤어? 아까부터 안 보여.

연홍 정년이 소품 창고에 있던데.

주란 소품 창고?

#12 매란국극단 소품 창고 안. 낮

주란, 소품 창고 안에 들어가는.

주란 정년아!

정년　(의상 뒤지다가 고개 빼꼼히 내밀고) 나 여깄다이.

주란　(정년에게 다가가) 뭐 해?

정년　내 배역에 맞는 의상 좀 찾니라고.

주란　무대 의상이라면 의상팀에서 알아서 만들어줄 텐데?

정년　그 의상 말고. 찾았다!

정년, 남학생 교복을 찾아내고 뿌듯하게 웃는. 주란, 어리둥절해서 정년을 본다.

#13 매란국극단 소품 창고 앞. 낮

정년, 자신만만한 표정으로 남학생 교복을 입고 등장하는. 지켜보는 주란, 입이 벌어지는. 머리칼을 감쪽같이 감추고 학생 모자까지, 영락없이 남학생으로 보이는 정년.

정년　어쩌냐? 남학생 같아 보이냐?

주란　어, 너한테 잘 어울려. 이거 입고 남자 연기 하려는 거야?

정년　응, 그냥 방구석서 대본 연습만 해갖고는 제대로 될 것 같지가 않아서 시내를 직접 돌아다님서 보고 배워불라고. 근디…… 이거 암만해도 기분이 영 민망하고 이상한디. (불안한) 사람들이 단박에 여자라고 눈치채지 않을까?

주란　안 돼, 연기의 기본은 자신감이야. 지금부터 넌 남자 고등학교에 다니는 남학생인 거야.

정년　그래, 인자부터 나는 윤정년이 아니라 윤정식이여.

둘, 두 손 모으고 파이팅 하는.

#14 명동 길거리. 낮

남학생 교복을 입고 거리를 걷는 정년, 남자 옷을 입고 걷는다는 것을 의식하자 괜히 어색한 기분. 그때, 바쁘게 길을 걸어가는 중년 신사를 발견하고 그의 걸음을 흉내 내 따라 걸어보는 정년. 중년 신사, 이상한 낌새에 수상하다는 듯 정년을 훑어보고 당황한 정년, 얼른 시선을 피해서 전차에 올라탄다.

#15 전차 안. 낮

전차에 올라타 자리에 앉은 정년, 맞은편에 다리를 꼬고 앉아 신문을 보는 젊은 남자를 관찰하는. 정년, 젊은 남자의 앉은 자세를 따라 하며 다리를 꼬고 앉는데 전차에 올라탄 노부부, 정년 쪽으로 다가온다. 할아버지, 정년의 불량한 자세에 쯧, 못마땅한 소리를 내는. 정년, 깜짝 놀라 벌떡 일어나는.

정년　(공손하게) 여그 앉으세요.

노부부, 나란히 자리에 앉는.

할머니　아이고, 고맙네. (정년 유심히 보는)

정년　(들켰나? 긴장하는데)

할머니　남학생이 뭐 이렇게 예쁘게 생겼어. 몇 살이야.

정년　(목소리 조금 깔고) 열아홉입니다.

할머니　우리 손녀랑 동갑이네. 예의도 바르고 손주사위 삼았으면 좋겠어.

정년, 내 남자 연기가 통한 건가, 미소가 번지는데,

할아버지　남자 맞어?

정년　(놀라서 할아버지 보는) 예?

할머니　남자가 아니면요.

할아버지　아, 지나치게 선도 곱고 움직이는 모양새도 기집애 같잖아. 요새 남자애들은 사내다운 기백이라곤 찾아볼 수가 없어.

할머니 또 괜히 시비시네.

정년, 뜨끔해서 슬그머니 할아버지 시선을 외면하다가 노부부가 아웅다웅하는 틈을 타 전차가 서자 황급히 내리는.

#16 명동 길거리. 낮

전차에서 내린 정년, 짝다리를 짚고 껄렁하게 서서 이야기하는 불량한 남학생 무리를 유심히 관찰하다가 그들의 삐딱하게 선 자세를 흉내 낸다. 남학생이 침을 찍 뱉자 그것까지 따라 하는 정년. 그중 한 남학생, 정년을 유심히 보다가 가까이 오라고 손짓하는.

정년 (애써 태연한 척 버티고 서서) 뭐다요? 뭐 볼일 있소?

하지만 말끝에 슬금슬금 도망갈 준비하는 정년. 남학생들, 표정 험악해지며 정년 쪽으로 다가오는. 정년, 화들짝 놀라서 도망가고 남학생들, 잡으려고 쫓아가는. 정년, 있는 힘을 다해 뛰는.

#17 성당 대문 안. 낮

정년, 대문 안으로 몸을 숨기고 남학생들이 쫓아오나 고개를 빼꼼 내밀고 살피는.

정년 (혼잣말) 워메, 남자 연기 좀 해볼라다 내 명에 못 살겄네.

소이 학생, 여기서 뭐 해?

정년 (흠칫 놀라서 돌아보면)

소이(20대 후반), 음식 재료 잔뜩 든 광주리 들고 정년을 보는. 소이, 의심쩍은 눈으로 정년을 보는.

정년 (당황해서 어버버) 예? 저, 저 말이어라?

소이 그래, 학생. 처음 보는 얼굴인데 여기 뭐 하러 왔냐고.

정년, 재빨리 머리를 굴리는. 정년, 마당 가득 모여서 밥 먹고 있는 군인들 보고 순간 눈이 반짝이는.

정년 여기 일 거들러 왔는디요. 아, 나라 위해서 봉사하신 군인들 위해서 저도 뭐라도 하고 싶어서요.
소이 (표정 풀리는) 어린 학생이 생각이 깊네…… 그럼 나 따라와. (앞장서는)
정년 (소이 손의 광주리 뺏으며 넉살 좋게) 이것도 저 주쑈.

소이 따라서 신바람 나서 들어가는 정년.

#18 성당 마당. 낮

아낙네들 여럿과 수녀들이 마당에서 밥을 짓고 국을 끓이고 있다. 군인들, 마당에 쳐놓은 천막 밑에 상을 차려놓고 밥을 먹는. 정년, 그 사이에서 열심히 음식을 나르는. 정년, 다 먹은 상을 치우다가 힘들어서 허리 펴며,

정년 워메, 허리야…… 이것도 만만하게 볼 일이 아니네이…… 그래도 온 김에 뭐 하나라도 물어보고 가야 쓴디…….
소이 (상 차리다가 정년 보며) 학생! 어서 와서 학생도 한술 떠.
정년 (신나서) 네!

[시간 경과]

군인들 너덧 명과 일 도와주러 온 여자들과 정년, 화기애애하게 다 같이 뒤풀이 분위기에서 술과 밥을 먹는. (윤 하사: 남, 20대 중반/ 박 하사: 여, 20대 중반)

정년 (눈치 보다가 윤 하사 향해 술 따라주며) 저…… 형님이라고 불러도 괜찮겠소?
윤 하사 (웃으며 술 받는) 안 될

거 뭐 있어. 학생은 몇 살이야?

정년　저 열아홉이요.

윤 하사　좋을 때다.

정년　행님 전쟁 나갈 때가 몇 살이셨소?

윤 하사　(생각하는) 내가 전쟁 나갈 때가…… 열여덟이었지.

정년　와따, 그 어린 나이에…… 겁이 많이 나셨겠소.

윤 하사　그럼, 겁 많이 났지. 어머니 보고 싶어서 울기도 많이 울었고.

정년　듣기로는 제대로 수습도 못 한 군인들 시신이 아직도 전쟁터에 그대로 묻혀 있다든디요.

윤 하사　(침울해지는) 맞아, 내 전우들도 아직 시신을 못 찾은 사람이 몇 명 있어. 언젠가는 제대로 수습을 해서 양지바른 곳에 묻어줘야 하는데…….

사람들, 생각에 잠기며 처연해지는 분위기.

소이　(울적한 분위기 휘저어버리듯) 내 술 한잔 받아. (윤 하사에게 따라주며) 윤 하사, 전쟁 때 얘기 잘 안 하려고 하더니 오늘은 별일이네.

윤 하사　(웃는) 아, 이 학생하고 얘기하다 보니까 저도 모르게 술술 나오네요. 근데 전쟁 때 무용담으로 말할 거 같으면 소위님이 저보다 몇 배는 더 있으시잖습니까.

정년　(눈 똥그래져서 소이 보는) 소위님이요? 군인이었단 말이어라?

윤 하사　여기 있는 박 하사님도 그렇고 두 분 다 6.25 전쟁 때 여성 의용군으로 참전하셨어.

정년　여자도 나가 싸웠다는 건 첨 들어보는디요.

소이　다들 그래. 여성 의용군이 있었다는 걸 대부분 모르니까. 난 사범대 다니다가 전쟁터로 갔고, 여기 박 하사는 결혼 날짜까지 다 받아놓은 상태였는데 갔고.

정년 (입 벌어지는) 아니, 집에서 반대가 심했을 거 같은디요이.

박 하사 심했지, 근데 오빠가 이미 둘이나 전쟁터에 나간 상황이었어. 나도 뭔가 하는 게 맞다고 생각했어.

정년 안 무서웠소? 괜히 왔다, 후회되고 그랬을 거 같은디.

박 하사 (곰곰이 생각하는) 후회라…… 후회한 적은 없었어. 다시 그때로 돌아가도 똑같이 선택할 거 같아. 누군가는 나가서 싸워야 했으니까.

정년, 그 말에 가슴이 쿵, 해서 박 하사를 보는.

소이 (고개 끄덕이며 웃는) 박 하사는 그렇게 말할 줄 알았어. (한잔 들이켜고) 아이고, 오늘따라 술이 잘 들어가네. 간만에 내가 한 곡조 뽑아볼까?

사람들 (환호하며 박수 치는)

소이 *눈보라가 휘날리는*
바람 찬 흥남부두에 목을
놓아 불러봤다 찾아를 봤다
금순아 어디를 가고 길을 잃고
헤매었더냐 피눈물을 흘리면서
일사 이후 나홀로 왔다—

사람들, 웃고 환호하며 노래를 듣는. 정년, 그런 소이를 웃으면서 보다가 주위 군인들을 둘러보는. 정년, 생각에 잠기는 얼굴.

#19 성당 근처 일각. 낮

정년, 군인들을 만난 충격과 감동에 생각에 잠겨서 걸어가는. 그러다 멈칫 멈춰 서는 정년.

[플래시백 - 2부 #5]
- 정년 부가 돌아가실 때의 상황.
- 피난 짐을 둘러메고 도망가던 정년 가족들.

– 입에서 피를 뿜어내던 아버지.

– 정년을 끌고 가면서 "정신 차려! 피해야 돼!" 소리치는 군인.

정년, 전쟁 때 악몽 같았던 상황의 조각들이 머릿속을 스치고 지나가며 순간 굳어버리는. 정년, 떨쳐버리려는 듯 고개 젓고 다시 걸어가는.

#20 영서 집 대문 앞. 밤

영서, 기다리는데 기주 차가 도착한다. 뒷좌석에서 내리는 기주. 영서, 긴장한 표정 역력한.

기주 나 기다렸니? 왜 집에 안 들어가고.

영서 (티켓 꺼내서 건네는)

기주 (티켓 받아서 본다) 뭐니?

영서 제가 이번에 설 〈자명고〉 공연 티켓이에요. 아직 니마이는 아니고 가다끼지만…… 그래도 주연진으로 서는 첫 정기공연 무대예요. (간절하게) 꼭 와서 봐주셨으면 좋겠어요.

기주 나한테 보여주기 부끄럽지 않은 무대야?

영서 네, 저 정말 열심히 준비했어요.

기주 열심히 하는 건 중요하지 않아. 최고냐가 문제인 거지.

영서 직접 보시고 판단해주세요. 이번에 보고 아니라고 하시면, 두 번 다시 와서 봐달란 말씀 안 드릴게요.

기주, 가만히 영서를 본다. 영서, 긴장해서 기주의 대답을 기다리는.

기주 ……좋아.

영서 (안심해서 표정 환해지는)

#21 매란국극단 단장실 안. 밤

소복, 장부 내역 훑어보고 고 부장, 차를 홀짝거리면서 곁눈질로 소복 흘끔거리는. 혜랑, 다른 서류 보는 척하면서 소복을 살피는.

소복 저번에 얘기 들어보니까 연구생 아이들 용돈 문제가 좀 있는 거 같던데요.

고 부장과 혜랑, 빠르게 서로 시선 주고받는.

고 부장 작년에 숙소를 대대적으로 수리해서 공사비가 좀 많이 들어갔지 않습니까. 그러다 보니 올해 연구생들 용돈이 좀 줄었는데 그새를 못 참고 아이들이…… (너스레 떨듯 웃음으로 얼버무리는)

소복 주연들이야 돈을 잘 벌지만 연구생 애들은 우리 극단에서 주는 용돈 말고는 딱히 벌이가 없지 않습니까. 힘드시겠지만 고 부장님이 좀 더 신경을 써주세요.

고 부장 아이고, 그럼요. 이런 자잘한 문제들은 제가 알아서 할 테니까 단장님은 전혀 신경 쓸 거 없으십니다. 그것보다 자, 이번에 〈자명고〉 공연 예산 계획섭니다. (종이 내미는) 요구하시는 조건들을 맞추다 보니 생각보다 좀 더 오바됐습니다.

혜랑 의상비나 소품비에서 좀 아끼면 되지 않을까요? 저번 〈자명고〉 공연에서 썼던 것들을 재사용하면,

소복 (고개 젓는) 주연들 의상은 다 새로 만들어야 돼. 이번 〈자명고〉 공연은 이전 공연하고 다르게 대본도, 무대 장치도 다 새롭게 손보고 나오는 거야. 관객들한테 작은 디테일에서도 완전히 다르다는 걸 보여줘야지.

고 부장 그러자면 처음에 계획한 것보다 예산이 많이 초과돼서요. (눈치 살피며) 그래서 드리는 말씀인데,

이번에 〈자명고〉 공연을 국제극장 말고 대한극장에서 올려보는 건 어떨까요.
소복　갑자기 극장은 왜요.
고 부장　대한극장 주인이 매란국극단이 공연 올려주기만 하면 티켓 수익을 7대 3으로 나누겠다고 해서요. 물론 우리 국극단이 7입니다. 지금 국제극장은 6대 4니까 이건 뭐, 더 따져볼 것도 없이 대한극장이 우리한테 훨씬 더 유리한 거죠.
혜랑　7대 3이면 좋은 조건인데요. 요새 극장들이 다른 국극단들한테는 5대 5까지 요구한대요.
소복　(잠시 고민하는) 좋은 제안이긴 한데…… 이번 〈자명고〉 공연 무대 구성을 생각하면 대한극장은 무대가 너무 협소해.
고 부장　(눈치 보는) 살짝 극을 손보면 사이즈를 줄이는 게 가능하지 않을까요?
소복　(표정 단호해지는) 무대 크기에 맞게 극을 수정하다니요, 있을 수 없는 일입니다. 고 부장님, 수익도 좋지만 일의 선후 관계는 분명히 하셔야죠.
고 부장　(뭐라고 항변하려 하는) 그래도 돈 생각을 아예, (하는데 혜랑이 고 부장에게 하지 말라고 눈짓하는 거 보는) ……아닙니다, 무슨 말씀이신지 알겠습니다. 당연히 단장님 말씀을 따라야죠.

고 부장, 헤헤 웃지만 눈빛은 날카로운.

#22 매란국극단 단장실 앞. 밤

씩씩거리며 나온 고 부장, 표정이 험악한. 혜랑, 뒤따라 나오는.

고 부장　(혼잣말) 세상

물정이라곤 모르는…… 아직도 예전의 매란국극단인 줄 알아? 7대 3이면 감지덕지지.

혜랑 대한극장에서 따로 받기로 한 거 있죠?

고 부장 (시선 피하며 시치미 뚝) 받긴 뭘 받어.

혜랑 (나직하게) 나한테까지 이럴 거야?

고 부장 (쫄려서 되레 큰소리) 내가 나 하나만 좋자고 이래? 결국은 다 매란국극단 좋자고 이러는 거잖아!

혜랑 (받았구나, 고 부장의 탐욕이 짜증 나서 한숨)

고 부장 (더 당당하게) 단장이 지금 극단 경영에 대해서 아는 게 뭐야? 예술가입네, 하면서 신선놀음이나 할 줄 알지. 내가 없었어 봐, 매란은 벌써 망했어.

혜랑 (꾹 참고 달래려는) 단장님 고집 몰라요? 숫자 생각 안 하는 분이세요. 더구나 이번 〈자명고〉 공연은 매란국극단 자존심을 건 작품이라 더 타협 안 하실 거예요.

고 부장 자존심이 돈 벌어줘? 현실을 좀 알라고. 지금 다른 국극단들 수익이 작년에 비해서 다 반토막이 나고 있어. 매란국극단은 그나마 문옥경 때문에 버티고 있는 건데, 수익이 안 나면 문옥경한테 뭘로 출연료를 줄 건데? 출연료도 안 주는데 문옥경이 매란국극단에 남는대?

혜랑 ……〈자명고〉 공연 우선 끝나고 얘기해요.

고 부장 단장이 저 모양인데 매란국극단은 오래가기 틀렸어. 혜랑이도 잘 생각해. 침몰하는 배에서는 빨리 뛰어내리는 게 사는 길이야. (획 가버리는)

혜랑 (한숨 삼키는)

#23 매란국극단 대문 앞. 밤

고 부장, 짜증 난 상태에서 대문

나서다가 대문 앞에 몰려 앉아 있는 여학생들의 플래카드를 밟아버리는.

여학생1 아저씨, 이거 밟으시면 어떡해요.
고 부장 (같잖다는 듯 짜증 난 표정으로 그냥 지나가려는데)
여학생2 사과는 하고 가셔야죠.
고 부장 이 대가리에 피도 안 마른 것들이. 너희들 이러고 있는 거 너희 부모님들은 알아?!
여학생1 아니, 아저씨가 잘못해놓고 왜 남의 부모님을 들먹이세요?
고 부장 이것들이 진짜, 혼나 볼래?!

고 부장, 눈을 부라리며 여학생들에게 다가가자 여학생들, 움찔하는데,

정년 그만하시제라.

고 부장, 돌아보면 남학생 교복 입은 정년이 서 있는.

고 부장 뭐야 넌. 뭔데 끼어들어.
정년 아저씨가 잘못해놓고 왜 괜히 애기들보고 뭐라 그러요.
고 부장 (허, 비웃는) 꼴에 남자라고 여학생들 앞에 나서시겠다? 망신당하기 전에 가던 길이나 가세요.
정년 (표정 차가워지는) 본인이 잘못해놓고 되레 성질내는 그짝보다는 내가 더 어른인 거 같은디요. 누가 망신당할지 남자 대 남자로 제대로 한번 붙어볼까요?

정년의 사나운 눈빛. 고 부장, 물러날 기색 없는 정년 보고 움찔하는.

고 부장 (애써 아무렇지 않은 척) 일진이 사나우니까 별…….

고 부장, 헛기침하며 슬금슬금 가버리는. 정년, 고 부장 쏘아보는데,

여학생1 고마워요, 진짜 멋있었어요!

여학생2 무슨 영화 속 한 장면 같지 않았어?

여학생들, 와, 하며 정년을 둘러싸고 정년, 얼떨떨해하는.

여학생2 세상에, 요즘도 이렇게 기사도 넘치는 남자가 있을 줄 몰랐어요.

여학생1 이름이 뭐예요? 어디 학교 다녀요? 못 보던 교복 같은데.

여학생3 아니 잠깐, 그러고 보니 낯이 익는데, (유심히 보는) 방자네. 방자 맞죠? 여기 이 매란국극단 연구생.

정년 (당황하는) 예, 맞는디요.

여학생1 어쩜, 진짜 남학생인 줄 알고 깜빡 속았어요.

정년 (기분 좋은) 그랍디여?

여학생2 네, 그렇다니까요! 이번 〈자명고〉 공연도 나와요?

정년 예.

여학생1 우리 꼭 보러 갈게요!

여학생들, 정신없이 수다를 떨고 정년, 정신없지만 기쁜.

#24 매란국극단 일각. 밤

정년, 신바람이 나서 걸어가는.

정년 주란이가 아까 그 모습을 봤어야 되는디! (멈칫하는) 주란이 그라고 봉께 연습 잘하고 있겄지? (걱정스러운 표정)

#25 매란국극단 연습실 밖. 밤

정년, 연습실 쪽으로 다가가는.

정년 보나마나 영서 요 가시나가 겁나 구박하고 있겄지. (하다가 멈칫하는)

열린 문틈으로 보이는 영서와 주란.

#26 매란국극단 연습실 안. 밤

영서와 주란, 대본을 보면서 대사를 맞추는.

영서 (주란 부축하는) 구슬아기! 다쳤구나!

주란 (영서를 보며) 고구려를 위해서라면 이까짓 상처가 대수겠사옵니까.

영서 잠깐, 이때 호동왕자를 보지 않고 차라리 시선을 피하는 게 구슬아기가 어떤 감정인지 잘 느껴져. 구슬아기는 지금 자기 감정을 감출 수밖에 없는 입장이니까.

주란 진짜 그렇네. 다시 해볼게.

영서 (주란 부축하는) 구슬아기! 다쳤구나!

주란 (시선을 피하고 몸을 떼며) 고구려를 위해서라면 이까짓 상처가 대수겠사옵니까. 어때?

영서 훨씬 좋아졌어.

주란 (웃는) 네가 도와준 덕분이야. 고마워, 고미걸 부분도 아닌데.

영서 아냐, 덕분에 나도 공부가 됐어.

처음과는 달리 주란에게 많이 부드러워진 영서의 분위기.

#27 매란국극단 연습실 밖. 밤

영서와 주란의 연습 모습을 본 정년, 기분 묘해지는. 정년, 복잡한 기분으로 돌아서는.

정년 뭐여, 괜히 걱정했네. 근디 둘이 언제 저라고 친해진 거여.

연습실 쪽 돌아보고는 헛헛한 마음으로 걸어가는 정년.

#28 국제극장 앞. 낮

〈자명고〉 간판이 올라가 있고 사람들 국제극장 앞으로 몰리기 시작하는.

#29 국제극장 분장실 안. 낮

정년, 거울 앞에서 화장하는. 영서, 정년 옆자리에 앉아서 화장하는. 도앵, 분장실로 들어오는. 도앵, 영서에게 부채 건네는.

도앵 고미걸 부채, 네 손 크기에 맞는 걸로 교체했어.

영서 네.

도앵 (화장대 위에 놓인 빼곡히 필기돼 있는 정년 대본 보고) 어휴, 역할 분석 열심히 했네?

정년 (웃는) 연기할 때 다 못 써먹드라도 최대한 분석은 해놓을라고요. 그래야 연기를 한께요.

도앵 의욕은 좋은데 군졸이 너무 튀면 안 된다. (단원들 향해) 자, 공연 시작 30분 전이다. 빨리들 마무리해! (자리 뜨고)

단원들 네!

영서 (화장하다가) 모자란 게 과한 것보다 나을 수도 있어.

정년 (화장하다가 영서 보면)

영서 네가 군졸일 뿐이라는 거 잊지 말라고.

정년 (기분이 싹 나빠지는) 뭔 소리여?

영서 모르면 말고.

정년 (영 기분이 별로인)

#30 국제극장 분장실 안. 낮

분장 끝내고 모인 단원들과 소복.

소복 자, 연습하느라 다들 오랫동안 고생했다. 후회가 남지 않게 남김없이 모든 것을 보여주자.
단원들 네!

#31 작품 설명 (내레이션)

때는 바야흐로 고구려와 낙랑국이 끊임없이 전쟁을 벌이던 시절, 고구려에는 늠름한 왕자 호동이, 낙랑국에는 어여쁜 공주 목련이 있었다. 서로에게는 철천지 원수지간 적국의 왕자와 공주지만 이 무슨 운명의 장난이련가, 그들은 사랑에 빠지고야 만다. 이 둘을 방해하는 자가 어찌 없을쏘냐, 간교한 한나라의 재상 고미걸은 호동인 척 가장하고 목련에게 낙랑국의 보물 자명고를 찢으라고 편지를 보낸다. 아, 속절없는 사랑에 빠진 목련공주는 자신이 속은 줄도 모르고 고뇌 끝에 자명고를 찢고야 말고 가련한 두 연인은 파국을 맞이하게 된다.

#32 국제극장 공연장 안. 낮

어두웠던 무대가 밝아지고, 백성들 나와서 군무 추기 시작하는.

단원들 (떼창) *에헤라 어여라*
에헤야 어와 좋다꾸나 산마다
붉은 꽃 들마다 푸른 보리
우리 임금 공덕으로 태평성대
태평성대로다—

무대에 옥경, 숙영, 소영 나타난다.

숙영 아이들이 노래를 부르는구나. 참으로 흥겹도다.
소영 이것이 다 우리 전하의 은덕 덕분 아닌가.
옥경 정녕 태평성대인가?
숙영 아니, 왜 그러시옵니까, 왕자님.
옥경 위에서는 한나라가 쳐들어오고 동에서는 낙랑국

견제해오니 내 나라 신세
가련타.

#33 국제극장 대기실 안. 낮

정년과 영서, 대기하면서 옥경의 연기를 유심히 보는.

#34 국제극장 공연장 안. 낮

원철 왕자마마! 구슬아기가 돌아왔사옵니다!

주란, 등장해서 옥경 앞에 무릎을 꿇는.

주란 소인 구슬아기, 첩자의 임무를 마치고 돌아왔사옵니다. 자명고는 낙랑의 공주, 목련이 지키고 있었사옵니다.
옥경 낙랑의 공주 목련이라? (소리를 하는, 분노와 복수심에 들끓는 날카로운 표정) *누굴까 그 사람 자명고를 지키는 공주, 내 나라 고구려 아름다운 강산 무참히 짓밟은 원수 적국 낙랑국의 공주.*

관객들, 감탄하는.

여학생1 진짜 문옥경은 타고난 왕자님이야.
여학생2 이런 불같은 역할은 서울에서 오랜만에 하는 건데 너무 잘하지 않아? (좋아 죽으려고 하는) 미치겠어.

#35 국제극장 대기실 안. 낮

옥경의 연기를 지켜보는 정년과 영서, 도앵.

도앵 저게 문옥경이다.
주연이라면 극 전체를
이끌고 가는 무게감과 시선을
집중시키는 힘이 있어야 돼.
문옥경은 어떤 캐릭터를 맡든
그 점에서 늘 믿을 수 있는

배우야.

정년과 영서, 잔뜩 집중해서 옥경을 보는.

#36 국제극장 공연장 안. 낮

옥경 아녀자가 보물을 지키다니. 낙랑의 사내들은 형편없구나! 내 직접 낙랑에 숨어들어 북을 찢고 공주의 얼굴을 보리라.

주란, 일어나다가 다리에 통증을 느낀 듯 휘청한다. 옥경, 주란을 잡아준다.

옥경 구슬아기! 다쳤느냐!
주란 (황송해하며 몸을 떼면서 시선 피하는) 고구려를 위해서라면 이까짓 상처가 대수겠사옵니까.
옥경 (주란의 뺨을 만지는) 구슬아기, 내 너의 노고를 절대 잊지 않겠노라.

옥경을 보는 주란의 떨리는 눈빛. 옥경, 숙영, 소영 퇴장하는. 옥경을 보는 주란. 시녀들, 나와서 주란의 다리를 치료하는.

주란 아아, 왕자마마! (소리를 하는) *왕자마마, 옥 같은 얼굴, 늠름한 자태, 광야에 타오르는 태양 같고, 빛나는 두 눈, 들끓는 용맹이 산마루 푸른 바람 같구나.*
미자 쯧쯧, 저것이 또 헛된 꿈을 꾸는구나. 너는 한낱 시종 되고 우리 마마 대고구려 왕자거늘, 마마께서 너 같은 것 눈길이라도 주시겠느냐?
주란 (풀 죽어서) 그렇지요. (잠시 허공을 보다가) 그래도 괜찮아요. 이렇게 한번 안아만 주시면, 그것으로 이 구슬아기는 기쁘기 한량없사옵니다. 천지신명께

비나이다. (소리를 하는)

왕자마마 머리카락 한끝 다침 없이 무사귀환 하시오면, 이 몸은 돌이 되어도 좋사오니, 애달픈 마음, 애타는 가슴, 비나이다 비나이다.

여학생1 쟤 누구야, 처음 보는 앤데 잘한다.

여학생2 촛대 몇 번 했던 연구생이야. 저렇게 잘하는지 몰랐네.

#37 국제극장 대기실 안. 낮

정년 주란이 참말로 잘하네요이. 관객들이 다 주란이 연기에 집중하고 있는디요.

도앵 거참 희한하네.

정년 뭐가요?

도앵 소리를 잘하는 건 아냐. 호흡도 짧고 소리도 거칠고. 근데 이상하게 사람 눈길을 끌어. 역할에 몰입하는 집중력이 굉장히 좋은데? 주란이한테 저런 집중력이 있는 건 처음 알았어.

정년과 영서, 가만히 주란을 보는.

#38 국제극장 대기실 안. 낮

혜랑, 일곱 개의 북을 두드리며 칠고무를 추기 시작한다. 북채로 북을 두드리며 유연하게 춤을 추는 혜랑. 관객들, 혜랑의 화려한 춤사위에 감탄한다. 혜랑의 춤을 홀린 듯이 보는 단원들.

정년 춤을 어떻게 저라고 잘 추는지 모르겄소.

도앵 단장님도 춤에 있어서는 혜랑 선배를 믿고 맡기실 정도니까…….

주란, 집중해서 혜랑의 춤을 보는.

#39 국제극장 공연장 안. 낮

목련공주 침실 안. 옥경, 혜랑에게 다가가 손을 잡는. 혜랑, 수줍어하다가 옥경의 얼굴을 보는.

혜랑 (소리하는) *창공에 걸린 자명고야 눈을 감아라. 나라에 바치려 했던 이 맘, 사내에게 들끓는 이 맘을 보지 말아라.*
옥경 (소리하는) *어화둥둥 사랑이라 사랑 사랑 사랑이라. 이것이 사랑 견우직녀 만남 부럽지 않은 우리의 사랑.*

옥경, 혜랑을 안는다. 몸을 뗀 두 사람. 옥경, 혜랑의 얼굴에 손을 가져간다. 두 사람, 입을 맞춘다. 무대 위 암전되고, 관객들 열광하며 미친 듯이 박수 치는.

#40 국제극장 대기실 안. 낮

정년과 영서를 비롯한 단원들, 박수 소리를 들으며 멍해지는. 영서, 덜덜 떠는 손으로 꽉 주먹을 쥐는. 정년, 영서가 떠는 것을 보고 놀란다. 주란, 그런 영서 손을 잡는다. 영서, 주란을 본다.

주란 괜찮아, 우린 우리 연기만 하면 돼.
영서 (고개 끄덕이는)

정년, 기분 묘해져서 그런 영서와 주란을 본다.

도앵 자, 이제 고미걸이랑 구슬아기 나갈 차례다.
영서 (심호흡하고 무대로 나간다)
초록 허영서 떠는 거 봤어?
복실 걔도 긴장하는 때가 있나 봐?
도앵 ……나도 옥경 선배 다음에 무대 설 때마다 떨었어. (허탈하게 웃는) 문옥경 바로 다음에 서는데 안 떨릴 배우가 있을까?

정년과 주란, 무대 쪽만 뚫어지게 보고 있는.

#41 국제극장 공연장 안. 낮

무대 위가 밝아진다. 영서, 긴 의자에 비스듬히 기대 누워 있는. 영서, 손에 들고 있는 부채로 나른하게 느릿느릿 부채질을 하는. 영서, 관객석에 기주가 와 있는 것을 본다. 영서, 순간 긴장해서 부채질하는 손이 떨린다. 하지만 영서, 태연하게 표정 관리하는.

#42 국제극장 대기실 안. 낮

정년 (고개 갸웃하는) 원래 저 장면에서 고미걸 앉아 있는 걸로 시작하지 않았어라?
도앵 맞아, 그랬어.
정년 저러고 반쯤 드러누운께 더 권력을 쥔 느낌이긴 하네요.
도앵 (피식 웃는) 역시 허영서 머리 좋네. 어떤 고미걸을 관객들한테 보여줄지 첫 등장부터 계산했어.
정년 (긴장해서 영서 보는)

#43 국제극장 공연장 안. 낮

긴 의자에 비스듬히 기대 누워 있던 영서. 군졸 하나가 영서에게 다가와 귓가에 뭐라고 속삭이는. 영서, 표정이 심각해지더니 일어나 앉는.

영서 호동과 목련이 혼인을 약속해? 아니 된다. 고구려와 낙랑은 앙숙이어야 하거늘…… (일어나 걷기 시작하는) 둘이 티격태격 싸워서 힘이 빠져야 우리 대 한나라가 꿀꺽 집어삼키지 않겠는가. (걸음을 멈추는) 이러다 화친이라도 하면 큰일, 어쩌면 좋을꼬…….

영서, 부채를 천천히 부치며 생각에 잠기는. 주란, 무대에 등장해 영서에게 차를 올린다. 영서, 주란의 얼굴을 빤히 본다. 주란, 당황하더니 자리를 뜨려고 한다.

영서 구슬아기여.
주란 (멈춰 서는)
영서 (주란을 안는) 귀여운 구슬아기, 오늘도 어여쁘구나. 목련이 없었더라면 너를 첩으로 들였을지도.
주란 (외면하며) 아아, 더러운 말 듣기 싫어! 고미걸, 한나라의 재상이라지만 나는 당신이 싫습니다.

파르르 떨며 눈에 눈물이 고이는 주란.

영서 구슬아기여, 목련과 호동이 결혼한다는 소식을 들었느냐?
주란 (외면하며) 저잣거리의 뜬소문일 뿐이옵니다.

영서, 가만히 주란의 뺨 위로 손을 가져간다. 주란을 가엾어하는 듯, 유혹하는 듯 묘한 영서의 눈빛.

영서 아아…… 가련한 구슬아기, 어여쁜 구슬아기!

주란, 그런 영서를 흔들리는 눈빛으로 보고 영서, 주란의 입술을 가만히 엄지손가락으로 어루만지는. 주란, 흠칫 놀라서 그 자리에서 벗어나려고 하자 주란을 뒤에서 끌어안는 영서.

영서 (주란의 손을 펴 밀서를 쥐여주며) 이 밀서를 목련공주에게 전하거라. 나는 목련을, 너는 호동왕자를 원하고 있지 않았더냐?

주란이 반사적으로 손을 빼려고 하면 영서, 주란이 손을 못 빼게 꽉 힘주어 잡는.

영서 (은밀하게 속삭이는)
밀서만 전하면 두 사람은 결코 혼인할 수 없다.

무대 위 어두워지고, 관객들 열광하면서 박수 친다. 기주, 만족한 표정으로 박수 치는.

여학생1 아유, 숨도 못 쉬고 봤어. 고미걸 너무 멋있지 않아? 이상하다, 나 원래 고미걸 싫어했었는데…….
여학생2 연기나 호흡이 문옥경, 서혜랑 못지않아.
여학생3 내 취향은 오히려 얘네 둘이 더 좋은 거 같은데?

#44 국제극장 대기실 안. 낮

지켜보던 단원들과 소복. 단원들, 충격받아서 무대 쪽만 보는. 정년, 표정 굳을 대로 굳어 있는. 정년, 손이 떨린다.

초록 관객들 반응 좀 봐.
필순 옥경 선배랑 혜랑 선배 때만큼 박수가 커.
초록 허영서 연기가 뭔가 달라진 거 같아. 원래 저렇게 감정 연기를 잘했었나?
복실 홍주란도 저렇게 연기를 잘하는 줄 몰랐어. 둘 다 꼭, 그니까 꼭, (말을 찾는)
옥경 뭔가에 씐 거 같지?
복실 (얼떨떨한) 네.
옥경 영서랑 주란이 호흡이 이렇게 잘 맞을 줄 몰랐네. 둘 다 서로에게서 최고의 연기를 끌어내고 있어.

소복, 희미하게 미소 짓는. 혜랑, 못 견디고 자리 뜨는. 옥경, 그런 혜랑을 보는. 정년, 위기의식 느끼고 표정 굳어서 무대 쪽을 보는.

도앵 군졸들, 나갈 차례다.

#45 국제극장 공연장 안. 낮

정년, 군졸들과 소리를 하며 군무를 추는.

정년 *에헤라 어야라 에헤랴 헤 어와 좋다꾸나 어서 가세 어서 가세—*

정년의 얼굴을 보자 반가워하는 여학생들.

여학생1 어머, 그때 우리 구해준 왕자님이다!
여학생2 소리 진짜 잘한다!

#46 국제극장 대기실 안. 낮

주란 (웃는) 정년이 역시 소리 잘하네요. 목소리가 특이하니까 여러 명 사이에서도 튀어요.
도앵 (갸우뚱하며 보는) 특이한 게 문제가 아니라…….

#47 국제극장 공연장 안. 낮

군졸들과 모닥불 주위에 둘러앉은 정년.

정년 군량이 얼마 안 남아서 하루 한 끼밖에 줄 수 없다고 하오. (가라앉으며) 고향의 부모님들은 어찌하고 계실지 걱정이 태산이오.
군졸 이를 말인가. 집 떠나올 때 걸음마를 시작하던 우리 아들은 지금쯤 아비 얼굴도 까맣게 잊었을 터인데…….
정년 (울분에 찬) 이렇게 배를 곯고 어찌 전쟁에서 잘 싸울 수 있겠소! 도성에 계신 그 잘난 나라님은 이런 상황을 알고나 있냔 말이오!

#48 국제극장 대기실 안. 낮

주란 (놀라는) 어? 정년이 목소리…….

영서 톤이 낮아지고 굵어졌어. 짧은 시간에 저렇게 되기가 쉽지 않았을 텐데…….

#49 국제극장 공연장 안. 낮

군졸 (화들짝 놀라 겁먹은) 조심하게, 이러다 누가 듣겠네.
정년 (벌떡 일어나는, 피 끓는 듯한 목소리로 토해내는) 들을 테면 들으라고 하시오! 난 나라님을 위해 싸우는 것이 아니외다. 고향에 두고 온 내 가족을 지키기 위해 싸우는 거란 말이오!

정년의 연기에 감탄하는 관객들.

관객1 그렇지! 아이고 연기 잘한다!
여학생1 잘하긴 잘한다, 작은 역인데도 눈에 확 띄어.
여학생2 방자 때도 유난히 튀었잖아.

#50 국제극장 대기실 안. 낮

옥경 (정년의 연기를 유심히 지켜보는)
주란 역시 정년이 잘하네요.
옥경 잘하지, 아니, 지나치게 잘하고 있어.
주란 네?
옥경 정년이는 군졸1일 뿐이잖아. 저렇게 눈에 띄면 안 돼. (재밌어하며 씩 웃는) 하긴 아까 영서 연기를 봤으니 지금 한껏 자극받았을 거야.
도앵 (다가오는) 저, 목련공주가 나갈 차례인데 혜랑선배가 안 보여요.
옥경 분장실에 있을 거야, 내가 불러올게. (자리 뜨는)

소복, 심각한 표정으로 무대 보고 있는. 정년, 군졸들과 대기실로 들어오는. 정년, 잘해냈단 생각에 웃음을 감출 수 없고 상기돼 있는.

소복 윤정년.

정년 (다가오는) 예.

소복 연기 잘하려는 생각 버려라.

정년 예? (얼떨떨한) 그래도 보러 오신 관객들한테 제 최고의 연기를 보여드려야,

소복 (가차 없이) 착각하지 마, 오늘 관객들은 너를 보러 온 게 아니야. 네가 튀어버리면 극 흐름이 깨진다고. 튈 생각 하지 마, 알겠니?

정년 ……예.

얼떨떨한 정년 남겨두고 자리 뜨는 소복. 그런 정년을 보는 영서.

#51 국제극장 주연배우 분장실 안. 낮

혜랑, 극도로 불안해져 손톱을 물어뜯으며 왔다 갔다 하는. 옥경, 분장실 안에 들어오는.

옥경 (활기차게) 준비 다 됐어? 곧 목련공주 나갈 차례야.

혜랑 (계속 왔다 갔다 하며 신경질적으로) 말도 안 돼, 촛대만 했던 홍주란이 어떻게 저런 연기를 할 수가 있어!

옥경 (심각한 혜랑과 달리 들뜬 표정) 왜, 난 흥분되는데…….

혜랑 (어이없어서 옥경 보는) 흥분돼? 그것뿐이야? 걔네들 반응 뜨거운 거 봐놓고도 안 불안해?

옥경 너랑 난 지금 기뻐해야 돼. 드디어 우리를 자극시켜줄 후배들이 나타난 거잖아.

혜랑 (원망스러운) 널 모르겠어…… 어떻게 그렇게 좋아할 수가 있어? 이러다 우리가 밀려날지도 모르는데…….

옥경 (가만히 혜랑을 보며 의미심장하게) 어차피 이 무대는 우리들만의 것이 아니라 걔네들 것이기도 하니까.

혜랑 (옥경을 야속하게 보는)
옥경 (혜랑을 보는 단단한 눈빛) 지금 네가 할 수 있는 건 단 하나야. 무대에 나가. 나가서 왜 서혜랑이 서혜랑인지 관객들한테 보여줘.

혜랑, 눈물 고여서 옥경을 보다가 이내 마음이 진정되는.

#52 국제극장 공연장 안. 낮

혜랑, 밀서를 읽고 비틀한다. 시녀들(소향, 성숙), 혜랑을 부축하는.

소향, 성숙 공주님!
혜랑 왕자님께서…… 자명고를 찢으라 하신다. (울부짖는) 나는 어찌하면 좋단 말이냐!!

자명고 앞에 선 혜랑, 번민하다가 결국 칼을 들어 자명고를 찢는다.

관객들, 눈을 질끈 감거나 안타까워하는.

[시간 경과]

낙랑왕(윤숙)이 베푼 성대한 연회 중인 낙랑의 궁. 혜랑, 연회에 참석하긴 했지만 침통한 표정이고 영서, 혜랑의 맞은편에 앉아 있다. 신하들 몇 명도 참석한.

영서 혼사를 승낙해주셔서 감읍할 따름이옵니다. 한나라와 낙랑은 이 혼사로 더할 나위 없이 돈독한 관계가 될 것이옵니다. 고구려도 낙랑을 더 이상 넘보지 못할 터이니 마음 놓으소서.
윤숙 이를 말이오. 이보다 더한 경사가 어디 있겠소.
영서 듣자 하니, 낙랑의 공주는 춤을 잘 추어서 선녀도 부끄러워 숨는다 들었사옵니다. 목련공주의 춤을 청해도 될는지요.

윤숙 물론이오. 목련아,
이렇게 기쁜 날 재상께 춤을
보여드려야 하지 않겠느냐.

혜랑, 마지못해 몸을 일으킨다.
북 앞에 선 혜랑, 북채를 든 손이
떨리더니 결국 춤을 추지 못하고
무릎을 꿇는.

혜랑 아바마마! 이 목련을
죽여주시옵소서!

윤숙 그게 무슨,

그때 정년, 무대 위로 비틀거리며
들어온다.

정년 (다급하게) 장군님! 지금
고구려 군사가,

스스로를 잘 누르며 연기하던
정년, 관객석에서 군복 입은
상이군인들이 단체관람 온 것을
발견한다. 군인들을 본 정년,
움찔하는.

[플래시백 - 6부 #19]

박 하사 후회라…… 후회한 적은
없었어. 다시 그때로 돌아가도
똑같이 선택할 거 같아. 누군가는
나가서 싸워야 했으니까.

정년, 순간 울컥하는. 정년이
대사를 하다 멈추자 당황한 배우들
서로 마주 보며 눈치 살피는. 정년,
표정 비장해지며 부들부들 떠는.

정년 (아까와는 전혀 다르게
피를 토하듯) 장군님! 고구려
군사가…… 밀려들고
있습니다!!!

관객들, 순간 정년에게 빨려들어
가서 잔뜩 집중해서 보는. 배우들,
정년의 돌발 행동에 당황해서
어찌할 바를 모르는. 영서와 혜랑,
표정 굳는.

#53 국제극장 대기실 안. 낮

단원들과 소복, 표정 굳어서 무대를 보고 있는.

도앵　관객들이 전부 다 정년이만 보고 있어요.
소복　(표정 굳어서) 음악! 음악 내보내서 잠깐 끊어!
관객1　[소리] 아이구, 뭐 한대, 군졸! 서 있지만 말고 뭐라도 좀 해봐!

단원들과 소복, 놀라는. 옥경도 심상찮은 것을 느끼고 보는.

#54 국제극장 공연장 안. 낮

정년, 당황해서 관객석 쪽을 보는.

관객2　그래, 군졸! 답답하게 가만있지 말고 소리라도 하라고!
여학생1　소리해!
여학생2　소리해!

정년, 잠시 어쩔 줄 몰라 멍히 서 있다가 상이군인들을 본다. 정년, 어디선가 기관총 쏘는 소리와 포탄 떨어지는 소리가 환청으로 들리는. 정년, 흠칫 놀라서 굳어버리는.

#55 숲속. 밤 〔회상, 2부 #5 이어서〕

정년, 숨진 아버지를 멍하니 보다가 눈물을 주르륵 흘린다. 그때 군인들이 나타나 정년과 용례, 정자를 다른 곳으로 피신시키려 끌고 간다.

정년　(숨진 아버지를 끌어안고 떨어지지 않으려고 안간힘을 쓰는) 아부지! 아부지!

울부짖는 정년을 강제로 끌고 가는 군인. 정년, 끌려가면서 홀로 남겨진 아버지를 미칠 것 같은

심정으로 보는.

정년 (몸부림치며 거의 비명처럼) 놓으란 말이요! 아부지!!

군인 정신 차려! 빨리 피해야 돼!

정년의 기억 속 흐릿한 군인의 얼굴이 정년을 향해 마구 소리친다.

#56 국제극장 공연장 안. 낮

정년, 그때의 비명이 아직도 귓가에서 환청처럼 맴도는. 상이군인들을 넋 나가서 멍하니 본다. 되살아난 전쟁 트라우마로 정년, 입술이 바들바들 떨리는. 여전히 "소리해! 소리해!" 열광적인 분위기로 소리치는 관객들. 한껏 달아오른 극장 안 분위기와 자꾸 엄습하는 전쟁 때의 기억으로 대혼돈에 빠진 정년.

[플래시백 - 6부 #56]

군인 정신 차려! 빨리 피해야 돼!

흐릿했던 그 당시 군인의 얼굴이 눈앞 상이군인의 얼굴과 겹쳐지는 정년. 정년, 멍해진다. 군인의 "정신 차려!" 하는 고함 소리와 "소리해!" 하는 관객들의 환호가 뒤섞이더니 하나로 합쳐지는. 정년, 표정 차츰 가라앉더니 서서히 눈빛에 광기가 서리는.

정년 여봐라, 군사들아! 이 내 설움을 들어라!

영서와 혜랑, 뭐야 이건 또? 당황해서 정년을 보는.

정년 (소리하는) *너의 내 설움을 들어봐라. 나는 남의 오대 독신으로 열일곱에 장가들어 근 오십 다 되어서 슬하 일점 혈육을 얻어—*

#57 국제극장 대기실 안. 낮

초록 뭐야, 저거 군사설움이잖아.
연홍 윤정년 지금 진짜 소리하는 거야?
도앵 (표정 굳어서) 늦었다, 이미 무대가 정년이한테 먹혀버렸어…….

옥경, 긴장한 표정으로 정년 쪽을 보는. 소복, 잔뜩 표정 굳어서 무대를 보는.

#58 국제극장 공연장 안. 낮

정년, 혼신의 힘을 다해 소리를 하는.

정년 *뜻밖의 급한 난리, 낙랑 땅 백성들아! 고구려로 싸움 가자!*

관객들, 눈물을 글썽이며 정년의 소리를 듣는. 영서, 표정 굳어서 정년을 보는.

관객1 잘한다!
관객2 그렇지!
정년 *우리 아내 내 거동을 보더니 버선발로 우루루루 달려들어 나를 안고 엎어지며 날 죽이고 가오—*

관객들, 환호한다. 영서, 관객들 환호 소리는 귀에서 멀어지고 눈앞에는 오로지 정년만 보이는. 어느새 영서에겐 무대 위 다른 배우들조차 보이지 않고 실신할 듯이 소리를 하는 정년과 정년을 지켜보는 영서만 남는다. 영서, 무대를 휘어잡은 정년을 보면서 점점 온몸을 덮쳐오는 공포를 느끼는. 영서, 위압감을 느끼자 숨이 가빠지며 손이 덜덜 떨린다. 이미 자신의 연기에 집중해서 아무것도 보이지 않는, 거의 광기에 가까운 몰입으로 소리를 하는 정년에서 6부 엔딩.

대본집
정년이 1

초판 1쇄 인쇄 2024년 11월 10일
초판 1쇄 발행 2024년 11월 20일

지은이 최효비
펴낸이 김선식

부사장 김은영
콘텐츠사업2본부장 박현미
책임편집 곽수빈 **책임마케터** 박태준
콘텐츠사업6팀장 임경섭 **콘텐츠사업6팀** 정지혜, 곽수빈, 조용우, 이한민, 이현진
마케팅본부장 권장규 **마케팅1팀** 박태준, 오서영, 문서희 **채널팀** 권오권, 지석배
미디어홍보본부장 정명찬 **브랜드관리팀** 오수미, 김은지, 이소영, 박장미, 박주현, 서가을
뉴미디어팀 김민정, 홍수경, 변승주, 고나연
지식교양팀 이수인, 염아라, 석찬미, 김혜원, 이지연
편집관리팀 조세현, 김호주, 백설희 **저작권팀** 이슬, 윤제희
재무관리팀 하미선, 김재경, 임혜정, 이슬기, 김주영, 오지수
인사총무팀 강미숙, 이정환, 김혜진, 황종원
제작관리팀 이소현, 김소영, 김진경, 최완규, 이지우, 박예찬
물류관리팀 김형기, 김선민, 주정훈, 김선진, 한유현, 전태연, 양문현, 이민운
외부스태프(디자인) 위드텍스트 이지선

펴낸곳 다산북스 **출판등록** 2005년 12월 23일 제313-2005-00277호
주소 경기도 파주시 회동길 490
전화 02-704-1724 **팩스** 02-703-2219
이메일 dasanbooks@dasanbooks.com
홈페이지 www.dasan.group **블로그** blog.naver.com/dasan_books
용지 한솔피앤에스 **인쇄** 상지사피앤비 **제본** 상지사피앤비 **코팅 및 후가공** 제이오엘앤피

ISBN 979-11-306-5871-1 (04680)
979-11-306-5870-4 (세트)